KB086130

선재 업고 튀어

1

이시은 대본집
선재 업고 튀어 1

초판 1쇄 발행 2024년 7월 22일
초판 2쇄 발행 2024년 8월 22일

지은이 | 이시은
펴낸이 | 金滇珉
펴낸곳 | 북로그컴퍼니
책임편집 | 김나정
디자인 | 김승은
주소 | 서울시 마포구 와우산로 44(상수동), 3층
전화 | 02-738-0214
팩스 | 02-738-1030
등록 | 제2010-000174호

ISBN 979-11-6803-082-4 04810
ISBN 979-11-6803-081-7 04810 (세트)

· 이 드라마는 카카오페이지에 연재된 김빵 작가의 웹소설 〈내일의 으뜸〉을 원작으로 하였습니다.

· 잘못된 책은 구입하신 곳에서 바꿔드립니다.

선재업고튀어

1

북로그컴퍼니

고마워요. 살아 있어줘서.
이렇게 살아준 것만으로도 다행이라고,
고맙다고 할 거예요. 곁에 있는 사람은.
그러니까... 오늘은 살아봐요. 날이 너무 좋으니까.
내일은 비가 온대요.
그럼 그 비가 그치길 기다리면서 또 살아봐요.
그러다 보면 언젠간 사는 게
괜찮아질 날이 올지도 모르잖아.

1화 작가 코멘터리

솔이가 무슨 짓을 해서라도 선재를 살리려고 하는 마음이 모두에게 공감이 가야 한다고 생각했습니다. '죽고 싶었던 순간에 나를 살게 한 사람을 살리러 간다' 이것 말고는 다른 이유가 생각나지 않았어요.

그리고 때로는 누군가의 지나가는 말 한마디가 정말 사람을 살리기도 하잖아요. 선재의 따뜻한 위로가 솔이뿐 아니라, 또 다른 누군가에게도 작은 위로가 되었으면 하고 바라봅니다.

어떻게 설명해야 할지 모르겠는데...
그래. 꿈. 안 좋은 꿈을 꿨어.
네가 경기장에서 많이 다치는 꿈을 꿨는데
진짜같이 생생했어.
그래서 정말 그 일이 일어날 것 같고,
불안하고, 걱정돼서...

너 죽어! 죽는다고!
그걸 세상에서 나만 아는데! 말해줄 수도 없어.
그래도 널 지키고 싶으니까,
살려야 되니까 뭐라도 해보는 거야...

사실 선재의 15년 후 운명을 바꾸기 위해 솔이가 할 수 있는 일은 많이 없습니다. 그럼에도 작은 희망에 모든 걸 걸고 말도 안 되는 행동들을 하는데, 그게 자칫 장난스러워 보이면 어쩌지 걱정도 됐어요. 솔이의 마음은 정말 진심이거든요. 그래서 미래의 일을 말하면 시간이 멈추는 걸 아는데도 솔이 자신의 감정을 쏟아내는 장면을 넣어봤습니다. 부디 솔이의 이 간절한 마음을 시청자 모두가 알아주었으면 해서요. 다시 보니 대사보다도 배우의 깊은 연기가 더해져 씬이 더 잘 산 것 같네요.

예쁘게도 웃네.
계속 이렇게 웃어주라.
내가... 옆에 있어 줄게.
힘들 때 외롭지 않게,
무서운 생각 안 나게...
그렇게 평생 있어 줄 테니까... 오래오래...

내가 잃어버렸던 건
기억이었을까?
아니면... 너였을까.

4화 작가 코멘터리

제가 드라마에서 말하고자 하는 이야기의 시작이 담긴 내레이션이에요.

우리는 많은 것들을 놓치며 살아간다.
나에게 선재는...하늘에 별처럼 닿을 수 없는,
아득히 먼 존재였다.
떠올리고 싶지 않은 기억들로 뒤덮인 내 십대의 끝자락에...
눈길만 돌리면, 손만 뻗으면 닿을 거리에 선재가 있었다는걸.
매일 나와 같은 공기를 마시고, 같은 하늘을 보고.
같은 길을 걷고.
나를, 내 이름을 알고.
나를 구했다는 사실을...그땐 미처 알지 못했다.
그동안 얼마나 많은 인연의 순간들을 놓치고 살아왔는지...
긴 시간을 거슬러 돌아와,
나의 과거를 다시 마주하고 나서야 깨달았다.
어쩌면...놓치지 말아야 할 순간들은.
어딘가에서 찬란한 빛을 내며 끊임없이
나에게 신호를 보내고 있었는지도 모른다.
그 신호를 놓치지 않는 것.
그것이 내가 이곳에 온 이유,
너와 내가 다시 만난 이유이지 않을까?

5화 작가 코멘터리

솔과 선재의 사랑 이야기와 함께 제가 드라마에 담고 싶었던 마음이에요. 기획의도에 적은 '1초만 흘러도 과거가 될 지금, 이 순간을 아름답게 봐주기를. 흘러보낸 시간 속에서 놓치고 지나쳐버린 특별한 순간들을 되찾아보는 시간이 되기를 바란다.'를 표현하고 싶었던 장면이 거든요.

내가 제일 싫어했던 게 뭔 줄 알아?
비 오는 거. 하루 종일 수영장 속에 있다가 나왔는데
축축하게 비까지 내리면 그렇게 짜증 나고 싫더라고.
근데 너 처음 본 날 비가 왔거든? 그날은 좋더라.
평생 싫어했던 게 어떻게 한순간에 좋아져.
그날뿐이었겠지 했는데 아니야. 지금도 안 싫어.
앞으로도 싫어질 것 같지가 않아. 비 오는 것도, 너도.
솔아. 내가 너...많이 좋아해.

열아홉 살의 선재가 순수하고 진실되게 고백해야 하는 장면이라, 꾸며낸 말처럼 보이지 않게
하려고 고민을 많이 했어요. 순수하고 진심어린 배우의 연기로 대사가 두 배, 세 배로 산 것
같아서 픽해봤습니다.

오늘 같이 있자!
우리 오늘 밤 같이 있자고. 너랑. 나랑.

이제 솔이와 선재가 더 이상 열아홉이 아니라고, 서른네 살 어른이 되었다는 걸 보여주고 싶었어요.

태엽시계. 무슨 의미였어?

편지에 쓴 그대론데. 너의 시간이...
멈추지 않고 흘렀으면 했거든.

지금껏 멈춰 있던 시간이
이제야 제대로 흐르는 것 같아서.

솔에 대한 기억을 잃은 선재의 시간은, 아무 의미 없이 그저 흘러만 가는 시간이지 않았을까
요? 마음의 시간이 멈춘 거죠. 솔이에게 '시간'은 선재가 생생하게 살아 있길 바라는 지속되는
'삶'의 의미라면, 선재에게 '시간'은 솔이와 사랑할 수 있는 '사랑'의 의미가 담겨 있거든요.

햇살이 제법 따갑습니다. 온 세상이 초록이네요.

제가 사랑하는 계절인 여름이 소리 없이 찾아와 마음을 두드리니, 자연스레 초여름의 어느 날, 1화 초고를 쓰던 때가 떠오릅니다. 창밖으로 파랗게 펼쳐진 하늘을 보며, 걸을 수 없게 된 솔이는 저 하늘을 바라보며 무슨 생각을 할까... 감히 헤아릴 수 없는 그 아픔을 가슴으로 느껴보려 한참을 창 앞에 앉아 있던 기억이 납니다.

그날 이후, 세 번의 여름을 이 작품과 함께했습니다.

조금은 힘든 여정에 시간이 빨리 흐르기만을 바라던 지난 3년이었는데, 유치원에 다니던 아이가 눈 깜짝할 사이 어느덧 초등학생이 된 걸 보며 놓치고 흘러가버린 시간의 소중함을 다시금 깨닫는 요즘입니다.

그래서 대본집을 준비하며 첫 대본을 썼던 그때로 돌아가 어딘가에 넣어두었던 기억들을 꺼내보았습니다. 그 기억들을 하나씩 펼쳐보다 보니 드라마를 준비하면서 만난 소중한 인연들과 글을 쓰며 즐겁고 뭉클했던 순간들이 다시금 새록새록 떠올라 참 행복한 시간이었습니다.

돌이켜보면 퍽 아름다웠던 그 모든 순간들을... 이제는 놓치지 않고 평생 제 가슴속에 간직하려 합니다.

부족함이 많은 글이라는 생각에 대본집을 펴내는 게 조심스럽고 부끄럽지만 감사한 분들께 인사를 전하고 싶어 용기를 내보았습니다. 모두가 고심하여 내보낸 방송본이 가장 완성도가 있다고 생각합니다만, 글로 읽었을 때의 재미를 드리고자 대본을 다시 엮어보았습니다. 영상이 주었던 감동을 깨트리지 않는 선에서 여러 사정으로 담지 못한 장면들을 추가해보았는데 부디 조금이나마

즐거우셨으면 좋겠습니다.

　작가가 쓴 대본은 영상으로 만들어지지 않으면 태어나지 못하는, 안쓰러운 습작일 수밖에 없습니다. 〈선재 업고 튀어〉가 세상 밖으로 나올 수 있게 해준 우리 배우님들, 감독님들, 기획PD님, 본팩토리 대표님, 보조작가들과 스태프들 모두 진심으로 고맙습니다. 덕분에 흑백으로 쓰인 글이 다채로운 무지갯빛으로 반짝반짝 피어날 수 있었어요.
　그렇게 피어난 이 드라마가 방송되는 동안 많은 관심과 아낌없는 큰 사랑을 보내주신 시청자분들께 제 온 마음을 담아 감사 인사를 전합니다.

2024년 6월
작가 이시은 올림

비극적으로 생을 마감한 톱스타 '류선재'
열성팬 '솔'이 그를 살리기 위해 시간을 거슬러 2008년으로 돌아간다!
찬란했던 그 시절, 다시 만난 두 청춘의 운명 극복 판타지 로맨틱 코미디

돌이킬 수 없는 순간을 떠올릴 때, 우리는 '만약'이라는 가정을 덧붙인다.
만약, 그때 다른 선택을 했었더라면...
만약, 그때 그 일이 일어나지 않았더라면...
만약, 그때가 우리의 마지막인 줄 알았더라면...
그때 그 시절로 돌아갈 수 없다는 것을 알기에 '만약'이라는 말은 언제나 슬프게 느껴진다.
그럼에도 불구하고 우리는 '만약'이라는 가정을 해볼까 한다.
만약, 과거로 돌아갈 수 있는 특별한 기회가 찾아온다면.
그것이 나에게 주어진 '운명의 시간'이라는 걸 알아본다면!

이 드라마는 안타깝게 생을 마감한 남자와
그를 살리기 위해 과거로 간 여자의 이야기,
다른 궤도를 돌고 있는 행성처럼 닿을 수 없던 두 사람이
열아홉, 그리고 스물... 풋풋하고 찬란했던 청춘의 시작점에서 다시 만나
과거와 현재를 오가며 사랑하게 되는, 애틋하고 달콤한 판타지 로맨스다.
무려 15년을 뛰어넘어 왔으나 할 수 있는 게 없어 서글픈 시간 여행자의 고군분투 코믹극이며,
과거에 아무렇게나 흘러보냈던 시간들을 다시 겪으면서 놓치고 지나쳤던 잊혀진 기억 속의 특별한 순간들을 되찾는 일상의 이야기다.

이러한 이야기를 통해 한 가지 물음표를 던져보고 싶다.
과연 특별한 기적이 일어나는 순간만이 '운명의 시간'일까?
어쩌면 소중한 가족과 함께하는 평범한 오늘이,
사랑하는 사람과 눈을 마주치고 웃을 수 있는 이 순간이,
나의 운명의 시간일 수 있지 않을까?

그렇기에 1초만 흘러도 과거가 될 지금, 이 순간을 아름답게 봐주기를.
흘러보낸 시간 속에서 놓치고 지나쳐버린 특별한 순간들을 되찾아보는 시간
이 되기를 바란다.

임솔 ☆

귀엽고 사랑스럽다. 싱그러움이 사람으로 태어난다면 아마 그녀의 모습일까?
해사하게 웃을 때면 봄볕 같은 온기가 느껴진다.
해맑고 순수해서 여전히 10대 소녀 같은 모습을 보이다가도
이미 세상의 풍파를 겪어본 사람처럼 단단한 분위기를 풍기기도 한다.

아르바이트로 유튜브 영상 편집 일을 하면서 취업 준비 중이다.
어릴 땐 영화감독이 꿈이었지만, 다리를 다치면서 접게 됐다.
대신 살짝 길을 틀어 영화 편집자가 되기 위해 관련 학원을 다니며 주요 자격증도 따 놨다.
실전에서 배우면서 경력을 쌓아볼 차례인데, 그 첫 스타트를 못 하고 있다.
여러 제작사에 인턴 지원서를 넣어보지만 서류 전형에서 탈락, 또 탈락이다.
아무래도 불편한 몸이 장벽인가...싶다.

솔은 13년 전. 불의의 사고로 하반신 마비 판정을 받았다.
불행인지 다행인지 트라우마로 인해 사고 당시의 기억은 없지만,
몸은 끔찍했던 순간을 기억하는지 쌩쌩 달리는 차들을 보면 심장이 빠르게 뛰고 호흡이 가빠질 때가 있다. 아찔해지는 순간이 오면 눈을 감고 천천히 숫자를 세며 주위 소리에 집중한다.
달리는 차들이 멈출 때까지. '하나, 둘, 셋, 넷...'
조금만 버티면 다 지나갈 거라고, 다시 눈을 뜨면 그땐 무섭지 않을 거라 다독이며.

물론, 영원히 눈을 감고 싶었던 때도 있었다.

다시는 걷지 못할 거라는 걸 알았을 때... '그냥 죽게 놔두지, 왜 날 살렸어?'

잠이 들 때마다 이대로 깨지 않았으면, 아침이 오지 않았으면 하고 매일 밤 빌었다.

그 날도, 눈을 떴을 때 어김없이 찾아온 아침이 달갑지 않았다.

재활병원 창문으로 들어오는 초여름의 햇살이 미치도록 서글펐다.

이제 그만 살고 싶었다. 그냥 확 죽어버리고 싶었다.

그런데 우연히 통화 연결된 라디오에서 이름도 모르는 남자가 이런 말을 해줬다.

살아 있어줘서 고맙다고, 살아준 것만으로도 다행이라고. 그러니 오늘은 살아보라고...

그 말을 끝으로 흘러나오는 그의 잔잔한 노랫소리가 가슴을 적셨다.

사고 이후 처음 마음에 박힌 위로였다.

어느 날, TV에서 익숙한 목소리가 흘러나와 홀리듯 그 앞으로 다가갔다.

화면 속에서 눈부시게 빛나는 남자가 라디오에서 들었던 그 노래를 부르는데 심장을 망치로 꽝 때려 맞은 기분. 제대로 덕통사고! 당했다.

그가 바로 혜성처럼 떠오르는 신인 밴드 이클립스의 보컬 '류선재'란다.

2009년 겨울. 그렇게 사고처럼, 운명처럼 그에게 입덕했다.

고된 재활 치료를 시작으로 휠체어에 자유로이 오르게 되기까지

선재의 목소리는 든든한 버팀목이었고, 열렬한 덕질은 유일한 낙이었다.

마음이 밑바닥까지 곤두박질쳤을 때 그가 해준 말처럼

힘들 때면 '그래 오늘은 살아보자' 마음으로 살다 보니 또 살아졌다.

그렇게 하루하루 살다 보니 다시 웃을 일도 생기고...

어느덧 아픔이 무뎌지는 순간이 오긴 온다고 느꼈다.

2023년 1월 1일 0시 0분.

몇 시간 전만 해도 눈앞에서 살아 숨 쉬고 있던 선재가... 죽었다.

'류선재, 우울증으로 인한 극단적 선택 추정'

그 순간, 솔의 세상도 무너졌다.

아니, 무너진 줄 알았는데?

길바닥에서 엉엉 울다가 이상한 느낌에 눈을 떠 보니... 여긴... 교실???

무려 15년 전으로 타임슬립 해버렸다. 바로 선재가 살아 있는, 2008년 나의 열아홉으로!

심지어 그녀가 다리를 잃은 '사고'가 일어나기 이전 시점이다.

이건 신이 주신 기회가 아닐까? 그렇다면 구할 거야 꼭. 선재도. 나도.

자신에게 닥칠 불운의 사고를 막고, 선재에게 더 오랜 삶을 살게 해주고 싶다.

기적처럼 주어진 시간 동안... 과연 정해진 운명을 바꿀 수 있을까?

운명에 맞서기 위해 애를 쓰던 어느 날,

솔은 잃어버렸던 과거의 기억을 되찾는데...

운명의 장난이라고 하기엔 너무도 가혹한 진실을 알게 된다.

자신의 사고와, 선재의 죽음이 연결되어 있었고

선재가 결국 자기 때문에 죽게 되었다는 사실을...!

#열아홉의 솔

영화감독이 꿈인 깨발랄 여고생.

수능을 코앞에 둔 고3인데 첫사랑에 빠져 허덕이고 있다.

싸이월드 얼짱이자 자감남고 밴드부인 날라리 '김태성'을 열렬히 짝사랑 중이다.

류선재 ☆

#열아홉의 선재

자감남고 수영부 에이스. 전국체전에서 2관왕, 주종목에선 박태환에 견줄 만한 기록을 세우며 차세대 스포츠 스타로 언론의 스포트라이트를 받을...뻔했으나! 어깨 수술을 받고 재활하는 바람에 탄탄대로일 줄 알았던 선수 생활이 잠시 주춤하고 있다.

떡 벌어진 어깨, 운동으로 다져진 단단한 몸, 365일 운동복만 걸치고 다녀도 갓벽한 피지컬, 잘난 얼굴에 꿀보이스까지. 다 가진 것 같은데 의외로 인기가 없다...?!

싸이월드 얼짱들이 인기를 휩쓸던 그때 그 시절. 365일 운동복 차림으로 체육관만 들락거리던 그가 여학생들의 눈에 띄었을 리가.

상남자 같고 무뚝뚝해 보여 쉽게 다가가기 힘든 스타일로 보이지만 속정 많고 마음이 약하다. 허당스럽고 순진한 구석이 있어 사실상 순한 대형견남.

아버지와 단둘이 살고 있다.

엄마는 몇 년을 암으로 투병하다 그가 열 살 때 세상을 떠났다.

고통스러운 병마와 싸우는 엄마를 보며, 아픈 아내를 돌보면서도 아들 맘 다칠까 눈치 보는 아버지를 보며 그는 어릴 때부터 아픔을 숨기는 게 습관이 됐다.

괜찮은 척, 안 슬픈 척, 안 아픈 척...

누군가를 걱정시키는 것보다는 아무리 힘들어도 혼자 견뎌내는 게 마음이 더 편했다.

수영 대회에서 첫 금메달을 따온 날이었다.

오랜 투병으로 지치고 메마른 부모님이 오랜만에 활짝 웃는 모습을 보았다.

그때부터 수영을 더 악착같이 하게 됐다.

아내를 잃고 자식만 보고 사는 아버지의 자랑이 되고 싶어서.

그리고 만약 하늘에서 엄마가 보고 있다면... 나 이렇게 잘 자랐다고 보여주고 싶어서.

머리와 가슴에 수영과 가족밖에 없던 그에게 새로운 것이 들어온다. '첫사랑'

수영은 0.01초로 승부가 갈리는 기록 싸움이기에 감정의 동요를 최소한으로 해야 한다. 때문에 평정심이 아주 중요하고 그것이 곧 자신의 강점이라 자신할 수 있었다.

아... 이게 이렇게 쉽게 무너지는 거였나?

소나기가 내리던 날, 앞집에 사는 임솔이라는 여자애가 노란 우산을 씌워준 순간 심장이 쿵, 떨어졌다. 첫눈에 반한 이후 평정심이고 뭐고 완전히 페이스를 잃었다.

여자애 얼굴 한번 보겠다고 영화도 안 보면서 그 애가 있는 비디오 가게 앞을 매일 서성대는 꼴이란. 정작 눈이라도 마주치면 말 한마디 못 하고 도망 나올 거면서.

아... 나 이 정도로 쑥맥이었나?

떨려서 말 한번 못 붙여본 짝사랑 그녀가 느닷없이 하늘에서 똑 떨어진 것처럼 수영장에 나타나선 냅다 달려와 안긴다. 그러더니 서럽게도 울면서 날 사랑한단다.

어제까지 내 존재조차 모르던 솔이 어떻게 내 이름을 아는 건지.

왜 자신을 슬픈 눈으로 보는 건지.

생각해보면 이상한 구석이 한두 개가 아닌데도 왜 점점 더 좋아지는 건지.

바다 한가운데 빠져도 헤엄쳐 나올 자신이 있는데

첫사랑에 빠져 헤어나오지 못하고 허우적대기 시작한다.

#현재의 선재

2009년 데뷔 이래 현재까지도 정상의 자리에 우뚝 서 있는 톱밴드 이클립스의 보컬. 연기자로 스펙트럼을 넓혀 몇 편의 영화, 드라마를 히트시키며 배우로서도 대중에게 인정받은 톱스타.

과거 수영 선수였던 그는 꿈이 좌절된 이후 친구 인혁을 따라 오디션을 봤다가 기획사 대표 눈에 띄어 데뷔했다. 남들보다 쉽게 시작해 큰 사랑을 받았다는 생각에 두 배로 더 노력하며 쉼 없이 달려왔건만, 어느 순간 닥친 번아웃. 모든 게 허무해졌다. 잠 못 드는 밤이 많아지자 이대로 가단 무너질 것 같아 오랜 고민 끝에 연예계 은퇴를 결심했는데.

마지막 콘서트 무대를 마친 그날 밤. 그가 갑작스레 세상을 떠났다.

언론에선 '불면증, 우울증으로 인한 극단적 선택'이라며 추측성 기사를 쏟아냈고, 전 국민이 충격에 빠졌다. 그런데, 정말 그의 죽음은 자살이었을까?

김태성 ☆

미니홈피 방문자 수가 인기의 척도였던 그때 그 시절, 우리가 좋아했던 싸이월드 얼짱. 날티 폴폴 풍기는 외모에 밴드부 베이스라니. 인기가 없을 수가 없었다. 2008년 그때는.

머리끝부터 발끝까지 날티가 폴폴. 자신이 잘생긴 줄 알아도 너무 잘 알아서 탈이다. 지나가는 여자와 눈이 마주치면 눈웃음 날려준다. 왜? 심쿵하라고.

살살 웃으며 애교도 부렸다가, 놀리며 장난도 쳤다가, 갑자기 차갑게 굴다가도 다시 다정하게 챙겨준다. 아주 여기저기 흘리고 다닌다. 매력을.

그러니 좋다고 쫓아다니는 애들 중 맘에 드는 애 있으면 쉽게 사귀고, 질리면 금세 헤어지고. 스무 살도 되기 전에 구여친들만 몇 명인지.

밴드부도 원해서 들어간 게 아니다. 잘생기고 인기 많단 이유로 선배들이 그냥 꽂아 넣었다. 그냥 대충 베이스 메고 흉내나 내며 무대에 서 있으라기에 뭐,

그리해 왔다.

딱히 뭐 하나에 꽂혀본 적도 없고, 뭔가를 열렬히 좋아하거나, 열중해본 적이 없다. 음악에 대한 열정? 당연히 없다. 그런데도 밴드부에 발을 담그고 있는 이유는...

무대에 섰을 때 받는 열렬한 관심과 환호, 그게 나쁘지 않아서.

절대 아니라 부정하겠지만, 그는 애정결핍이 맞다.

어릴 적 부모님의 이혼으로 강력반 형사인 아버지와 둘이 산다.

나쁜 놈들 때려잡는 형사인 아버지를 우상으로 삼았던 적이 있었다.

하지만 아버지 인생에서 우선순위는 가정보단 일이었고, 결국 엄마는 떠났다.

엄마가 떠난 게 다 아빠 탓이라 생각해 원망하고 있다.

유치한 짓이라는 걸 알지만, 반항심에 일부러 엇나가는 중이다.

어느 날 웃기는 애 하나를 발견했다.

수줍게 고백하더니 창피했는지 멀쩡한 길 놔두고 담벼락을 넘어 도망가는 모습에 어이가 없었는데... 무슨 심경의 변화가 생긴 건지 원래 이중인격자인 건지 하루 만에 딴 사람처럼 변했다. 담배 피운다며 온갖 잔소리와 꾸중을 늘어놓더니, 또 싸움질하다 생긴 상처를 치료해주며 훈계를 늘어놓는다. 뭐야, 내 관심 끌려는 건가?

아무튼 옆에서 쫑알쫑알 늘어놓는 잔소리가 듣기 좋았다.

일부러 짓궂게 말장난을 걸어 구박을 배로 받는데 재밌어서 실실 웃게 된다.

다른 여자 애들이랑은 좀 다르단 말이지. 나를 막 대하는 여잔 네가 처음이야..

네 고백 내가 받아줄까?

그리고... 사귀게 됐다.

늘 그랬듯이 나 좋다는 애랑 사귀어준 것뿐이라고 생각하지만

이미 솔에게 반쯤 마음이 갔다는 걸 본인만 모른다.

근데 이상하다. 훈계질과 구박이 일상이었던 애가 사귀니까 갑자기 눈에 하트 박고 자신을 떠받든다. 다른 여자 애들과 별다를 게 없는 모습에 시시해져 그만 헤어지려고 했는데.

애... 뭐지?

헤어지려 하니까 다시 또 돌변했다. 나를 하찮게 여기며 막 대하는 그 모습으로! 이중인격잔가? 애... 진짜 뭐지?

백인혁 ☆

#현재의 인혁

이클립스의 리더이자 기타리스트.

어느 날 갑자기 이유도 모르고 통보받은 선재의 은퇴 선언에 큰 배신감을 느낀다. 그 일로 콘서트 날 선재와 크게 다퉜는데 그게 그와의 마지막이 될 줄은 몰랐다.

#열아홉의 인혁

자감남고 밴드부의 기타리스트이자 선재의 절친.

살짝 어리바리하지만 모난 데 없고 싹싹한 성격에 훈훈한 외모로 인기가 좋다. 성격이 단순해 하나에 꽂히면 하나만 안다. 그가 꽂혀 있는 단 하나. 바로 음악.

그의 우상은 본 조비. 본 조비 같은 밴드를 만들겠다는 거창한 꿈이 생겼다. 그런데 노래는 타고나질 못해 글렀고, 기타는 죽어라 하면 해볼 만하겠다 싶어 일렉기타를 손에 잡았다. 일렉기타와 영혼을 공유하며 사춘기를 보내던 그는 월드스타가 되기 위해선 넓은 세상으로 나가야겠다 싶었다. 그러기 위해선 일단, 대한민국 수도... 서울부터 평정하자!

그의 나이 열여섯, 기타 하나 달랑 메고 무작정 서울로 상경했고, 유명 기획사에서 아이돌 밴드 그룹을 만들 계획이라기에 냉큼 달려가 오디션을 봤는데 운 좋게 뽑혔다.

낯선 서울에서 만난 첫 친구가 선재다. 지방에서 왔다고 선재 아버지가 갈비 먹여 키워주셔서 선재네랑은 가족 같은 사이가 됐다. 운동밖에 모르는 선재가 세상 물정 모르는 애 같아서 매사 코치하려 들지만 사실 그도 음악밖에 모르는 바보라 두 사람을 멀리서 보면 덤 앤 더머가 따로 없다. 그래도 선재 일이라면 언제 어디서든 "마이 썬~~" 하며 발 벗고 달려 나갈 준비가 되어 있는 선재바라기인데, 어느 날 갑자기 나타난 '임솔'이라는 애가 선재의 정신을 혼란하게 하는 것 같아 한껏 경계하는 중이다.

임금 솔의 오빠 ☆

#현재의 금
한때 배우가 꿈이었으나 동생 솔의 사고 이후 꿈을 접고 평범한 직장에 취업해 살아가고 있다. 밤낮으로 업무에 시달리는 팍팍한 삶을 벗어나 보려 주식에도 손대봤지만 결과는 폭망이다. 아무래도 이번 생에 결혼은 꿈도 못 꿀 듯싶다.

#2008년의 금
배우 지망생. 다니던 대학을 휴학하고 등록금을 빼돌려 연기학원에 등록했다. 연기학원에 다니며 여러 오디션에 도전하지만 매번 탈락의 고배를 마신다. 나잇값 못 하고 살아도 연기에는 진심인 편.

솔이 친구인 현주와는 아주 상극이다. 톰과 제리 같은 관계랄까. 근데 늘 본인이 당한다. 고 어린 걸 한 번도 못 이겨 먹어봤다. 공부 좀 잘한다고 꼬박꼬박 지적질에, 말 끊고 잘난 척에, 세상 한심하다는 듯한 눈빛으로 그를 위아래로 꼬나본다. 그러다 한마디 하면 파르르하며 반격포를 쏴대는데 보통 지랄 맞은 성격이 아니다. 그래도 꼬맹이 때부터 봐와서 그런지 동생 같아서 챙겨주고 싶고 그렇다. 으휴. 저 지랄 맞은 애를 어떤 놈이 데려갈지 참으로 걱정이다.

이현주 솔의친구 ☆

#현재의 현주
다리가 불편한 솔을 오랜 시간 곁에서 챙겨왔다.
잘나가는 커리어우먼으로 돈복, 재물복 다 있는데 유일하게 남자복만 없다.
바람 피운 남편과 깔끔하게 이혼한 후, 결혼 말고 연애를 꿈꾸며 운명의 짝을 기다리고 있다.

#열아홉의 현주
솔이의 단짝 친구. 당돌하고 새침하고 매사 똑 부러진다.
이상형은 무조건 잘생긴 남자다. 어차피 남자란 종족은 다 거기서 거기 아닌가. 그러니 얼굴이라도 잘생겨야지! 대학내일 표지에 실린 S대 킹카 사진을 보고 대학만 가면 자연스레 이런 선배와 연애할 수 있을 거란 희망을 품고 힘든 고3 세월을 버티고 버텼는데...
정말이지 인생이 이렇게 꼬일 줄 몰랐다. 어떻게 꼬였냐고?
그녀가 세상에서 가장 한심한 사람 세 명을 꼽자면 3위는 솔이 오빠. 2위는 금비디오집 아들내미. 1위는 임금이다.
초딩 시절 솔이네 집에 놀러 갔다가 금이를 처음 봤을 때 살짝 모자르지만 마음만은 착한 오빠라고 생각했었다. 그런데 이후 몇 년을 나잇값 못 하고 다니는 꼬락서니를 보다 보니 이제는 하찮게만 보일 뿐이다. 그.런.데. 세상에서 제일 한심한 인간 임금에게 반할 줄이야!

하... 베프 솔에게 처음으로 말 못 할 비밀이 생겼다.

박복순 솔의 엄마 ☆

작은 3층 건물에서 나오는 월세 수입으로 자식 둘을 뒷바라지하고 홀어머니를 모시며 살고 있다. 1층에서 폐업 위기의 금 비디오&DVD 가게를 운영 중.

10년 전 남편을 사고로 먼저 떠나보내고 어린 자식들을 키우며 생활력은 강해지고 드세졌다. 보통 강단이 아니다. 자식들이 속 썩여 욱하면 말보다 손이 먼저 나갈 때도 있지만 속으로는 아빠 없이 자라게 해 안쓰럽고 애틋한 마음뿐이다.

정말자 솔의 할머니 ☆

따숩고 정 많은 솔의 할머니.

10년 전 남편을 잃고 생활 전선에 뛰어든 딸 복순을 대신해 솔이 금이를 어릴 때부터 돌봤다.

보릿고개 시절을 하도 겪어 밥에 예민하다.

효도가 별거 있나. 밥 잘 먹고 건강하면 그게 바로 효도지.

눈보다 빠른 손으로 밥을 지어대며 손주들 상 차려주는 재미에 산다.

특히 눈에 넣어도 안 아픈 막둥이 손녀딸 솔을 끔찍이 아낀다.

류근덕 선재 아빠 ☆

류근덕 갈빗집 사장. 오래전 암으로 아내를 떠나보내고 홀로 선재를 키웠다.

수영을 시작하고 각종 대회 상을 휩쓸며 주목받는 아들 선재가 유일한 자랑거리다. 아들 뒷바라지 열심히 해서 마린보이 박태환의 뒤를 이를 청상아리 류선재로 만들어내는 것이 평생소원이자 목표다.

'우리 아들~ 우리 선재~'를 입에 달고 사는 아들 바보.

장사하느라 늘 바빴지만 하나뿐인 아들이 혹여나 엄마의 부재로 외로울까, 어둡게 클까 싶어 애를 쓰며 키웠다. 어느 정도인가 하면... 선재의 초등학교 졸업식 날, 일가친척을 비롯해 6촌 형님들까지 죄다 불러 모아 성대하게 졸업식 사진을 찍을 정도로 아들 사랑이 대단하다.

김대표 선재 소속사 대표 ☆

신인 그룹 이클립스를 성공적으로 데뷔시켜 정상의 자리에 오르게 한 인물.

JNT 설립 후 직접 보석을 발견하겠다는 마음으로 매일 여러 학교들을 찾아다녔지만 마음에 쏙 드는 인재를 찾지 못하고 있었다.

그러다 단번에 꽂히는 아이를 발견했는데... 그게 바로 선재다.

선재가 회사에 들어온 후 이클립스로 데뷔시키고 이후 많은 가수들과 배우들을 키워냈다.

회사의 시작을 함께한 선재에게 특히 더 애틋하다.

박동석 선재 매니저 ☆

선재의 매니저. 서글서글한 외모와 달리 반전 있는 성격이다.
깍듯한가 싶은데 당돌하고, 눈치 보는 것 같으면서 할 말은 다 하는 팩.폭.러.
선재 앞에 납작 엎드리는 것처럼 보이나 사실 머리 꼭대기에 있을지도 모른다.

태성 주변 인물

김형사 태성 아빠 ☆

20년 차 베테랑 형사로 타고난 감이 좋다. 주양저수지 살인 사건을 맡아 수사
하게 된다.
관내에서 '사친놈'이라 불리는데 '사랑'에 미친놈이 아니라 '사건'에 미친놈이다.
늘 가족보다는 일이 먼저였다. 이를 못 견딘 아내는 이혼 후 외국으로 떠났다.
어린 태성만 남겨두고... 이후 태성과의 사이가 데면데면해졌다. 엇나가기만
하는 아들이 늘 걱정스럽다.

차이슬 태성 친구 ☆

태성의 절친. 액면가 78년생인 노안.
늙수그레한 외모와 상반된 예쁜 이름을 가지고 있다.

최가현 태성의 N번째 여자친구 ☆

한 달 정도 사귀다가 차였다. 아직 태성을 잊지 못해 태성이 대놓고 귀찮아하는데도 죽어라 쫓아다니는 중이다.

김영수 ☆

주양저수지 살인 사건 범인이자 과거에 솔을 납치한 범인. 솔, 선재와 질긴 악연으로 얽히는 인물이다.

용어정리

씬	장면(Scene). 같은 장소, 같은 시간 내에서 이루어지는 일련의 행동이나 대사가 한 씬을 구성.
D	낮(Day). 그 장면이 이루어지는 시간대를 표시.
N	밤(Night). 그 장면이 이루어지는 시간대를 표시.
E	효과음(Effect). 등장인물은 보이지 않고 소리만 나는 경우에 사용.
F	필터(Filter). 필터를 거쳐 들려오는 전화기 너머의 목소리 등을 표현.
NA	내레이션(Narration). 등장인물 사이에 오가는 대사가 아닌 독백이나 시청자를 향한 설명.
O.L	오버랩(Overlap). 현재의 화면이 사라지면서 뒤의 화면으로 바뀌는 기법.
F.O.	페이드아웃(Fade-Out). 화면이 점차 어두워지면서 장면이 바뀌는 것을 의미.
F.O.F.I.	페이드아웃 페이드인(Fade-Out, Fade-In). 화면이 점차 어두워졌다가 다시 점차 밝아지며 장면이 바뀌는 것을 의미.
slow	화면의 움직임이 느리게 표현되는 기법.
인서트	Insert. 화면의 특정 동작이나 상황을 강조하기 위해 삽입한 화면.
몽타주	따로따로 편집된 장면들을 짧게 끊어서 붙인 화면.
디졸브	Dissolve. 한 화면이 사라지면서 동시에 다른 화면이 나타나는 기법.
컷 튀면	한 공간 안에서의 시간 경과나 각도 전환을 의미.
틸업	Till up. 카메라를 아래에서 위로 움직이며 촬영하는 기법.
팬하다	촬영기를 한곳에 고정시킨 채 상하좌우를 돌려 찍는 기법.

Lotely ♡
Runner
♡

1화

그러니까…오늘은 살아봐요. 날이 너무 좋으니까.

내일은 비가 온대요.

그럼 그 비가 그치길 기다리면서 또 살아봐요.

그러다 보면 언젠간 사는 게 괜찮아질 날이 올지도 모르잖아.

씬/1   서울 도심 풍경 (D)

(자막) 2009년 7월 22일
개기 일식 서서히 진행되고 있다. 검은 구름이 드리워진 하늘.
도심 곳곳에 직장인들 삼삼오오 모여서 하늘 바라보고 있다.
건물 옥상. 삼각대 놓고 관측 사진 찍으려는 사람들 보이고.
다리 위에 세워진 차와 택시들. 택시 기사, 승객들도 내려서 하늘 보고 있
다. 그때, 검은 구름이 서서히 걷히자 개기 일식 장면, 신비롭게 보여진
다. "보인다 보여!" "예쁘다.." "와. 신기해." 사람들 디지털카메라, 핸드폰
으로 사진 찍는 모습.

씬/2   재활병원 다인 병실 (D)

침대에 누워 창밖으로 달이 태양을 가리는 장면을 보고 있는 솔.
버석한 눈으로 무감하게 바라보다 눈을 감는다. 블랙아웃.

씬/3   거리 일각 + 승합차 안 (D)

오래된 승합차 세워져 있고. 차 안에 켜진 라디오에서 DJ 멘트 흐른다.

DJ(E)　　좀 전에 다들 하늘 보셨나요? 61년 만에 가장 큰 개기 일식이 있었죠. 저도 옥상에 올라가서 봤거든요. 태양보다 400배나 작은 달이 그 거대한 태양을 서서히 삼키는 모습을 보는데...기분이 참 묘하더라구요.

　　　　　김대표, 차에 기대서서 신문 보고 있다. '61년 만에 우주쇼 펼쳐진다' 개기 일식 관련 기사, 그 아래 '故 마이클잭슨 주치의 살인 혐의로 기소' 기사 보이고. 숍에서 선재, 인혁, 현수, 제이(*2009년 밴드 그룹 스타일링) 나오자, 김대표. 신문 내려놓고 승합차 문 열어주며 "자! 자! 가자!" 재촉한다.
　　　　　선재, 먼저 올라타서 창가 자리에 앉는다.

DJ(E)　　왠지 말도 안 되는 일이 일어날 것만 같은 기분. 나에게 기적 같은 일이 일어나지 않을까? 기대도 되구요. 기적은 믿는 사람에게 찾아온다고 하잖아요. (웃음) 그래서 전 소원 빌었거든요. 청취자분들에게도 기적 같은 일이 찾아오길 바라면서 노래 듣고 1부 시작하겠습니다.

　　　　　M. 소녀시대 '소원을 말해봐' (*6씬까지 쭉 이어진다)
　　　　　김대표, 마지막 멤버 밀어 넣고 운전석에 올라탄다. 차 출발한다.

씬/4　　승합차 안 + 올림픽대로 (D)

　　　　　올림픽대로 위를 속도 높여 달리고 있는 승합차. 인혁은 멤버들과 장난치며 웃고 있고, 현수 입 벌리고 졸고 있다. 선재, 창밖 풍경 보고 있다.

씬/5　　방송국 로비 + 복도 (D)

　　　　　인혁 외 멤버들과 선재, 김대표 쫓아 걷고 있다.

마주치는 PD, 작가들에게 90도로 인사하며 "안녕하십니까 이클립습니다!" 씩씩하게 인사하며 걸어가는 패기 넘치는 신인의 모습.
그때, 무대 의상 입은 댄서들과 같이 지나가는 소녀시대 유리.

인혁   (유리 보고 눈 똥그래진) 대애박...소시 유리다! (홀린 듯 자연스레 멤버들에게서 이탈해 유리 쫓아간다) 유리님! 제가 진짜 팬인데요! 소원 하나 말해도 될까요?
유리매니저   아...이러시면 안 돼요... (막아서는데)
유리   괜찮아~ 팬이라잖아. (싱긋 웃어주며) 소원이 뭐예요?

한편, 정신없이 걸어가던 김대표 "어? 인혁이는!" 멈춰 서고.
선재, 현수, 제이 돌아보는데 어이없는 표정.
인혁, 허리 숙이고 있고, 인혁 등에 크게 사인해주는 유리.
인혁 "감사합니다!!!" 감격스러운 표정으로 인사하면 유리, 지나간다.

김대표   (씩씩대며 가서 인혁 잡아끌며) 너도 이제 연예인이야! 한눈팔지 말고 따라와!

라디오 스튜디오 앞 복도. 조연출이 기다리고 있다가 손 흔든다.
"빨리 오세요! 빨리!" 스튜디오 문 열면, 멤버들 안으로 서둘러 들어간다.

씬/6   스튜디오 + 라디오 부스 (D)

조연출, 문 열어주면 이클립스 멤버들 차례로 부스 안으로 들어가고.

김대표   말실수 조심하고! 알았지? 잘해! (멤버들 등 두드려주는)
멤버일동   (DJ 향해) 안녕하십니까 이클립습니다! 열심히 하겠습니다!

이클립스 멤버들, 우렁차게 인사하는 모습에서.

씬/7   재활병원 다인 병실 (D)

조용하고 삭막한 분위기의 병실. 환자들 대부분 자고 있고, 빈 침대도 보인다.
창가 쪽, 레일 끝까지 쳐서 꽁꽁 닫아 놓은 커튼 뒤편.
하반신 마비 환자인 솔, 침대에 기대앉아 멍하니 창밖 보고 있다.
새파란 하늘. 초록이 짙어진 나무들 보인다. 싱그러운 여름 날씨.
옆에 앉은 복순, 솔이 발톱 깎아주고 있다. (*복순 손등에 화상 자국)

복순   (앙상한 솔이 발 보며) 예쁘게 매니큐어 발라줘야겠다. 너 좋아하는 노란
         색으루.

그때, 할머니 환자가 무료한지 라디오 켜자, DJ와 패널들 웃음소리 흘러
나온다. (*라디오 소리 배경으로 작게 계속 깔린다)

DJ(E)   그럼 멤버들 소개는 아쉽지만 이쯤 하구요. 신인분들 나오면 꼭 거쳐야
         하는 코너가 있거든요. '아무거나 물어봐' 인지도 테스트 시간입니다!
멤버일동(E) 오오! (박수 치며 리액션)
DJ(E)   우리 이클립스의 노래를 얼마나 많은 분들이 사랑해주시고 계시는지 알
         아볼 수 있는 시간이죠. 무작위로 뽑은 번호로 전화를 걸어서 상대방이
         이클립스의 데뷔곡을 맞혀주시면 성공입니다... (멘트 이어지고)
복순   (발톱 깎으며) 솔아. 우리 산책 나갈까? 오늘 날씨 쨍하니 정말 좋던데.
솔   (나무에 앉아 있던 새 한 마리가 하늘로 날아가는 모습 보는) ...
복순   솔아...? 나가기 싫어?
솔   ...
복순   (걱정스레) 가만히 누워만 있으면 더 안 좋대. 휠체어 타는 연습하면서
         조금씩이라도 움직여보자, 응? (솔이 계속 대답 없자 한숨)
인혁(E)   안녕하세요!
할머니(E) 시방 바빠 죽겠는데 안녕은 무신. 누구여?
인혁(E)   신인 그룹 이클립스 리더 백인혁이라고 합니다!

할머니(E) 뭐? 내 이년?

일동(E) *(깔깔 웃는 소리)*

그때, 복순. 실수로 바짝 깎는 바람에 솔이 엄지발톱에서 살짝 피가 난다.
복순, "아이구, 어떡해 아프겠드.." 말하다 삼키곤, 솔이 본다.
솔은 아픈 줄도 모르고 창밖만 보고 있자, 가슴 미어지는 복순. 눈물 꾹
참는데.
솔, 고개 돌려 울음 참는 복순 가만 지켜본다.

복순 (눈물 훔치고 애써 밝게, 미안한 표정 지으며) 솔아 미안. 너무 바짝 깎았
     다.

솔   (피 나는 발톱 무심히 본다)

복순 얼른 연고 얻어 올게. (침대 옆에 놓인 핸드폰을 집다가 유리병 쓰러트려
     깨진다) 어머!

솔   (유리 깨지는 소리에도 반응 없는)

환자들 (깨지는 소리에 솔이 쪽 돌아봤다가, 다시 무심히 고개 돌리고)

복순 내가 못 살아 진짜... (커튼 확 젖히고 밖으로 뛰어나가면)

솔, 고개 돌려 보는데. 침대 옆에, 깨진 유리 조각 보인다.
유리 조각 빤히 보고 있던 솔. 팔 뻗어 유리 조각 집어 든다.

DJ(E) 통화 연결 응해주신 할머님 선물 보내드릴게요! *(라디오 소리 이어지고)*

씬/8 라디오 부스 + 재활병원 다인 병실 (교차) (D)

#라디오 부스
선재, 스피커 버튼 누르고, 잠시 생각하는 듯한 표정.

#재활병원 다인 병실
솔이 침대에 놓인 핸드폰(*폴더폰)에서 벨소리 울리는데.

동시에 라디오에서도 통화 연결음 흘러나오고 있다.
솔, 핸드폰에 눈길 주었다가 무시한다. 유리 조각을 더 꽉 쥔다.

환자1   거~ 전화 오잖어.

#라디오 부스

DJ   아..전화를 안 받으시네요? 우리 선재 씨는 시도도 못 해보고 실패하나
        요?
선재   ... (표정)

#재활병원 다인 병실 + 라디오 부스

E   솔이 전화 벨소리 끊어질 듯 계속 이어진다.
환자1   아이고 시끄러 죽겠네! 전화 좀 받어~

솔, 재촉에 할 수 없이 유리 조각을 내려놓고 이불을 덮어 숨긴 뒤 핸드폰
들어 전화받는다.
그 순간, 라디오 속에서 들리던 통화 연결음 멈추고.
솔이 핸드폰과 라디오에서 동시에 들리는 선재 목소리.

선재   여보세요?
솔   (라디오랑 핸드폰 번갈아 보며 ??)
선재   제 목소리 들려요?
환자들   (라디오와 솔이 번갈아 보며 갸웃)
솔   (라디오에서 걸려 온 것 눈치챈) 뭐야... (끊으려다 목소리 이어지자 멈칫)
선재   안녕하세요. 저는 류선재라고 합니다.
솔   ...근데요.
선재   저 아세요?
솔   모르는데요.
선재   아... (아쉬운 표정, 뭔가 말하려는 듯 입 달싹이는데)

인혁	(선재 답답한 듯 보며 끼어드는) 이클립스는 혹시 아세요? 두 달 전에 데뷔한..
솔	(짜증 난다 O. L) 모른다구요!
DJ	실패! 아...안타깝네요. 전화받아주셔서 감사합니다! 저는 텐텐친구의 ○○입니다!
솔	(어이없는) 끊을게요. (끊으려는데)
DJ	잠깐, 선물 받아 가셔야죠~
솔	됐어ㅇ.. (요 하려는데)
DJ	(O. L) 요즘 날 너무 좋죠? 나들이 가실 때 신으시라고 기능성 러닝화 선물로 보내드릴게요!
솔	(짜증 난다) 필요 없어요.
DJ	(살짝 당황) 그럼 어떤 선물을 좋아하시려나? 최신형 실내 바이크는 어떠세..
솔	(열받아서 소리친다 O. L) 필요 없다잖아요! 그딴 거 다 필요 없다고! 뭐 선물? 당신들이 나 다시 걷게 해줄 수 있어요? 내가 원하는 건 그건데?!

#라디오 부스
DJ, 멤버들 당황한 표정. 굳은 표정의 선재 보이고.

#재활병원 다인 병실 + 라디오 부스

솔	그래 줄 수도 없으면서 왜 가만있는 사람한테 전화해서 이러는 건데요?! 이런 장난 치니까 재밌어요? (울컥) 하..다들 좋겠다. 사는 게 재밌어서...어딘가엔요! 날이 너무 좋아서...그래서 살고 싶지 않은 사람도 있거든요! 그러니까 다신 이딴 전화하지 마세요! 방송국 확 불 질러버리고 싶으니까! (소리치며 핸드폰 집어 던진다)

바닥에 떨어진 핸드폰, 통화 안 끊기고 연결되어 있다.
솔, 서럽고 분하다. 울음 참으려 씩씩대며 숨겨놓은 유리 조각 애써 노려본다. 한편, 라디오 부스. 선재, 생각에 잠긴 표정.
PD, DJ에게 수습하라 손짓하자, 라디오와 핸드폰에서 동시에 목소리 흐른다.

DJ	정말 죄송합니다. 저희가 본의 아니게..
선재	(끼어들며 O. L) 혹시 듣고 있어요?
솔	(듣기 싫고)
선재	...듣고 있죠?
솔	(라디오 노려보며) 엄마! 엄마! (소리치는데 복순 안 오고, 라디오 꺼달라는 듯) 좀 꺼주...
선재	(O. L) 고마워요. 살아 있어줘서.
솔	(소리치다 멈칫)
선재	이렇게 살아준 것만으로도 다행이라고, 고맙다고 할 거예요. 곁에 있는 사람은.
솔	(복순이 연고랑 빗자루 들고 오는 모습 보며 순간 격한 감정의 동요)
선재	(담담하지만 간절히) 그러니까...오늘은 살아봐요. 날이 너무 좋으니까. 내일은 비가 온대요. 그럼 그 비가 그치길 기다리면서 또 살아봐요. 그러다 보면 언젠간 사는 게 괜찮아질 날이 올지도 모르잖아.

솔, 눈물 차오르다가 울컥. 울음이 터져버린다.
한 번 터지자 못 참겠고.. 서럽게, 아이처럼 울기 시작한다.
복순, "솔아!" 깜짝 놀라 달려와 솔을 품에 안는다.

복순	왜 그래, 무슨 일이야 응?
DJ(E)	통화에 응해주신 분, 청취자분들께 진심으로 죄송하다는 말씀드립니다. 저희는 그럼 이클립스의 '소나기' 듣고 2부에서 인사드리겠습니다.

M. 이클립스 '소나기' (*'내리는 비 내가 맞아줄게. 지켜줄게'류의 가사)
복순, 서럽게 우는 솔의 등을 말없이 쓸어준다.
창밖으로 파란 하늘에서 눈부신 햇살이 쏟아진다. (F. O. F. I.)

씬/9   낡은 아파트 외경 (D)

씬/10 현재 솔이네 아파트 솔이 방 (D)

(자막) 2022년 12월 31일

M. 이클립스 '소나기' 이어폰에서 흘러나오는 소리로 이어진다.

벽면엔 이클립스 단체, 선재 개인 포스터들 붙어 있고. 이클립스 앨범, 각종 굿즈로 꽉 채워진 방 안. 일각엔 커다란 선재 등신대도 세워져 있다. 책장에는 영상 편집 관련 서적들, 책상 위엔 이력서, 취업지원서들 쌓여 있다. (*'솔이 이력서와 자기소개서' 99쪽 수록)

솔, 무선이어폰 꽂고 음악 들으며 자는데 얼굴에 요상한 화장이 되어 있다. 보면, 휠체어에 앉아 있는 말자, 솔이 볼에 립스틱으로 연지곤지 그리고 있다. (*말자 얼굴에도 애들이 장난친 것 같은 화장이 되어 있음)

그때, 핸드폰 알람 소리에 눈을 번쩍 뜬 솔. 얼른 핸드폰 집어 들어 알람 끄고 문자부터 확인하는데, '새로 온 메시지 0'이다.

솔	(실망) 에이. 이력서 넣은 지가 언젠데...연락 올 거면 진작 왔겠지. 기대를 접자... (시선 돌리는데 말자 보고 움찔) 깜짝이야. 얼굴이 그게 뭐야 할머니?
말자	언니야~ 이뿌다. (웃는)
솔	(피식) 나 이뻐? (꽃받침 하고 씩 웃는데, 말자 손목에 채워진 전자시계 보고 철렁) 헉! (팔꿈치 짚고 일어나 책상 보면 유리보관함 뚜껑 열려 있는) 어떻게 꺼냈어? 그 소, 소소손 좀 줘봐. (손 뻗는)
말자	(시계 찬 손 뒤로 숨기며 고개 젓는)
솔	(달래듯) 할머니? 그거 막 함부로 만지고 그럼 안 돼. 국보 1호급으로 엄~청 소중한 거라구. 이리 줘. 웅? (말자가 손 내밀자) 옳지~ 오옳지~ (손목 잡으려는데)
말자	(손목 확 빼며) 흥칫뿡! (벌떡 일어나 도망치듯 나간다)
솔	저런 말은 어디서 배워가지구! 할머니이! (이불 확 젖히고, 양팔로 휠체어 난간 잡고 끙차! 능숙하게 올라탄다) 할머니! (휠체어 밀고 거실로 나가고)

씬/11 솔이네 아파트 거실 (D)

솔, 휠체어 밀고 나오면 말자, 복순(*새치 머리. 꾸미지 않은 모습) 뒤에 숨어 있다.

솔	이리 줘어, 달라구! (복순 사이에 두고 말자를 잡으려고 팔 막 휘젓자)
복순	(피곤하다는 듯) 뭔데 또오.
말자	(복순 뒤에 꼭 붙어 서서) 저 아줌마 무셔..
솔	아깐 언니라더니! (애원) 그거 우리 선재 꺼란 말이야. 흠집이라도 나면 나 죽어요~
말자	시져... (고개 저으며 도망가면)
솔	아 할머니! (쫓아가고)
금	나 왔어. (피곤에 찌든 몰골로 들어온다)
복순	회사에서 또 밤샜어?
금	김부장 새끼...회사 때려치든가 해야지.
복순	밥은?
금	씻고 다시 나가야 돼. (욕실 쪽으로)
솔	(실랑이하다가 금에게) 오빠! 이거, 시계 좀 뺏어주라 응?
금	좀 갖고 놀다 주겠지. (한숨 쉬며 들어가는)
솔	(말자가 시계 만지작거리자) 안 돼! (머리 쥐어뜯고)
복순	아이고 참! (고개 저으며 말자에게) 엄마. 시크릿쥬쥬 보여줄까?
말자	(눈 반짝. 끄덕이며 손목 순순히 내밀고)
복순	(시계 풀어 솔이에게 준다) 자! 이까짓 게 뭐라고 아침 댓바람부터... (구시렁대며 리모컨으로 TV 틀어주는)
말자	(소파에 폴짝 앉아서 눈 반짝거리며 TV 본다)
솔	(흠집 났나 살피며) 이까짓 거라니? 경매에서 무려 300만 원이나 주고.... (헉!)
복순	삼 백? 삼 배액?
솔	(시침) 삼십! 삼십! 어휴 말이 헛나오네. 요즘 막 뇌랑 입이 기싸움을 한

다니까?

| 복순 | (한숨) 열녀 났어. 지고지순한 팬심이야 아주. (빨래 걸으며) 콘서트 오늘이랬나? |

솔 　(히죽 웃으며) 응. 무려 5년 만에 하는 콘서트라구. (들떠서 방으로 가려고 하면)

복순 　세수부터 해 이것아. 무당이냐?

솔 　응? 왜? (해맑게 눈 깜빡이는)

씬/12 콘서트장 공연 준비 몽타주 (D)

콘서트장에 커다란 현수막, 전광판 광고 보인다.
입구엔 벌써 와 있는 팬들로 북적이고.
콘서트장 안은 무대 설치 중인 스태프들 분주하게 움직이는 모습 등등.

씬/13 콘서트장 대기실 (D)

선재, 헤어메이크업 거의 끝난 분위기. 김대표가 화난 듯 문 벌컥 열고 들어온다.

김대표 　류선재 너 어떻게 된 거야! 박감독한테 영화 안 한다고 했다며! 제정신이야?

선재 　(말없이 김대표 싸늘하게 지나쳐 소파에 털썩 앉으면)

김대표 　(감정 애써 누르고 설득하려) 선재야. 내가 말했잖아. 이번 영화 촬영만 끝나면 푹 쉬게 해준다고. 약은 잘 챙겨 먹고 있지? 좀만 참고...

선재 　(O.L) ...은퇴하고 싶다고 했지 언제 휴가 달랬어? (피곤한 듯 눈 감는)

김대표 　(섭섭해서) 너 밖에 한번 나가 봐! 몇 년 만에 무대에서 너 본다고 몰려든 팬들 좀 보라고! 어떻게 은퇴 소리를 그렇게 쉽게 하냐?! 그리고 난! 우리가 같이한 세월이 얼만데 이러기야? 너 나중에 후회해 인마!

선재 　(스르르 눈 뜨고, 생각에 잠긴) 후회...안 해. 많이 생각하고 결정한 거야.

김대표	(꼭 진심 같다. 한숨 쉬며) 그래도 인혁이랑 다른 애들 생각도 좀...!
동석	(들어오며) 형! 지금 리허설 시작한... (무거운 분위기에 눈치 보며) 한다고 해서요..
김대표	일단 콘서트 끝나고 다시 얘기해.
선재	(어두운 표정)

씬/14 솔이네 아파트 솔이 방 + 무당집 (교차) (D)

#모니터 속 유튜브 영상
'천신할매에게 무엇이든 물어보살 2탄' 'Q: 사후세계가 있나요?' 자막 박혀 있다.

천신할매	(젊은 사람이 할머니 목소리 내는) 사람이 제명이 다하면 육신은 남고 혼은 저~ 위로 올라가지. 그 혼이 삼도천 위에 놓인 길고 긴 다리를 건너 저승으로 가게 되면 이승에서의 기억은 바람처럼 흩어지고... (영상 정지되고)

모니터 화면에서 빠지면. 외투 입고 있는 솔, 통화하면서 영상 편집 중이다. 천신할매, 무당집에서 앞머리 헤어롤 말며 통화 중인.

솔	이렇게 갑자기 수정해달라시면 어떡해요...저 오늘 진짜 중요한 일 있는데.
천신할매	(젊은 목소리) 내가 1호 고객인 거 잊었어? 나 딴 데루 갈아탄다?
솔	(태세 전환) 왜 그르실까아~ (*〈호텔 델루나〉 삼도천 다리와 비슷한 사진 영상 화면에 꽉 차게 넣으며) 근데 삼도천 다리 이거 드라마에 나온 거 아닌가? 델루나 되게 재밌게 보셨나 봐요. (장난스레) 혹시 장만월이세요?
천신할매	(할머니 목소리로 돌변) 드라마가 고증을 잘한 거야! 이승만 발전해? 저승도 다 강물 위에 다리도 놓고 해! 누가 요즘 나룻배 타고 삼도천을 건너?
솔	알았어요. 내가 저승을 가봤어야 알지...다 됐다...! 지금 바로 올릴게요!

(전화 끊고 영상 저장하고 작업 완료한다. 시간 확인하는데 헉!) 늦었다, 늦었어!

솔, 휠체어 돌려 백팩 집어 들고 화장대 위에 꺼내놓은 LED 머리띠('♡ 선재업고튀어♡'), 응원봉, 망원경 챙겨 넣고 지퍼 잠그려다 멈칫.

솔 아, 제일 중요한 걸 깜빡할 뻔했네. (서랍에서 콘서트 티켓을 꺼내 지갑에 고이 넣으며 씩 웃고. 서둘러 외투 챙겨 휠체어 밀고 나가며 선재 등신대 노려보는) 너! 자꾸 나 마취시킬 거야?! (돌변, 씩 웃으며) 알라뷰 쏘마취~ 이따 봐! (나가는)

씬/15 솔이네 아파트 입구 (D)

현주, 차 세워놓고 기다리고 있고, 전동휠체어 탄 솔이 손 흔들며 나온다.

씬/16 현주 차 안 + 거리 일각 (D)

현주 차 타고 가고 있는 솔. 전동휠체어는 뒤에 실려 있다.
솔, 콧노래 부르며 들떠 있고.

현주 그렇게 좋냐?
솔 그러엄. 내 인생 첫 직관인데 좋아 죽지. (웃으며) 바쁜데 고마워~
현주 이럴 때 너 태워주려고 큰 차로 바꾼 거거든? 그리고 나 회사 때려쳐서 한가해. 전에 스카웃 제안받은 데 있는데 글루 이직할까 봐.
솔 (놀라) 뭐? 얼마 전에 승진해놓고 왜 때려쳐?
현주 바람 핀 전남편 쉐끼가 죽어도 퇴사 못 한대잖아. 그 자식 꼴도 보기 싫은 내가 나와야지 어쩌. (열불 나는) 어흐! 난 왜 이렇게 남자 복이 없냐? 다음에 만나는 놈도 똥차면 어떡하지?
솔 너 석 달 전에 이혼할 때 남자 다신 안 만난다고..

현주	(O. L) 했지! 결혼할 남자를 안 만난다고. 연애할 남잔 만나야지.
솔	으이그. 그럼 제발 남자 얼굴만 보지 말고 인성 보고 만나.
현주	인성? 인성이라면 조인성밖에 모르는데요? (웃다가 넌지시) 근데 이력서 넣은 데는 연락 없었어?
솔	어. 어떻게 20군데 중에 한 군데도 연락이 안 오냐. 벌써 말일이야~ 올핸 텄어.
현주	야 그 20군데 명단 나한테 쫙 보내.
솔	왜?
현주	거기서 만든 영화는 믿고 거르게. 안목이 꽝이잖아.
솔	(현주 맘 알겠고, 피식 웃는데)
현주	거기 쇼핑백이나 봐봐. 이 언니 선물.
솔	뭔데? (쇼핑백에서 자감남고 졸업앨범 꺼내며 눈 똥그래진다) 야아!
현주	내 후배 형이 알고 보니까 자감남고 13기 졸업생이더라? 좀 빌려 달라고 했지.
솔	(호들갑스럽게 콩콩 때리며) 어우 야아! 웬일이야아! (신나서 앨범 열어보는) 선재가 3학년 때 5반이었었나? (획획 넘기다 선재 사진 찾는다) 꺄! 어머어머. 이때부터 잘생긴 것 봐. 확 업고 튀고 싶다 진짜아.
현주	진작 그러지 그랬냐? 맘만 먹음 그럴 수 있었잖아.
솔	그니까. 바로 앞 건물에 있었는데 왜 우리 눈에 안 띈 걸까? 이런 반짝반짝한 아이를 왜 못 본 거냐고. 하...이때부터 덕질했으면 나 완전 성덕인데.
현주	그야 그땐 니가 딴 놈을 덕질하고 있었으니까?
솔	누구? (갸웃하다 생각난 듯 피식) 아~ 맞다. 그랬지...걘 몇 반이었더라?
현주	걘 거기 없어. 너 사고 이후였나? 옆 학교랑 패싸움을 했나, 암튼 난리 났었거든. 학교 짤릴 뻔한 거 자퇴하는 걸로 해서 무마됐을걸?
솔	그래? 몰랐네... (선재 사진 보고 히죽 웃으며) 현주야. 선재 사진 오려두 돼?

씬/17 콘서트장 앞 (D)

수많은 팬들 와 있고, 선재, 인혁 등 개인 팬덤에서 보낸 응원 트럭들 서 있다. 솔이 휠체어 타고 가면서 신기한 듯 콘서트장 풍경 둘러본다.
솔이 알아본 20대로 보이는 팬1 "언니!" 하며 달려오면.
솔, 짝짜꿍하며 반기고. 솔, 팬1 응원봉이랑 티켓 모아서 사진 찍고. 콘서트 포스터 앞에서도 서로 사진 찍어주고. 굿즈 사며 시간 보내는 몽타주. 그때, 백인혁 팬들이 무리 지어서 선재 응원 트럭 보며 욕하고 있다.

인혁팬1　누구 때문에 5년 만에 나오는 건데 누가 보면 류선재 단독콘인 줄.

인혁팬2　인혁이가 들러리야? 연기할 거면 탈퇴하든가. 이클립스에 발 걸치고 뭐냐고.

팬1　(열받아) 저런 애들 때문에 해체설이 도는 거라니까요?

솔　(같이 째려보며) 그니까. 우리 착한 선재는 저런 것들도 팬이라고 악플에 온갖 루머 퍼트리고 다녀도 다 참아주고 있다 아주. 그냥 싹 다 고소해버리지... (하는데 전화 걸려 와서 보면 모르는 번호다. 갸웃하며 받는) 여보세요?

정훈(F)　안녕하세요. '본시네마'에 최정훈이라고 합니다. 인턴 지원하셨었죠? 포트폴리오 보고 연락드렸어요.

솔　(두근!) 아...네! 지원했었어요! (확 들뜬다)

정훈(F)　혹시 지금 바로 면접 보러 오실 수 있나요?

솔　지금요? (시간 확인하는)

정훈(F)　네. 저희가 좀 급해서요. 안 되시면...

솔　(간절하다. O. L) 갈게요! 갈 수 있어요! 감사합니다! (끊는)

팬1　언니 어디 가게요? 입장 두 시간 남았는데?

솔　(흥분해서) 응. 인턴 면접! 금방 다녀올게! 줄 서 있어! 알았지? (손 흔들며 가고)

씬/18　거리 일각 (D)

대로변에서 들뜬 표정으로 택시 기다리고 있는 솔. 손거울 보며 화장이랑 머리 정돈하고. 멀리 장애인콜택시 달려오자 신나서 손 흔들어대는.

씬/19 콘서트장 대기실 (D)

의상팀, 스태프들 분주하게 움직이고 있다. 인혁 외 다른 멤버들, 의상 갈아입고 있는데 선재, 들어오자 인혁 멈칫. 왠지 싸늘한 분위기 흐른다.
스타일리스트 선재 쪽으로 다가가 의상 들려주고, 선재, 탈의실로 들어가는.

씬/20 영화사 로비 (D) *7화 솔이 다니는 회사로 연결됩니다.

입구로 들어선 솔이 감각적인 인테리어의 회사 내부를 둘러본다.
1층엔 휴게 공간인 듯 넓은 소파, 식물 등으로 꾸며져 있고. 1층에서 2층까지 뻥 뚫린 천장, 2층 난간 너머로 회의실, 편집실, 사무실 등 위치한 듯 보인다. 양쪽으로 2층으로 가는 나선형 계단....
솔, 신기한 듯 둘러보다가... 계단을 보며 살짝 철렁. 왠지 불안한데.

정훈   (다가와서) 어떻게 오셨어요?
솔   좀 전에 연락받고 인턴 면접 보러 왔는데요.
정훈   네...네? (벙찐 표정 짓다가 휠체어 보고 당황하는) 아...네! 임솔 씨구나...아...
이대표   (다가오며) 무슨 일이야?
정훈   (허둥댄다) 그게요, 인턴 면접 보러 오셨는데. 2층 회의실에서... (계단 보고 헉!) 하...어떡하지?
이대표   (상황 파악. 정훈 째려보곤 1층 휴게 공간 가리키는) 여기서 얘기 나누실까요?
솔   아...네! (뭔가 잘못된 것 같은 분위기)

(컷 튀면)
이대표, 소파에 앉아 솔이 이력서 보는데. 자기소개에 '영화감독이 꿈이었는데...' '사고를 겪고...' 내용 훑으며 휠체어 탄 솔이 모습 본다.

긴장한 표정의 솔.

이대표   너튜브 쪽 일도 하고 있고...디지털영상편집 1급에, 컴퓨터그래픽스운용
          기능사 자격증까지 있네요? 열심히 했나 봐요.
솔   네. 정말 노력 많이 했습니다!
이대표   (기대에 찬 솔이 표정에, 정훈 보며 한숨)

씬/21 거리 일각 (D)

이대표(E) 보내준 영상 포트폴리오 정말 좋았어요. 그래서 꼭 같이 일하고 싶었는
          데...보시다시피 이놈의 회사가 2층짜린데 엘리베이터가 없어서. 미안해요.
솔   (회사에서 나오며 실망한 듯 한숨 쉬는데)
정훈   저기요 임솔 씨!! (부르며 쫓아 나와서는 미안한 표정) 저기. 제가 이력
          서를 제대로 안 보고 전활 드려가지고...정말 죄송했습니다. (꾸벅 인사하
          며, 흰 봉투 꺼내 쥐여 주는) 이거 차비 하세요!
솔   (살짝 당황) 네? 괜찮은데..

          정훈, 미안한 표정으로 꾸벅 인사하고 뛰어 들어가면.
          솔은 봉투 쥔 손에 꾹 힘이 들어가는데, 애써 마음 가라앉힌다.

솔   에이, 아깝네. 계단만 아니었으면 그냥 딱! 붙는 건데. (씩씩하게) 이제
          우리 선재나 보러 가볼까? (앱 열어 콜택시 부르려는데 배차 시간 30분)
          아..이럼 늦겠는데? (바로 앞에 버스정류장 보인다)

씬/22 몽타주 (D → N)

#1. 버스정류장 (D)
버스 서 있고, 크레인 내려오면 버스 올라타는 솔.

#2. 버스 안 (N)

도로가 꽉 막혀 있다. 솔, 시간 확인하며 초조한데. 팬1한테 카톡 온다.
'언니 왜 안 와요? 입장 곧 시작해요!'

(컷 튀면)

솔, 마음은 급한데 크레인은 천천히 내려가고 있다. 그때 크레인 멈추고.

솔 꼭 바쁠 때만 이러냐고...! 기사님~~~

#3. 콘서트장 앞 (N)

팬들 입장 시작한 분위기. 줄 서 있던 팬들 콘서트장 안으로 뛰어간다.

#4. 거리 일각 (N)

연말 분위기에 거리에 사람들 많다. 솔, 휠체어로 인파를 뚫고 가는 게 참
힘겹다.

솔 그냥 택시 탈걸...좀 지나갈게요! 지나갈게요! (전동휠체어 방향 바꾸며
    가는 모습)

씬/23 콘서트장 입구 (N)

솔, 도착하는데... 텅 빈 입구. 아무도 안 보인다.
이미 공연 시작돼서 콘서트장 안에서 팬들 함성 소리 새어 나오고 있다.
솔, 시간 확인하며 너무 늦었나 싶은데, 지나가는 스태프 발견한다.

솔 저기요! 저기요! 죄송한데 저 좀 들여보내주시면 안 될까요?
스태프 (휠체어 탄 솔이 보고 놀란) 입장 못 하셨어요?
솔 (간절) 진짜 빨리 오려고 했는데요...
스태프 입장 시간 지나면 안...
솔 (O. L) 안 되는 거 알죠! 아는데... (눈 굴리다 불쌍한 척) 연말이라 택시

	도 안 잡히구...버스 타고 고생~고생~해서 겨우~겨우~ 왔는데 이렇게
	늦어버렸네요. 딱 보니까 되게 능력 있어 보이시는데. 어떻게...안 될까
	요? (간절한 눈빛)
스태프	진짜 안 되는데... (솔이 보며 짠한 표정)
솔	(더 불쌍한 척) ...춥다...하...츄워... (덜덜 떨며 턱 딱딱 부딪히는 시늉)
스태프	(솔이 보며 짠한 표정. 맘 약해진) 티켓 보여주시면 들여보내드릴게요.
솔	정말요? 감사합니다! (신나서 지갑에서 티켓 꺼내 보여주려는데 없다)
	어? (지갑 뒤지며) 왜 없지? (갑자기 소름 쫙)

〈인서트〉

솔, 버스카드가 잘 안 찍히자 지갑 열어서 찍는데 그때, 티켓 빠지는 컷.

솔	망했다...! (허망한)
E	팬들 함성 소리

씬/24 콘서트장 안 + 콘서트장 입구 (교차) (N)

조명 꺼져 깜깜한 콘서트장 안. 노래 시작 전, 조용한 분위기. 어둠 속에
서 기타 소리 징- 크게 울린다.
솔, LED 머리띠 장착하고 스위치 누르면 '♡선재업고튀어♡' 문구가 반
짝 빛난다.
다시 무대. 베이스와 드럼 소리 없히면. 솔, 응원봉 재빨리 꺼내 드는.
무대 위에 밝은 조명 쏴지면 동시에 밴드 연주 시작된다. 강렬한 사운드
음악. 선재 노랫소리 공연장 가득 울려 퍼진다. 수만 명의 팬들, 떼창 시
작하고.
한편, 콘서트장 입구. 솔, 혼자서 응원봉 흔들며 같이 떼창하고 있다. 스
트레스 날려버리려는 듯 고래고래 소리치며 노래 따라 하는 솔. 화려한
조명 아래, 노래하는 선재와 공연장 밖 솔이 모습 교차로 보여지고.

(시간 경과)

무대 위. 핀 조명 아래. 피아노 앞에 앉아 있는 선재.

선재 음...이번 곡은 저희 데뷔곡인데요. 정말 오랜만에 라이브 하는 것 같네요.
솔   (집중해서 듣고 있는) 선재 멘트 하나? 뭐라는 거지?

선재, 피아노 건반 위에 손 올리고 '소나기' 연주하며 노래 시작한다.

솔   ('소나기' 듣자마자 심장 쿵) 이건...셋리스트에 없었는데?

솔, 응원봉 꼭 쥐고 멀리서 들려오는 노래 듣는데... 눈물이 날 것 같다. 오
늘도, 선재 노래로 위로받는 기분.
다시 무대 위, 피아노 치며 노래하는 선재 모습.
그때, 하늘에서 눈발이 흩어져 내리기 시작한다. (*눈, 41씬까지 연결)

씬/25 콘서트장 앞 거리 (N)

하늘에서 눈 펑펑 내리고 있다.
콘서트 끝난 분위기. 팬들 우르르 밀려 나오고 있고. 인파 속에서 솔, 가
슴에 손 얹고 넋 나간 표정으로 나온다.

솔   밖에서 들어도 이렇게 감동인데 직관 했으면 실신했겠다... (하며 눈 내
리는 하늘 보며 미소) 올해 첫눈이네...선재가 좋아하겠다... (감상에 젖어
있다가 얕은 한숨 내쉬며) 이제 가자... (콜택시 부르려는데 '배차 차량 없
음' 뜨고. 지하철역 보는데 역 안으로 우르르 들어가는 팬들 보이자 헉)
다음 역에서 타야겠네...

솔, 방향 돌리는 순간, 마주 오던 한 남자가 휠체어를 치고 지나치는 바람
에 핸드폰을 떨어트린다. (*7, 8화 걸게 된 솔이 장면과 연결)
놀란 솔이 허리 숙여 핸드폰을 줍는데 액정에 금이 가 있다.

솔　어떡해...! (속상하고, 한숨) 오늘 하루 왜 이러니. 응?

씬/26 콘서트장 복도 (N)

성큼성큼 빠르게 복도 걷고 있는 선재. 땀으로 젖어 있다.
재킷 벗어 들고 인이어 빼며 걸어가는데 얼굴 창백히 굳어 있다. 속이 답답하고 호흡 가빠지는데 참는 것 같은... 대기실 문 벌컥 열고 들어가면.

씬/27 콘서트장 대기실 (N)

선재 들어오자마자, 인혁이 선재 멱살 확 잡아 벽에 팍 밀친다.

인혁　넌 날 뭘로 생각한 거냐?
동석　(선재 멱살 잡은 인혁 팔 떼어놓으며) 형! 말로 해요! 말로!
인혁　어떻게 니 은퇴 얘기를 딴 사람한테 듣게 하냐고! 뭐, 은퇴?? 너 미쳤냐?
선재　(피곤한 듯) 나중에 얘기해.
인혁　(답답해 버럭) 나중에 언제! 너 뭐가 문젠데?! 도대체 왜 이러는 거냐고!
선재　(몸이 무너질 것처럼 힘든데 아닌 척, 참는. 말이 차갑게 나온다) 지금은 좀 혼자 있고 싶은데?
인혁　너 끝까지...! (화 억누르며 한숨) 그래, 니 맘대로 해. (문 쾅 열고 나간다)
동석　(곤란한 듯) 왜들 그래요 진짜! 하...인혁이 형! (쫓아 나가고)

혼자 남은 선재. 그제야 숨 크게 내뱉는다. 갑갑한 듯 셔츠 단추 풀고 호흡 고른다. 힘들어 보이는 모습.

씬/28 한강 다리 위 (N)

솔, 눈 맞으며 다리 건너고 있다. 머리랑 옷 축축하게 젖어 있고. (*LED

머리띠 계속하고 있음)

솔   으..추워. (입김 나오고) 한 정거장이 뭐 이리 길어어. 다리는 또 왜케 길
      어어.

      (E) 바람 휘잉- 부는 소리 들리고. 차도 몇 대 안 다니고. 스산하다.

솔   천신할매...삼도천 다리 얘기는 왜 해가지구. (무서운데 갑자기 휠체어 멈
      추는) 어? 뭐야? (버튼 탁탁 누르며) 여기서 멈추면 어떡해?! (다시 움직
      이려고 하자) 그렇지. 쫌만 더 달리자 응? 제발! (애원하는데 이내 다시
      멈춰버리고) 이러기야?!

      아무리 씩씩해보려고 해도 오늘은 운이 안 따라준다. 팍팍하다. 애꿎은
      버튼을 빨갛게 언 손으로 탁탁 때리다가 울컥한다. 두 손으로 눈을 꾹 누
      르며 애써 마음 다잡아보려 하는데 잘 안 된다. 눈물이 날 것 같은데 꾹
      참는.

씬/29 선재 밴 안 (N) *이후 31씬까지, 4화 첫 시퀀스에 선재 시
      점으로 다시 나옵니다.

      달리는 밴 안. 선재(의상 갈아입은) 창밖에 눈 오는 풍경 보며 생각에 잠
      겨 있다. 동석, 운전하며 룸미러로 선재 눈치 살피는데... 선재, 지치고 힘
      들어 보인다.
      그때, 선재, 다리 위에서 눈 맞고 있는 솔이 모습 발견한다.

씬/30 한강 다리 위 (N)

      솔, 머리와 어깨에 눈이 내려앉았다. 시린 손에 입김 불고 있는데. 그때,
      길가에 하얀 밴이 끽- 하고 멈춘다. 그러더니 잠시 그렇게 가만 서 있는.

솔, 뭔가 싶어 의아한 듯 본다. 갑자기 문이 열리더니 누군가 내리는 동시에 커다란 검은 우산이 펼쳐진다.

펼쳐진 우산이 천천히 위로 올라가면서 뚜벅뚜벅 솔이 쪽으로 걸어오는 남자의 두 다리부터 천천히 틸업된다. 우산을 든 남자, 선재다!

솔, 숨을 멈춘다. 흩날리는 눈발 사이로 점점 가까워지는 선재를 바라본다. 어느새 솔이 앞에 선 선재, 우산을 솔이 쪽으로 기울여 씌워준다. 솔, 선재 얼굴 올려다보는데... 말도 안 돼! 놀라 온몸이 굳는다. 꿈인가 싶다. 잠시 말없이 마주 보고 있는 두 사람.

선재	...왜 이러고 있어요?
솔	(넋 놓고 보고 있고)
선재	혹시 휠체어, 고장 났어요?
솔	어? 아...네. (너무 떨려서 말이 안 나온다)
선재	(솔이 천천히 살펴보는. LED 머리띠, 눈 쌓인 어깨, 빨갛게 언 손이 눈에 들어온다)
솔OFF	뚫린 입아. 뭐라 말 좀 해. 선재잖아! 왜 말을 못 해 왜! (감격스러워 울컥하는)
선재	(주머니에서 핫팩 꺼내 허리 숙여 솔이 손에 올려준다)
솔	(선재 얼굴 가깝게 내려왔다 멀어지자 심쿵한다. 너무 좋아서 눈물 그렁그렁)
선재	추워 보여서.
솔	(저도 모르게 핫팩 꼭 쥐고 꾸벅 인사하는데, 거의 울먹이며) 고, 고맙습니다.
선재	(울먹이는 솔이 보다가, 장난 섞인) 근데 왜 울지? 나 안 울렸는데?
솔	(훌쩍이며 감정 추스르고) 그게...너무 좋아가지구. 실은 제가 팬...팬이거든요.
선재	그래 보여요. (하며 자신의 머리 톡톡 가리킨다)
솔	(LED 머리띠 만지며 민망한 듯) 아...!
선재	('♡선재업고튀어♡' 문구 보며 피식) 재밌네...
솔	(부끄러운 듯 웃으며) 10년 넘게 쓴 팬카페 닉네임이라...제가 데뷔 초때부터 쭉 좋아했거든요. 한눈 한 번 안 팔고!

선재	정말? (아쉬운 듯) 아...고맙네.
솔	(혼잣말처럼) 내가 더 고마운데.
선재	음?
솔OFF	다시 살고 싶게 해줘서.
선재	... (보는)
솔	그냥 다...다 고맙죠. 이 세상에 존재해줘서. 팬들은 다 같은 마음이니까. (웃는다)
선재	(씁쓸한 듯 웃는데 솔이 코를 훌쩍이자) 근데 이거 고장 났다면서, 집엔 어떻게 가요?...태워줄까요?
솔	네?? (헉. 심쿵)
선재	내 팬이라는데. 그냥 두고 갈 수도 없고.
솔	(대박! 이게 꿈인지 생시인지! 저도 모르게 고개 끄덕이려는데)
E	클랙슨 소리

솔, 선재 돌아보면. 현주 차 세워두고 창문 내리고 솔이 보며 손 흔든다.

솔	하하...친구가 데리러 와버렸네요. (아쉬워 죽겠고)
선재	... (알 수 없는 표정)

씬/31 선재 밴 안 (N)

선재, 손바닥에 올려둔 작은 박하사탕 병 보고 있다.

〈선재 회상 인서트〉 *30씬 뒤 상황
선재, 솔이 손에 우산 쥐여 준다.

선재	이거 쓰고 가요. (하는데)
솔	자, 잠깐만요! (가방 뒤적이며 뭔가 찾고)
선재	... (가만 지켜본다)
솔	(작은 박하사탕 병 꺼내 선재 손바닥에 올려준다) 줄 게 없어서 아쉽지

만. 그래도...이거 좋아하잖아요. 이거라도. (해사하게 웃는다)

선재   (박하사탕 보는 표정) ...!

#다시 현실

선재, 뭔가 아쉬운 듯한 표정. 다시 창밖 보는데...

눈 내리는 창밖으로... 막 출발해서 떠나는 현주 차 보인다.

씬/32   현주 차 안 + 거리 일각 (N)

운전 중인 현주. 솔이 옆에 타 있고, 휠체어 뒤에 실려 있다.

현주   류선재 실물 뭐야 대박이다아. 눈보라 뚫고 너 데리러 가기 잘했다야.

솔   (우산 꼭 끌어안고 있는데 아쉬워 죽겠는. 현주 째려본다) 으이그. 뚫지 말지! 너 안 왔으면 선재 차 타보는 건데.

현주   태워준대? 와, 얼굴도 착한데 인성도 착해? 다 가졌네.

솔   그니까. 우리 선재가 다 가졌는데...나만 못 가졌네?

현주   (피식) 챠! 정작 우리 선재 앞에선 말도 잘 못 하더만~

솔   처음으로 실물 영접했는데 침착하면 사람이야? 오열할 뻔한 거 간신히 참았어.

현주   장하다 그래.

솔   (선재가 준 핫팩 볼에 대며) 나 아무래두 전생에 큰일 했나 봐. 나라 하난 구한 것 같아. 아님 덕을 많이 쌓았나? 가난한 백성들 잘 돌봐준 공주였을까?

현주   (정색) 뉘예뉘예. 공주님. 잘 모시겠습니다요.

솔   (행복한 표정으로 눈 내리는 창밖 보는)

씬/33   선재 밴 안 + 선재 집 아파트 입구 (N)

선재 밴이 아파트 입구에 도착한다.

사생팬들, 아파트 입구에 모여 있는 모습 보이자 선재, 피곤한 듯 인상 쓰고. 동석, "부지런도 하다.." 하며 주차장 입구로 들어간다.

씬/34 선재 밴 안 + 선재 집 아파트 주차장 (N)

동석, 주차하고 있는데 후방카메라로 기둥 뒤에 숨어 있던 하얀 패딩 차림의 스토커가 툭 튀어나온다.

동석	(기겁) 깜짝이야! 하얀패딩 쟤 또 왔네?! 도대체 어떻게 기어들어 오는 거야? 보안이 철저하긴 무슨! 관리비가 얼만데... (구시렁대며) 형. 그냥 이사 가면 안 돼요?
선재	(한숨 쉬며) 오늘은 그냥 호텔로 가. (눈 감는)
동석	그게 낫겠죠? (백미러로 선재 짠하게 보며, 다시 출발한다)

씬/35 호텔 외경 (N)

씬/36 호텔 로비 + 호텔 로비 앞 승합차 (N)

동석, 체크인하고 있고, 마스크 낀 선재 일각에 서 있다.
그때, 로비 유리창 밖에서 누군가 줌 당겨서 파파라치 사진 찍는다. 찰칵 찰칵. 보면, 호텔 입구에 서 있는 승합차에 살짝 열린 창문으로 망원렌즈 나와 있다.

#호텔 로비 앞 승합차 안

기자1	콘서트 끝나자마자 또 호텔로 오셨다...비밀연애 각 딱 나오네. 누구지?
기자2	걸려들어라...낼 아침에 특종 한번 내보자!

씬/37 호텔 스위트룸 (N)

소파에 앉은 선재, 편지 읽고 있다. 무심히 읽다가 대충 찢어서 휴지통에 버리고 일어난다. 재킷 벗으며 욕실 쪽으로 걸어가는 모습.

씬/38 솔이네 아파트 거실 + 안방 (N)

복순, TV 보고 있고 솔, 씻고 욕실에서 휠체어 끌고 나온다.
솔, 살짝 열린 안방 문 사이로 들여다보면, 잠든 말자의 모습 보인다.
솔, 짠하게 바라보다 조용히 불 꺼주고 방문 닫고 돌아서는데.

솔	엄마...
복순	응?
솔	나 사고 났을 때 구해준 사람 있잖아.
복순	(빨래 개다 멈칫)
솔	그 사람 이름이라도 혹시 기억해?
복순	아니? 그때가 몇 년 전인데...갑자기 그건 왜?
솔	그냥. 살게 해준 사람을 만나고 와서 그런가. 살려준 사람도 생각나네. 그때...고맙단 말 못 한 게 미안해서.
복순	(철렁) 너 사고 때 기억...혹시 돌아왔어?!
솔	(복순 반응에 ? 표정) ...아니. 그건 아닌데...
복순	(내심 안도하며 O. L) 그럼 기억에도 없는 사고 때 일은 뭐 하러 떠올려. 속만 상하지. 어서 들어가 자. (TV 끄고 일어나 안방으로 가는)
솔	응...고생했어 엄마. 쉬어요. (복순 뒷모습 보는 표정)

씬/39 솔이네 아파트 솔이 방 (N)

솔, 마른 수건으로 우산 정성스레 닦아 책상 옆에 조심스레 세워두며 생각난 듯.

솔   아...여기 싸인이라도 받아놓을걸! (아쉬워하며 상자 뚜껑 닫고 한숨) 꼭 꿈속에 있다가 나온 것 같네.

그때, 유리보관함 안에서 선재 시계 화면에 불이 잠깐 들어왔다 꺼진다.

솔   뭐지? (갸웃하며 꺼내 보는데 그냥 꺼져 있는) 잘못 봤나...? (다시 넣어 놓으려다가 손목에 차보는데 살짝 헐렁한) 선재 손목이...한 요 정도 되려나? (히죽 웃는데)
E   톡 알림음 연이어 울리고.
솔   (핸드폰 보면, 단톡방에 콘서트 사진 올라와 있고) 오늘 착장 뭐야~ 하...우리 선잰 실물이 더 대박인데, 카메라가 이 미모를 못 담는구나... (넘겨보다가 선재 셔츠 흘러내려 쇄골 보이는 사진에서 정지. 헉!) 미쳤다! (쇄골 사진 확대해서 보며) 나는 죄 없다. 니 쇄골이 유죄지. 크으... (사진 보며 감탄하는)

씬/40 호텔 스위트룸 + 테라스 (N)

테이블 위에 놓인 선재 핸드폰 진동 계속 울리고 있다. 발신자 '대표님' 떠 있고. 한동안 울리다가 전화 연결 끊기면. '부재중 전화 9통' 뜬다.
보면, 테이블 위에 비어 있는 술병, 뚜껑 열린 채 넘어져 있는 약통에서 흘러나와 있는 알약 몇 알. 지갑. 그 옆에 박하사탕 병 놓여 있다.
활짝 열린 문밖으로 테라스 난간에 기대선 선재 보인다. 눈발 날리는 야경 보며 생각에 잠긴 표정.
그때, (E) 딩동. 초인종 소리 울린다. 선재, 안 돌아본다.
(E) 딩동. 초인종 소리 다시 한번 더 울린다. 선재, 돌아본다!

씬/41 호텔 야외 수영장 + 수영장 물속 (N)

눈발 흩날리는 수영장. 푸른 물빛 때문에 왠지 더 차갑고 서늘한 느낌.
호텔 직원들 수영장 옆 선베드 수건 정리하며 대화하고 있다.

직원1   나 아까 로비에서 류선재 봤다?

직원2   진짜? 부럽다...어때? 잘생겼어?

직원1   얼굴이 완전 CG야. 화면보다 실물이 훨씬 더 대박이더르...

그때, 높은 곳에서 추락한 선재. 수영장 물속으로 풍덩 빠진다. 거대한 폭
포 소리 같은 굉음 울려 퍼지고, 수영장 물이 분수처럼 사방으로 퍼진다.
동시에 직원1, 2 "꺅!!!!" 비명 지르고.
수영장 수면 아래. 물에 빠진 선재, 눈 스르르 감는 데서.

씬/42   솔이네 아파트 솔이 방 (N)

손목에 선재 시계 찬 상태로 책상에 엎드려 깜빡 잠들어 있는 솔.
(E) 톡 알림 소리가 연달아 무섭게 울리기 시작한다.
잠에서 깬 솔, 무슨 일인가 싶어 단톡방 들어가보는데, 선재가 자살 시도
했다는 내용으로 단톡방이 난리가 나 있다. '난 안 믿어 루머겠지' '기레
기 새끼들 오보일 거라고' '자살 시도라니 말이 돼?'

솔   에?? 뭔 소리야. 좀 전까지 내 눈앞에 있었는데...안티들 또 루머 퍼뜨렸
     구만.

어이없어하며 단톡방 끄려는데...
'〈류선재 호텔에서 추락. 병원 이송 중〉이란 제목의 기사 캡처 사진' 뜨
고. '영상도 같이 떴는데??' 동영상 파일 두 개 올라온다.
솔, 살짝 불안한 표정으로 동영상 클릭해본다.

〈파파라치 영상 인서트〉

호텔 수영장에 구급차 도착해 있고, 직원들 수군대고 있고.
구급대원들 수영장에서 축 늘어진... 꼭 이미 죽은 사람 같은 선재를 끌어 올리고, 들것에 실어 태우고 있다.

솔   (영상 보며 충격! 손에서 핸드폰 놓쳐 책상에 떨어뜨리고) 말도 안 돼...선재 맞아? 아니겠지...설마.

손 덜덜 떨며 핸드폰 주워 드는데, 팬들 단톡방 메시지 계속 뜬다. '조작 일 거야. 내 눈으로 확인하기 전까진 나 안 믿어' '한국대병원으로 이송 중이래. 직접 가볼 거임'
솔, "한국대 병원...?" 가보려는 듯 휠체어 끌고 나가는 모습.

씬/43 앰뷸런스 안 (N)

구급대원들, 선재 동공, 맥박 체크, 응급조치하며 이송 중...
구급대원 "맥박이 안 잡힙니다!" 소리치고. 다급한 분위기.

씬/44 솔이네 아파트 입구 (N)

솔, 집 안에서 타던 수동휠체어 끌고 나온다. 눈에 눈물 가득 차 있다.

씬/45 몽타주 (N)

#응급실 입구
선재, 앰뷸런스에서 내려져 응급실 안으로 이동하는.
구급대원들 침대 끌고 가고, 선재 위에 올라탄 의사가 흉부 압박 시작한다.

#거리 일각

솔, 휠체어 끌고 달리고 있다. (*호숫가 보이는 거리)

그때, 자전거 타고 오던 남학생이 솔이 휠체어와 부딪히며 멈춰 선다.

순간, 솔이 손목에서 선재 시곗줄이 끊어지면서 멀리 호숫가 쪽으로 날아간다.

남학생	죄송합니다! 괜찮으세요? (하는데)
솔	어떡해... (방향 틀어 호숫가 쪽으로 달리고)

#응급실

선재 실려 들어오자, 의료진들 옆에서 빠르게 선재 몸에 EKG 모니터 연결하고 후속 조치하기 시작한다. 동시에 의사, 계속 심폐소생술 하고 있는 모습.

#호숫가

솔, 울먹이며 풀숲에서 핸드폰으로 플래시 비추며 시계 찾고 있다.

#응급실

의사, 심장충격기로 선재 살려보려 한다.

아무리 해도 선재 심장, 다시 뛰지 않는다. 결국 모니터 리듬 멈춘다.

땀 비 오듯 흘리고 있는 의사... 시계 확인하면... 밤 12시 정각이다.

의사	2023년 1월 1일 0시. 류선재 환자. 사망하셨습니다.

#호숫가

호숫가 일각 풀숲에 떨어진 선재 시계 화면에 반짝 불 들어온다.

0:00:00으로 바뀌었던 시계. 순간 빠르게 숫자가 바뀌더니 3:00:00에서 멈춘다!

씬/46 한국대병원 앞 (N)

기자들과 선재 팬들 병원 앞에 몰려든다.

병원 경비들, 입구 막고 있고.

그때, 충격받은 인혁이 달려와 기자들 뚫고 병원으로 들어가려고 하면.

기자들 "백인혁이다!" "백인혁 씨! 류선재 씨 자살 맞습니까?" "혹시 유언 같은 건 안 남겼나요?" 무례하게 질문해대고.

인혁, 기자들 뚫고 병원 안으로 뛰어 들어간다.

씬/47 호숫가 (N)

솔, 호숫가 가까이 내려와서 시계 찾고 있는데.

풀숲에 떨어져 있는 선재 시계 불빛이 깜빡거린다. 마치 찾아달라는 듯.

그때, 솔, 깜빡이는 불빛을 발견하고 가까이 다가가는데. 풀숲으로 들어가자 휠체어 바퀴가 걸려 앞으로 고꾸라져 넘어진다. 손 짚고 끙끙대며 상체 일으켜 풀숲을 헤치고 시계를 찾아 주워 드는데...

그때, 호수 건너편 건물 커다란 전광판에 선재 사망 기사 뜬다.

〈(속보) 톱스타 류선재 사망. 2023년 새해 첫 비보〉

솔   (충격) 선재야... (믿고 싶지 않은) 아니야... (손 덜덜 떨며 폰으로 기사 찾아본다)

〈류선재 사망, '극단적 선택' 추정.〉

〈평소 우울증과 불면증으로 약 복용 중이었던 것으로...〉

〈연예계 은퇴 발표를 앞두고 있던 것으로 밝혀져...〉

솔, 세상이 무너진 듯. 충격에 잠시 넋이 나가 있다.

〈솔 회상 인서트〉*30씬

선재가 차에서 걸어 나와 우산 씌워주고, 솔이 보며 웃어주던 모습.

솔   (울컥) 아니야. 아니잖아...좀 전까지 살아 있었잖아...

점점 실감 나는 듯, 슬픔 차오른다. 가슴 미어지고... 울음 터진다.

선재(E)   고마워요. 살아 있어줘서.

솔   선재야... (눈물 뚝뚝 흐르고)

선재(E)   오늘은 살아봐요. 날이 너무 좋으니까.

솔   (울며) 눈도 왔잖아...눈 오는 거 좋아하면서...오늘은 살아보지...왜 그랬어..왜!

고개 숙이고 오열하며 시계를 힘주어 꾹 쥐는데, 사이드 버튼이 눌린다.
그 순간, 시공간이 멈춘다!
호숫가 옆 도로를 달리던 차들, 전광판 뉴스 멈추는 효과.
솔, 울다 뭔가 이상해 고개를 들고 주위를 둘러보는데...
그 순간 시계에서 강한 빛이 사방으로 퍼지고, 솔이 놀랄 새도 없이 무언가 강한 힘이 잡아끄는 듯 얼음판 아래로 쑥 꺼지는 듯한 효과.
그때, 땅이 쑥 꺼지며 호수 아래로 사라지는 솔이 모습에서 블랙아웃.

씬/48 타임슬립 공간 (N)

선재 시계를 손에 꼭 쥔 솔이 깊은 물속으로 떨어지고 있다.
점점 깊이 가라앉는데 팔만 허우적대는 솔.
멀리 희미한 작은 빛(*선재 시계 불빛)이 점점 가까워지는데, 스르르 눈을 감는 솔. 어둠 속으로 솔이 모습 사라지면 블랙화면 잠시 이어진다.

선재(E)   솔아... 임솔!

씬/49 자감여고 솔이네 교실 (D)

여고학주(E)   (버럭) 임소오올!!

솔, 눈 번쩍 뜨며 일어난다. 눈가에 눈물 맺혀 있고.

보면, 고등학교 교실, 수업 중인 분위기다.

교실 학생들 솔이 힐끔거리며 쿡쿡 웃음 참고 있고.

솔은 이게 무슨 상황인지 어리둥절하다. (*솔, 당시 유행 머리. 치마 아래
체육복 바지)

여고학주   (근현대사 책으로 솔이 머리 콩 때리며) 우리 솔이 잠이 솔솔 오지 아주?
          아주 푹 주무셨나 봐요? 무슨 꿈을 꾸는지 자면서 그렇게 대성통곡을~

솔   (멍하니 있다가 학주 얼굴 올려다보며) ....불독?

여고학주   불독?

반아이들   (헉. 분위기 싸해지고)

여고학주   하하하. 하하하하하 (어이없어서 웃어대는데)

솔   (교실 둘러보며) 여긴...교실...??

여고학주   (웃다 정색) 교실이지. 너네 집 안방일까 봐?!

솔   (혼란스럽다)

여고학주   아직 꿈나라구만.

솔   ...꿈인가?

여고학주   이것 봐라... (급 버럭) 정신 차리고 일어난다 실쉬!

현주   (뒷자리에서 솔이 뒷모습 보며 혼잣말) 저게 미쳤나 왜 저래?

여고학주   어어, 안 일어나? (막대기로 책상 쿵쿵 치며 소리치는) 하나! 둘! 셋!

솔   (셋, 하는 순간 저도 모르게 일어선다) ! (놀라 두 다리 내려다본다)

여고학주   잠 깰 때까지 뒤로 가서 서 있어. 자, 그럼 64쪽...

솔   (서 있는 두 다리 보고 믿기지 않는) ...!

여고학주   (솔이 가만 서 있자) 뭐 해???

솔   (살짝 한 걸음 내딛고 ! 놀란다) 진짜 꿈인가...?

여고학주   (황당한 표정) ...에?

솔   (창밖 보는데 건너편 건물 '자감남자고등학교' 간판 눈에 들어온다. 선재
          학교다!) 어?! 그럼 혹시... (결심한 듯 갑자기 획 돌아서 뛰어나간다)

여고학주   (잠시 멍해 있다가 정신 차린) 야! 임소오오올! 너 어디 가! (황당한 표정)

반아이들   (웅성웅성)

씬/50 자감여고 복도 (D)

솔, 울먹이며 복도 뛰어가고 있다.

씬/51 자감고 운동장 + 건물 앞 (D)

솔, 운동장 가로질러 뛰어간다.
자감남고 건물 앞에 도착하는데... 마침 건물에서 나오는 남학생 붙잡고.

솔   헉헉..류선재...헉..헉..어딨어?
남학생   뭐?
솔   선재 어딨냐고. (표정)

씬/52 모의 수영 경기장 외경 (D)

씬/53 모의 수영 경기장 (D)

#모의 수영 경기장 관중석
아무도 없는 관중석 쪽에 마이크, 스피커 음향 장치 설치되어 있고. 스태
프가 버튼 누르면 스피커에서 소란스러운 관중들 목소리 녹음된 소리가
경기장에 크게 울려 퍼진다. (*경기장 현장 소음)
일각에 안코치와 다른 선수 코치들 모여 앉아 있고.

#모의 수영 경기장
박태환 코치, 스태프, 관계자 차트 보고, 현장 체크하는 등 긴장감 흐르는.

#모의 수영 경기장 복도

조용한 복도. 말없이 걸어가는 선수들 발소리 울린다.

빨간 트레이닝복 입고 복도 걸어가는 남자 다리부터 천천히 틸업하면 하얀 수모에 헤드폰 낀 박태환이다. (2008년 베이징올림픽 400m 결승 경기 때와 같은 의상)

그 뒤로 모의 경기 참가하는 선수들 걸어가는데.

그 사이에 하얀 트레이닝복 걸친 선재, 걸어가는 두 다리... 긴장 푸는 듯 손 털거나 주먹 쥐었다 피는 손 타이트, 넓은 어깨 보이는 뒷모습... (*선재 얼굴 화면에 아직 보이지 않고 신비롭게 보여진다. 왼쪽 어깨 흉터)

다시 박태환, 복도를 지나 햇살 들이치는 환한 수영 경기장으로 나가면 경기장에 틀어놓은 현장 소음 크게 울려 퍼진다.

씬/54 거리 일각 + 모의 수영 경기장 + 모의 수영 경기장 건물 앞 (교차) (D)

#거리 일각

빠르게 달려가고 있는 솔이 모습.

달려오다가 횡단보도 앞에서 멈춰 선다. 순간 움찔. 한 걸음 물러서서 눈 감는다. 숨 고르며 "하나..둘..셋.." 작게 중얼거리는데...

횡단보도 옆 가판대 주인이 켜놓은 라디오에서 DJ 멘트 흐르고 있다.

DJ(E) 　오늘 날씨가 참 좋죠? 찬란한 여름이 시작되려나 봐요. 가수 밥 말리가 이런 말을 했어요.

#모의 수영 경기장

DJ(E) 　태양은 눈부시고 날은 달콤하다. 너의 발을 춤추게 하는구나.

4레인에 박태환. 그 옆으로 각 레인에 쭉 서 있는 선수들 보인다.

선재. 수경 내려 쓴다. 조금 긴장한 표정.

(E) 호루라기 소리에 선수들 모두 스타트대 위로 올라선다.

#거리 일각

솔, 눈 감고 숫자 세고 있는데... "아홉...열..."

DJ(E) 가슴이 두근두근. 왠지 소중한 사람에게 달려가고 싶은, 그런 눈부신 날이네요. 1초만 흘러도 과거가 될 지금, 인생에서 가장 특별한 순간은 사랑하는 사람과 함께하는 오늘이 아닐까요? 더 늦기 전에 사랑하는 사람에게 지금 당장 달려가 보세요.

신호 파란불로 바뀌자, 솔.. 눈 뜨고 다시 뛰기 시작한다.

#모의 수영 경기장

(E) 출발 신호 울리자 선수들 동시에 스타트.
물속에서 잠영하던 선수들, 수면 위로 올라와 물살을 가르며 쭉쭉 나아가는 모습.

#거리 일각 + 모의 수영 경기장 건물 앞

솔, 헉헉대며 달려오는데... 간절한 표정이다.

#모의 수영 경기장

물속에서 턴 도는 선수들 모습.
박태환, 선두로 가고 있는데, 코치들 기록 체크하며 차트에 적고 있고.
선재와 다른 선수도 그 뒤를 따르며 치고 나가고 있는..

#모의 수영 경기장 관중석 + 모의 수영 경기장

솔, 관중석 쪽으로 들어서는 순간, 마지막 턴 도는 선수들.
솔, 경기 중인 선수들 보며 관중석 계단 뛰어 내려가기 시작한다.
선수들, 마지막 50m. 막판 스퍼트 내기 시작한다.
관중석 맨 아래로 내려온 솔, 거침없이 펜스 넘어 뛰어내린다.
그때, 박태환 가장 먼저 버저 누르며 물 위로 올라온다. 뒤이어 2등으로 들어오는 선재, 그리고 이어서 들어오는 다른 선수들.

관계자들, 모두 박태환 기록 체크하며 웃고 박수 친다.

달려가던 솔이 순간 어딘가를 보고 멈칫, 멈춰 선다. 솔이 시선이 닿은 쪽 보면.

물속에서 수모와 수경 벗는 선재, 젖은 머리를 쓸어 넘기는 모습 slow.

살짝 긴장한 표정으로 전광판에 뜬 자신의 기록 확인하는데...! 두근두근.

이내 벅찬 표정으로 활짝 웃는 선재. 그런 선재 얼굴로 밝은 햇살이 닿아 반짝거린다. 그 모습 보고 서 있는 솔, 눈물이 그렁그렁 차오르고.

한편, 박태환, 물속에서 올라오면 타월 두르고 코치랑 얘기하고.

선재도 위로 올라오면, 안코치가 어깨에 큰 타월 둘러준다.

모의 경기 끝나 어수선한 분위기.

| 안코치 | 이야. 수술 전 기록 회복했네? |

선재, 벅찬 표정 지으며 젖은 머리 탈탈 턴다. 그때.

| 솔(E) | 선재야! |

선재, 소리 나는 쪽 돌아본다. 경기장 창으로 들어오는 햇살 등지고 선 솔이 실루엣 보이고... 역광 때문에 얼굴 잘 안 보인다. 선재, 누군가 싶은데.

솔, 선재 쪽으로 달려오기 시작한다.

| 스태프들 | 어! 저거 누구야? / 막아!! (하며 우르르 달려가 박태환 경호하며 막는) |

솔, 그대로 지나쳐서 선재한테 달려간다.

선재 시점. 솔이 가까이 다가오자 솔의 얼굴 점점 선명해진다. 놀란 표정.

피하지도 못하고 서 있다. 그 순간, 솔이 선재 허리를 두 팔로 와락 끌어안는 모습 slow.

선재, 안기는 힘에 밀려 뒤로 한 발짝 물러난다. 심장 쿵. 사고 정지.

햇살 받아 반짝이는 수영장 물빛, 예쁘다.

끌어안고 선 두 사람. 잠시 둘만의 세상이 된다.

선재, 두 팔을 어정쩡하게 들고 얼음처럼 굳어 있는데.

선재   뭐야 너...

솔   흑흑... (흐느껴 울기 시작한다)

선재   ! (우는 소리에 고개 기울여 보는데 울어? 당황스럽다. 살짝 뒤로 물러나
        려 하면)

솔   (더 꽉 끌어안고 슬프게 운다)

선재   (당황스럽기도 하고 왠지 모르게 짠하고 미안하기도 하다. 처음 느껴보
        는 감정)

솔   (울며) 혼자서 끙끙...얼마나 외로웠을까. 누구한테 힘들다고 말도 못 하
        고...

선재   ! (왠지 마음에 박히는 말이다)

솔   그렇게 아파했는지 몰랐어...몰라줘서 미안해...

선재   (힘든 재활 과정 떠오르는 듯, 뭉클한)

솔   ...사랑해 선재야!

선재   !!!!!!!

경비(E) 아니 어떻게 들어왔어!

그 소리에 정신 번쩍 든 선재, 주위 둘러보면.. 코치들, 박태환 외 다른 선
수들, 스태프들 황당한 표정으로 보고 있다.
그때, 경비원 두 명이 솔이 양팔을 붙잡아 선재에게서 떼어낸다.

경비원들 출입 금지 써 붙은 거 못 봤어?! / 끌고 나가자고!

솔   왜, 왜요?? (끌려가며) 꿈인데 좀 붙어 있자아~ 선재야! (선재 향해 손
        뻗는)

선재   (벙쪄 있는)

솔   (문밖으로 끌려 나가 사라지며 소리친다) 싸랑해 선재야!!!

선재   (계속 벙쪄 있는 데서)

씬/55 모의 수영 경기장 입구 (D)

경비원들, 우는 솔이 끌고 나오며

경비   아무튼 학생! 이거 극비 경기니까 어디 가서 절대 말하면 안 돼! 알았어? 이제 가! 가! 어서. (내쫓고 돌아서는데)

솔, 내쳐지다가 다리가 꼬여 두세 계단 굴러 땅바닥에 넘어진다. "어어!" 경비원들 "학생! 괜찮아?!" 놀란 표정.

솔   (바닥에 엎드려서) 아니요...아파요... (무릎 쓸다가 문득) ...아파?...왜? (눈 커진다)

씬/56 모의 수영 경기장 로비 + 입구 (D)

새하얀 운동복 입은 선재, 안코치랑 걸어 나온다.

안코치 시뮬레이션 테스트가 아니라 진짜 올림픽 결승 경기하는 줄 알았다야. 박태환 선수는 이렇게 훈련시켜주는구나. 역시 국대는 다르네. 너도 어깨 부상만 아니었으면 이번에 같이 베이징 가는 건데.
선재   (로비 살피는)
안코치 그래도 어깨 수술하고 6개월 만에 기량 회복한 거 대단한 거야! 무서운 놈... (웃고) 오늘 올림픽 간접경험 해봤으니까 4년 뒤엔 너도 런던 가야지~ (하는데)
선재   (솔이 안 보인다) 갔나?
안코치 어? 누구. 아, 여자친구?
선재   (정색) 아니거든요?
안코치 에이...아닌데 막 끌어안고 사랑한다 그러냐?
선재   아니라니까요. 먼저 갈게요. (휙 간다)
안코치 야! 저녁도 안 먹고 가? 내가 사줄라 그랬는데?! (이미 저만치 간) 짜식...

씬/57 모의 수영 경기장 앞 거리 (해 질 녘)

솔, 혼란스러운 표정으로 넋 나가서 걸어가고 있다. 눈 꾹 감았다 뜨는.

솔 　왜 꿈이 안 깨지? (혼란스럽고) 분명 아까 선재 시계 찾고 있었는데...?
　　(손목 보고, 주머니 뒤져보는데 주머니에서 줄이 끊어진 선재 시계가 나
　　온다) 그래 찾았어. 찾았는데...그러다가...

　　〈솔 회상 인서트〉
　　***47씬. 호수 아래로 훅 빠지던 장면.**
　　***48씬. 물속에 빠지던 장면 떠올리는.**

솔 　(헉! 두려운 표정) 설마...!

솔, 천천히 고개 옆으로 돌린다.
보면, 저 앞에 보이는 강 위에 긴...다리 보인다. (북한강 철교 같은 다리)
검은 옷 입은 아저씨 하나 비틀거리며 건너가는 모습 보며. 순간 떠오르
는 말.

천신할매(E) 　사람이 제명이 다하면 육신은 남고 혼은 저~ 위로 올라가지. 그 혼이
　　삼도천 위에 놓인 길고 긴 다리를 건너 저승으로 가게 되는 거여..

긴 다리가 순간, 〈호텔 델루나〉 삼도천 다리처럼 물안개 자욱.. 스산하게
변하는 CG.

솔 　나 혹시... (E. 쿵!) 죽은 건가?

씬/58 다리 앞 + 택시 안 (해 질 녘)

선재, 걸어오는데 무릎에 얼굴 묻고 쪼그려 앉아 있는 솔을 보고 흠칫 멈

쳐 선다. 가만 보는데 솔, 꿈쩍 않는.

선재, "흠..." 팔짱 끼고 서서 솔을 잠시 내려다본다. 얘 뭐지? 싶은 표정이
다. 마음먹은 듯 다가가서 그 앞에 쪼그리고 앉는다.

선재	야.
솔	... (가만있는)
선재	야. 너 뭐 해.
솔	... (반응 없는)
선재	(손끝으로 살짝 밀며) 야..! (부르는데)
솔	(옆으로 기우뚱 넘어지면서 쥐고 있던 선재 시계 떨어트린다)
선재	(당황한 듯 자기 손 보며 놀라고) 아, 미안.
솔	(선잰 줄 모르고 일어나며, 울먹이는 목소리) 저기요...우리 죽은 거 맞겠죠?
선재	(시계 줍다가) 뭐?
솔	(고개 들어 선재 보는데 하얀 옷이 눈부시게 빛난다) 귀신?
선재	뭐 귀신? (황당, 벌떡 일어나면)
솔	(선재 얼굴 보고 따라 일어선다) 선재잖아??! (흡... 울음 터지고)
선재	(솔이 울자 당황) 야, 너 왜 울어?
솔	맞네 맞아...선재 보이잖아...그럼 나 죽은 거 맞는 거네...! (우는)
선재	(황당) 뭐지 얘? (시계 건네주려는데) 어? 내 꺼랑 똑같네?
솔	(울며) 니 꺼니까 가져가...
선재	뭐, 내 꺼라고? (황당해하며 시계 보는데)
솔	(울먹이며) 그래. 차라리 잘됐다. 같이 가줄게. 내가 너 가는 길 외롭지 않게에... (말하다 주저앉아 오열하며 땅을 치거나 가슴을 콩콩 치며) 근데 불쌍한 우리 엄만 어떡하지? 엄마아...! 할머니이!
선재	(이상한 사람 보듯 고개 저으며 흠칫. 뒤로 한 발짝 물러나는)
솔	(눈물 슥슥 닦으며 다시 눈 부릅뜬다) 아니지. 아직 다리 안 건넜으니까, 방법이 있을 거야..! 우리 같이 돌아가자! 응? 이 다리 절대 건너지 마.
선재	저기, 집에 가려면 건너야 되거든?
솔	안 돼! (뛰어가 선재 앞에서 두 팔 벌려 막아서고) 건너면 절대 안 돼!
선재	아니? 난 건너야 돼. (옆으로 확 피해서 지나가려 하자)

솔	안 돼 선재야~ (쫓아가 백허그 하듯 양손으로 선재 허리 확 안는다)
선재	!! (양팔 들고 얼음)
솔	(흐느끼며) 우리...같이 살자. 응? 같이 살아보자...! (울먹이는데)
선재	같이 살아??? (입 떡 벌어져서 솔이 돌아본다)

정신 차린 선재, 마침 앞에 멈춰 선 택시에서 사람 내리자 다급히 솔이 손 뿌리치고 "택시!!" 달려가서 후다닥 올라탄다.
솔, "선재야!!" 소리치며 쫓아가는데
택시에 탄 선재, 가슴 쓸어내리며 "쟤 뭐야...?!" 황당한 표정.

솔	(쫓아가다가 멈춰 선다. 뭔가 이상하다) 택시? 저승에? (갸웃하는데 핸드폰 벨소리가 계속 울리자 교복 주머니에서 핸드폰 꺼낸다. 발신자 '복순 씨'다) 엄마...? (조심스레 받아본다) 여보세요?
복순(F)	(빽 소리친다) 너 어디야! 학교 땡땡이쳤다며!
솔	(어리둥절) 진짜 엄마 목소리네?
복순(F)	잔말 말고 빨리 들어와! 한 시간 내로 안 오면 지옥행 급행열차 타게 해준다..
솔	지옥??

씬/59 선재 집 선재 방 (N)

깔끔하고 깨끗하게 정리된 방. 수영, 재활 관련 책들 보이고. 그 옆엔 이안 소프 포스터 크게 걸려 있다. 선재, 근덕과 통화하며 아이싱팩을 들고 들어온다.

근덕(F)	아이고오 우리 청상아리 류선재!
선재	(피식) 청상아리가 뭐야...이상해.
근덕(F)	아시아의 물개 조오련이! 마린보이 박태환! 너도 뭐 하나 있어야 할 거 아니야. 오늘 경기는 잘했어?
선재	정식 경기도 아닌데 뭐. (가방 내려놓으며 의자에 앉는)

근덕(F) 박태환이랑 한 탕에서 헤엄친 거자너. 그것만 해도 대단하지 안 그래?

선재 수영장이 목욕탕인가. 한 탕은... (살짝 뿌듯한 듯) 근데 뭐, 기록은 잘 나왔어.

근덕(F) 역시 자랑스런 우리 아들~ 보란 듯이 해낼 줄 알았어. 어깨는 괜찮았고?

선재 괜찮았지 그럼. (아이싱팩 왼쪽 어깨에 걸치려는데 잘 안 되고) 아부지. 나 밥 먹으려고. 어. 이따 봐요. (끊는다)

아이싱팩 어깨에 제대로 채우는데 살짝 아픈지 인상 쓰는 그때, 솔이 말 떠오른다.

솔(E) 혼자서 끙끙...얼마나 외로웠을까. 누구한테 힘들다고 말도 못 하고... 그렇게 아파했는지 몰랐어...몰라줘서 미안해...

선재 (가만 앉아 생각하는데)

솔(E) 사랑해 선재야!

선재 (이 말까지 떠오르자 흠칫!)

〈선재 회상 인서트〉
*54씬. 솔이 끌려 나가며 "싸랑해 선재야!!!" 하던 컷.
*58씬. 다리 건너지 말라 했다가, 백허그 하며 "같이 살자~~" 하던 컷.

#다시 현실

선재 (혼란하다) 애가 상태가 영...

잠시 생각하다, 잊어버리려는 듯 고개 저으며 방 안 CD플레이어 재생한다. 라디오헤드, 콜드플레이류의 외국 밴드 음악 흘러나온다.
그때, 책상 위에 놓인 전자시계 본다. "어?"
주머니에서 솔이 준 시계 꺼내 책상 위 시계랑 비교해보면 똑같다.

선재 뭐야, 내 꺼 여깄었네? (어이없다) 근데 이걸 나한테 왜 줘?

씬/60 광화문 거리 (N)

솔, 눈 휘둥그레져서 걷고 있다. 세종대왕 동상이 없던 옛 광화문 거리다. 버스정류장에 '〈좋은 놈, 나쁜 놈, 이상한 놈〉 7월 대개봉' 포스터 크게 걸려 있고, 거리에서 흘러나오는 음악들, 사람들 옷차림 모두 2008년 그때 모습이다.

솔   이게 다 뭐야...완전 생생하잖아.

씬/61 솔이 집 앞 (N)

솔, 작은 3층 건물 보며 입 떡 벌어져 서 있다. (*1층 금 비디오&DVD 대여점, 문에 '임대 문의' 붙어 있고 / 2층 원룸 / 3층 솔이네 가정집, 옥상으로 되어 있는)

솔   말도 안 돼...옛날 그대로네? 여기 싹 재개발됐었는데?? (믿기지 않는 듯 가게 안으로 뛰어 들어간다)

씬/62 금 비디오&DVD 가게 (N)

솔, 뛰어 들어오자마자 복순 보고 놀라 멈춰 선다. 보면, 복순(*촌스럽지만 진한 화장, 염색 머리), 조혜련 태보 다이어트 DVD 틀어놓고 열심히 따라 하고 있는.

솔   엄마...?!
복순   (멈칫, 돌아보면 솔이 문 앞에 서 있자) 너! 너! 일루 와! (솔이한테 달려들며 카운터에 놓인 책가방 집어 던진다) 학교에 가방도 내팽개치고 어디 뛰쳐나갔었어?!

솔	(책가방 끌어안고) 엄마...! 엄마 왜 이렇게 젊어?
복순	(솔이 등짝 찰싹찰싹 때리며) 아부 떨어도 소용없어 이것아! 땡땡이치고 어디 갔었냐고! 얘가 고3 되더니 안 하던 짓을 하고 있어?

"아! 아! 잠깐 엄마!" 요리조리 피하며 가게 둘러보는데.
한쪽엔 비디오 반대쪽엔 DVD들 꽂혀 있고, TV와 그 앞에 놓인 낡은 2인
소파 보인다. 일각의 달력 눈에 들어온다. **'2008년 6월 9일'**이다.

솔	2008년? 잠깐, 잠깐!

복순 피해서 일각에 붙어 있는 전신 거울 쪽으로 달려가 서본다.
영락없는 열아홉, 고등학생 때 모습이다. 머리, 얼굴, 교복 만져보며...

솔OFF	꿈도, 저승도 아니야. 그냥...내 과거야! (깨달은 표정)
복순	속 터져 진짜! (씩씩대고 있는데)
솔	(울컥) 엄마...! (울먹이며 다가가 복순 와락 안는다)
복순	왜 이래 얘가?!!
솔	엄마...이거 진짜야? 꿈 아니지? 어떡해...! (감격스러운)

씬/63 솔이 집 주방 (N)

말자. 양푼에 미숫가루 타서 얼음 동동 띄워 젓고 있다.

말자	머시 급하다고 벌써 여름이 와브렀으~ (밥그릇으로 대충 떠서 맛보며) 달디 달네~
솔	(문 벌컥 열고 뛰어 들어오며) 할머니! 할머니이!
말자	하여가네 우리 손녀딸이 먹을 복은 타고났당게. 드루와 미숫가루 묵어~
솔	할머니!! (책가방 내팽개치고 타다닥 뛰어가 와락 안는)
말자	오메! 뛰지 마. 배 꺼져.
솔	(울음 꾹 삼키고, 말자 보며) 할머니 나 봐봐. 내가 누구야?

말자	이? 막둥이 솔이지 누구긴 누구여.
솔	(울먹이며) 맞아. 나 솔이 맞아.
말자	참 나. (왜 이러나 싶은데)
솔	또 불러줘.
말자	이?
솔	내 이름 또 불러줘. 응?
말자	(다정하게) 솔아~~
솔	(울컥, 눈물 차오른다) …
말자	왜 울어? 응? 누가 울 막둥이 울렸대?
솔	(못 참겠고, 눈물 흐른다) …할머니… 품에 안긴다)
말자	(궁둥이 두드리며) 이구. 울 똥강아지 학교서 뭔 일 있었대?
솔	(고개 저으며 꼭 끌어안으며 우는)

씬/64 솔이 집 솔이 방 (N)

솔, 방 둘러보고 있다. 옛날에 쓰던 책상 위에 놓인 데스크톱 컴퓨터, 아이리버 MP3, 교과서, 귀여니 등 인터넷 소설책, 그 시절 유행 화장품(훼어니스, 토마토 선크림 등), 모의고사 시험지, 수학의 정석, 보카 단어책 등등.. 추억의 물건들 보인다.
와와걸(wawagirl) 잡지 반가운 듯 들어 보다가, 탁상달력 보는데 2008년 6월이다.

솔	6월이면… (울컥) 사고당하기 전이네…

두 다리 내려다본다. 털썩 주저앉아 펑펑 울기 시작한다. 감격의 눈물 뚝뚝. 발끝에 떨어진다. 감정 올라와 더 크게 우는 모습에서.

씬/65 솔이 집 안방 (N → D)

〈솔 회상 인서트〉

#중환자실

산소호흡기, 온갖 의료 장비들 달고 있던 솔이 힘겹게 눈 뜨고 있고. 옆에서 면회 중인 복순, 말자 오열하고 있다.

솔	(쉰 목소리로) 엄마...할머니...왜 울어?
복순,말자	솔아... (계속 울고)
솔	근데 이상해...나 다리에 아무 감각이 없어...나 왜 이래? 기억이 안 나..
복순,말자	(차마 대답 못 하고 솔이 손 꼭 잡고 우는)
솔	(울고 있는 복순, 말자 보는 표정에서)

#다시 현실

솔, 잠든 복순을 내려다보고 있다.

솔OFF	내일도...여기서 눈 뜰 수 있을까?

솔, 복순과 말자 사이에 누워 두 사람 팔짱을 꼭 낀다. (또는 손잡는다) 꿈같이 좋으면서도 불안한 표정...

솔OFF	한여름 밤의 꿈같이...자고 일어나면 모든 게 신기루처럼 사라져버리면 어떡하지?

(시간 경과)

아침이다. 솔, 얼굴 타이트. 번쩍 눈을 뜬다. 익숙한 듯 낯선 천장 보이고. 끙- 힘주고 있는 듯한 표정. 이내 불안한 표정으로 바뀐다.

솔	다리가 안 움직여..! (다시 힘주는데 안 움직이자) 그럼 그렇지..역시 꿈...
금(E)	(O.L) 컹.... (코 고는 소리)
솔	(시선 내려 보면, 임금이 솔이 다리 깔아뭉개고 널브러져 자고 있자 부글부글) 야!!! (임금 뻥 차는데)
금	(바닥에서 뒹굴다 깜짝 놀라 일어나는) 뭐지?

| 솔 | (다리 탁탁 움직여보며) 하..다행이다.. (안방 둘러보면 여전히 과거다. 금이 보며 반가워) 임금! 금아~~~ 오빠야~~~ (와락 안고 흔드는) |
| 금 | (부스스한 몰골. 눈도 못 뜨고 솔이에게 안겨 봉제 인형처럼 흔들리는) |

씬/66 솔이 집 욕실 (D)

세수하고 고개 드는 솔. 거울 속 모습 본다. (*반바지)

| 솔 | 피부 봐라~ 탱글탱글하네. 쌩얼도 이쁘구만 옛날엔 뭘 그렇게 열심히 찍어 바르려고 했을까? (씩 웃으며 돌아서는) |

욕실 의자에 쪼그리고 앉아 대야에 두 발 담그고 샤워기로 물 받는 솔. 발에 닿는 따뜻한 감각을 느끼고 있다. 찰박찰박. 물장난 치듯 발을 움직여 본다. 감격스럽고, 눈물이 그렁그렁 맺힌다.

씬/67 솔이 집 거실 + 주방 (D)

복순, 말자 상 차리고 있고. 금이 식탁에 앉아 있다.
솔, 욕실에서 나와 발매트 위에서 살짝 콩콩 뛰며 물기 닦는다.

솔	자자~ 다들 나 좀 보세용~~
일동	(돌아보면)?
솔	(종아리 뻗어서 어설프게 요염한 포즈) 내 다리 이쁘지이. (씩 웃으면)
복순	염병...주접과 지랄을 쌍으로 떤다.
금	좋은 말 할 때 무다리 집어넣어라.
말자	왜 이려? 이뻐 죽겄구만. 샤롱 스톤이는 앞으로 통바지만 입야야 쓰겄어~
솔	(히죽 웃으며 식탁으로 쪼르르 가서 앉는데, 진수성찬으로 차려져 있고, 죄다 고봉밥인) 이야~~ 울 할머니가 해준 밥 얼마 만이야... (감동)
복순	맨날 먹는 밥 가지고 새삼...

솔	(식탁 옆에 걸린 가족사진 보며 흐믓하게 웃는다. *아빠 생전에 찍은)
금	(밥 먹다 솔이 표정 보고 멈칫) 웃지 마라. 밥맛 떨어진다아.
솔	뭐? (째려봤다가 다시 짠하게 보며) 아니다~ 저 얄미운 주둥이도 얼마 만이냐~
금	어허. 임금의 용안이다! 어디 주둥이라고 주둥이를 함부로 놀리느냐..
복순	(금이 입술 꼬집듯 잡고) 주둥이 닫고 밥이나 먹어! 제대하고 복학하자 마자 뭔 연기를 한답시고 휴학하더니! 등록금 환불받은 건 어쨌어!
금	아아아! (복순 손 뿌리치고) 거야 통장에 잘 있지...다음 복학할 때 내야 되니까.
복순	너 연기는 핑계고 그냥 맨날 빈둥빈둥 처놀려고 휴학한 거지?! 그치?!
솔	(흐흐 웃으며) 아이구우~~ 울 엄마 기 쎈 것 좀 보게? (흐믓한 듯 미소)
복순	뭐? (솔이 째려보는)
금	처놀긴! 매일 오디션 보러 다니느라 얼마나 바쁜데 내가. 두고 봐! 5년 안에 내가 배우로 성공한다!
솔	꿈 깨. (말하는 동시에 시간이 멈춘다!) 5년 뒤에도 그냥 취준생일걸? 연 기 학원비만 날려 먹고 체육 교사 임용고시도 똑 떨어져서... (말 끝나면 다시 시간 흐르고) ?? (살짝 이상한 듯) 어? 방금 뭐였지? (갸웃하는데 눈치 못 챈 듯)
복순	배우는 아무나 하냐? 쓸데없는 소리 말고 언능 밥이나 먹어. 임솔! 너도 학교 지각하고 싶어?
솔	(멈칫) 학교?
복순	왜, 땡땡이도 모자라서 때려치게?
솔OFF	학교 가면...우리 선재 맘껏 볼 수 있겠네? (반짝 웃는 표정에서)

씬/68 솔이 집 앞 + 골목 (D)

솔(E)	학교 다녀올게요!!

교복 입고 내려오는 솔. 집 앞에 멈춰 서서 운동화 끈 양쪽 다 단단히 고 쳐 맨다.

기상캐스터(E) 오늘 외출하실 때 작은 우산 하나 챙기셔야겠습니다. 대기가 불안정해지면서 곳곳에 비 소식이 있을 예정인데요....

솔, 씩 웃으며 일어나선 들뜬 듯 총총 걸어간다. 가슴 떨리고 벅차서, 걷는 것으론 부족하다. 점점 속도 높여 달리기 시작한다.

씬/69 자감고 앞 거리 + 교문 앞 (D)

선재, 걸어가다가 주머니에서 전자시계(전날 솔이가 준) 꺼내 본다.

선재 아, 이거 돌려줘야 되는데... (교문 앞에 멈춰 선다)

한편, 솔, 달려가다가 교문 앞에 서 있는 선재 발견하고 멈춰 선다.

솔 선재야... (반가운 듯 활짝 웃으려다 순간 떠오르는 장면)

〈솔 회상 인서트〉
***47씬. 전광판에 뜬 선재 사망 기사 보던 장면.**

#다시 현실
솔, 눈에 눈물이 그렁그렁 차오른다. 가슴 미어지는.
그때, 기타 멘 인혁이 "선재야!!" 반가워하며 선재에게 달려가 찰싹 붙는다.

인혁 어제 모의 경기 잘했냐? 잘했냐고오! (장난치듯 옆구리 쿡쿡 찌르는데)
선재 아 좀 떨어져. (밀어내려다 피식 웃어버린다)

솔, 선재 웃는 얼굴 보는 순간, 울컥. 울음이 터진다. 볼을 타고 흐르는 눈물. 동시에 툭툭툭... 빗방울이 솔이 손등, 발끝으로 떨어진다.
M. 윤하 '우산'

소나기가 내리기 시작하자 등교하던 학생들, 갑자기 내리는 비에 웅성웅성하며 우산 펼쳐 들거나 가방으로 머리를 가리고 뛰어간다.

한편, 우산(*파란색) 펼쳐 드는 선재, 솔이 쪽으로 고개를 돌린다. 선재 시선에 비 맞으며 울고 있는 솔이 보인다. 왜 저렇게 울 것 같은 얼굴로 비를 맞고 서 있는 건지... 그렇게 잠시 눈 마주치고 선 두 사람.

그때, 선재가 어떤 결심으로 솔이 쪽으로 성큼성큼 다가가기 시작한다.

(*비 맞고 있는 인혁이 모습 보이지 않게)

학생들은 교문 쪽으로, 선재는 반대로 솔이 쪽으로 걸어가는 모습 slow.

다른 우산들 때문에 솔이 시야에 선재 모습이 잠시 사라지고...

다시 우산들이 옆으로 비켜 가면 그 사이로 어느새 눈앞에 다가온 선재가 솔이 머리 위로 우산을 씌워준다.

선재	...왜 울고 있어?
솔	(목소리까지 듣자 살아 있다는 게 더 실감 나고, 눈물 흐르는)
선재	(이상한데, 또 왠지 가슴이 먹먹하다) 너 왜 자꾸 나보고 우냐?
솔	(왈칵 눈물 쏟는다) 흡...

비 내리는 거리... 울고 있는 솔, 그런 솔을 보며 마음이 복잡한 선재.

그렇게 우산 아래 마주 선 두 사람 모습에서.

인턴 지원 이력서

사 진 3 × 4	성명	임솔	주민등록번호	900504-2******
	주소	양서구 거문고3길 노을 아파트 110동 401호		
	연락처	010-4272-****		
	E-MAIL	sorry0504@never.com		

학력 사항	학교	전공	졸업 년도	소재지
	자감 여자 고등학교	인문계	자퇴	서울
경력 사항	내용		기간	
	너튜브 '천신할매에게 무엇이든 물어보살' 채널 편집 PD		2020. 11. ~ 현재	
	너튜브 '나 혼자 사는 전지적 참견 시점' 채널 편집 PD		2022. 2. ~ 2022. 10.	
	너튜브 '신나는 토요일' 채널 편집 PD		2021. 3. ~ 2022. 1.	
	내용		취득일	발령청
	컬러리스트 산업기사		2022. 11.	한국산업인력공단
	GTQ 그래픽 기술 자격		2022. 6.	한국생산성본부
	멀티미디어 콘텐츠 제작 전문가		2022. 3.	한국산업인력공단
	컴퓨터 그래픽스 운용기능사		2021. 12.	한국산업인력공단
	디지털 영상 편집		2021. 3.	한국정보통신 진흥협회

자기소개서

• 성장 과정 및 지원 동기

저희 남매의 성장과 발전을 위해서라면 지원을 아끼지 않으시는 어머니와 항상 저희를 친구처럼 대해주시는 할머니, 그리고 모든 일에 매사 열정적인 오빠까지 따뜻한 가족들 밑에서 사랑을 받으며 성장하였습니다. 어머니는 무조건적으로 제 어리광을 받아주시기보다는 한 사회의 구성원으로서 올바르게 자랄 수 있도록 어떠한 일이라도 맡은 바 책임을 다해야 한다고 강조하셨습니다. 이러한 어머니의 가르침은 훗날 제가 성인이 되어서도 자주적이고 책임감이 강한 사람으로 성장하는 데 많은 도움이 되었습니다.

비디오 가게를 운영한 어머니 덕분에 어릴 적부터 다양한 영화들을 접할 수 있었고 자연스레 영화와 친해지게 되었습니다. 영화감독이 꿈이었는데 고등학교 3학년 시절 제게 첫 번째 시련이 찾아왔습니다.

예기치 못한 사고를 겪고, 그로 인해 척추가 손상되는 바람에 다시는 걸을 수 없는 상황에 처하게 된 것입니다. 비록 고등학교도 졸업하지 못했지만 영화감독의 꿈을 포기할 수 없었습니다. 태어나 첫 걸음마를 떼던 순간을 떠올리며 긴 재활 시간을 견뎌냈고, 그 결과 휠체어에 몸을 싣고 제가 원하는 곳을 향해 나아갈 수 있게 되었습니다. 이 사건은 저에게 성장하는 삶의 긍정적인 효과를 알게 해주었습니다.

사람은 꿈 없이 성장할 수 없습니다. 저는 항상 꿈을 세워두고 그것을 향해 도전하고 올라가려 노력하는 삶을 추구합니다. 그렇기에 저는 꿈이 삶의 목표를 계속해서 이뤄나가는 과정의 연속이라고 생각합니다.

• 입사 후 포부

방송 프로그램과 차별화된 요소를 더한 현명한 제작자로서의 역량을 쌓겠습니다. 그러기 위해서 먼저 사회적 트렌드와 시청자의 니즈를 파악하겠습니다. 시청자의 관심사를 파악하고 고객의 목소리에 귀 기울이겠습니다. 그 결과물을 집약하여 업무에 반영하겠습니다. 항상 긍정적이고 도전적인 신념으로 포기하지 않고, 시청자와 개발진들 모두가 공감할 수 있는 콘텐츠를 만들기 위해 나아가겠습니다.

2008/2023

Lovely ♡
Runner ♡

2화

그래도 널 지키고 싶으니까,

살려야 되니까 뭐라도 해보는 거야...

씬/1 자감고 앞 거리 + 교문 앞 (D) *1화 엔딩 장면 연결

선재가 어떤 결심으로 솔이 쪽으로 성큼성큼 다가가기 시작한다.
어느새 다가온 선재, 솔이 머리 위로 우산 씌워준다.

선재   ...왜 울고 있어?
솔   (목소리까지 듣자 살아 있다는 게 더 실감 나고, 눈물 흐르는)
선재   (이상한데, 또 왠지 가슴이 먹먹하다) 너 왜 자꾸 나보고 우냐?
솔   (고개 숙이고 뿌앵- 우는)
선재   (당황) 아니, 내가 뭘 했다고 우... (우는 거냐 하려는데 수군대는 소리 들린다)
학생들   (힐끔대며 수군수군) 쟤가 울렸나 봐. / 사랑싸움했나 보지. / 뭔 잘못을 했길래.
선재   !! (신경 쓰이고) 일단 일루 와. (솔이 책가방 잡고 데려가는)

선재, 솔이 데리고 사라지고, 카메라 팬하면.
일각에 기타 케이스 안고 처량 맞게 비 맞고 서 있는 인혁이 보인다.

인혁   선재야? 나 버린 거니?

씬/2 자감고 교정 일각 (D)

비를 피해 처마 아래 있는 솔, 선재 우산을 꼭 쥔 채 훌쩍이고 있다.
선재, 기둥에 기대서서, 괜히 툭툭 발짓하며 기다려주고 있는.

솔OFF 어젠 그 주접을 부려놓고 오늘은 왜 말도 못 하고 질질 짜고 있어...

솔, 고개 돌려 선재 옆모습을 찬찬히 본다.
짧은 헤어스타일. 살짝 찌푸린 표정. 연예인 선재와는 분위기가 다르다.

솔OFF 열아홉의 넌 이런 모습이었구나...
선재 (시선 느끼고 돌아보며 혼잣말) 뭘 저렇게 뚫어져라 봐...
솔 ! (눈 마주치자 얼른 고개 돌리고 눈물 슥슥 닦으면)
선재 (한 발짝 다가가) 너. 뭐야?
솔 응? 아, 저는...아니 난 니 팬인데 선재업고튀어라고.. (횡설수설)
선재 뭐?
솔 그게 네 팬카페 닉네임인데... (말하다 아차 싶은)
선재 뭔 소리야? (이상하게 보면)
솔OFF 그러게. 뭔 헛소리야! 지금 선재는 평범한 학생인데 이러면 안 되지. (다시 선재 보며 살짝 어색하게) 내 이름은...솔이야. 임솔.
선재 알아.
솔 (!) 어떻게?
선재 (자기 가슴팍에 명찰 위치 톡톡 찍는)
솔 (명찰 내려다보고) 아...!
선재 너 왜 자꾸 나 보고 우는 거냐고. 어제도 울었잖아.
솔 아, 그게... (솔직한 마음으로) 너 보니까 누가 생각나서. 내가 정말 많이 좋아했던... (선재 얼굴 보자 아차, 차마 말 못 하겠다)
선재 (!! O. L) 좋아했던?
솔 (둘러대려) ...강아지?
선재 (미간 찌푸리는) 뭐, 강아지? 개 닮았다고?

솔	(당황) 그, 그게 아니라! 음...그 개가! 수영을 잘했어.
선재	그니까 수영 잘하는 개를 닮았다는 거네?
솔	...그렇게 되네?
선재	(어이없고) 어제 경기장은 또 어떻게 알고 온 건데? 내 이름도 그렇고.
솔OFF	그래. 수습을 해보자. 열아홉 살짜리 구슬리는 것쯤이야. (ON) 내가...수영 팬이야.
선재	수영 팬?
솔	내가 그랬지? 내 개가 수영을 잘했다고. 그니까 자연스럽게 수영도 좋아지고. 경기 영상 찾아보다가 자연스럽게 수영부 에이스인 너도 알게 되고. 알고 나니까 자연스럽게 응원해주려고 갔지. 근데 또 너 수영하는 거 보니까 자연스럽게 내 개가 생각나서 울컥하구 사랑한단 소리도 자연스럽게... (말끝 흐리며 선재 눈치 보는데)
선재	응. 하나도 안 자연스러워.
솔	(헉!) 하하하 아, 암튼. 많이 당황했지? 다 내 개가 생각나는 바람에...
선재	(O.L) 그 개. 이름이 뭔데?
솔	(당황) 이름? 이름이... (눈 굴리며 발끝 달달 떨다가) 수달이!
선재	갠데, 수달?
솔	(재빨리) 수영을 잘해! 수달도 우리 수달이도.
선재	왜? 물개라고 짓지?
솔	오...!
선재	하... (고개 저으며 시계 돌려준다) 자. 받아~

〈솔 회상 인서트〉 *1화 58씬
선재 붙들고 다리 건너지 마라~ 나랑 같이 살자~ 진상 떨던 컷.

선재	그럼 이것도 다 수달이 때문이냐?
솔	(헉! 수치스러운 표정 OFF) 젠장...! (수습이 안 되겠다 싶고 시계 보는 척하며 ON) 이런! 지각하겠다! 나, 나 가볼게 미안! (선재 우산 들고 그대로 빗속으로 튀어 나가 도망친다)
선재	?!! (이미 우산 들고 비 맞고 뛰어가는 솔이 보며 황당) 어? 야! 어디 가!

씬/3 자감고 복도 (D)

선재, 수건으로 머리 털며 가는데. 인혁이 쫓아가며 질문하는.

인혁	배신자...날 빗속에 버려두고! 우산 씌워준 애 누구냐? 어떻게 아는 애야?
선재	그냥 뭐 좀 돌려줬어. 그리고 아는 애 아니다.
인혁	아는 애 아닌데 뭐 그렇게 할 말이 많아?
선재	내 팬이래.
인혁	뭐?
선재	선재업고튀어라던데. 팬카페 닉네임이.
인혁	(픕 비웃으며) 니가 팬카페가 어딨냐?
선재	그러니까. (갸웃하며 생각에 잠긴)
인혁	돌아인가? 근데 나 걔 얼굴이 낯이 익어. 어디서 본 것 같애.
선재	어디서?
인혁	그걸 모르겠네?
선재	(고개 젓다가, 생각난 듯 인혁 딱 마주 보며) 야 내 얼굴 딱 봐봐. 나 뭐 닮았어?
인혁	(보자마자) 개.
선재	개?
인혁	어. 너 좀 시바견 닮았어.
선재	시바견? 이런 씨... (하는데)

"선재야! 류선재애!" 수영부 친구들 달려와 선재에게 어깨동무한다.

현규	너 똑바로 불어. 어제 경기장에서 안겼다는 여자애 누구야?
태훈	코치님이 다 말해줬다~ 막 싸랑해 선재야! 그랬다며!
인혁	(헉!) 뭐? 사랑? 야! 우산 걔가 걔냐?
선재	아! 이거 봐! (뿌리치며 도망치듯 앞서가면)
현규,태훈	싸랑해 선재야~~~ 싸랑해~~ (놀리며 쫓아 뛰어간다)

씬/4   자감여고 복도 + 교실 앞 (D)

비에 젖은 솔이 복도를 걸어가고 있다.

솔   (울상) 입을 열질 말걸...더 이상한 사람만 됐네. (손에 쥔 우산 보며) 이
        건 또 왜 들고 온 거냐고오. 선재 비 맞았겠네...으휴 못 살아 진짜아. (한
        숨 쉬며 걸어가는데 '3-7' 교실 팻말 보고 멈춰 선다) 어?! 여기다...! (반
        가운 듯 미소 번진다) 어젠 꿈인 줄 알고 제대로 보지도 못했네... (하며
        교실 문 여는)

씬/5   자감여고 솔이네 교실 (D)

솔, 문 빼꼼 열고 조심스레 들어온다. 커다란 TV장, 교실 뒤편 사물함. 게
시판에 붙은 대학 등급표, 천장에 달린 선풍기, PMP로 인강 들으며 공부
하는 학생들, 모여서 'Bromide(아이돌 잡지)' 보고 있는 애들, 작은 거울
세워놓고 서클렌즈 끼고 있는 학생, 이어폰 끼고 MP3 듣는 학생들 보인
다. 그때 그 시절 교실 풍경.

솔   다들 오랜만이네... (감회가 새롭다) 얘들아 잘 지냈지? (한 명 한 명 인사
        하고 지나가며) 니들 진짜 어렸다~ 다예...보림이...이그~ 귀요미들.
학생들   ????
솔   (한 명 앞에 멈춰 서서) 어? 넌 누구였더라...? (명찰 보고) 그래 은주! 깜
        빡했네.
학생들   (수군대는) 임솔 쟤 왜 저래?
현주   쏠! 너 어제 뭐냐? (*뿔테 안경, 치마 아래 체육복, 삼선슬리퍼, 당시 고3
        비주얼)
솔   현주야! (반가워 달려가는)
현주   땡땡이치고 어디 갔었냐? 가방 주러 니네 집 갔을 때도 너 없던데?
솔   (현주 얼굴 붙잡고) 웬일이니. 피부 좋은 것 봐. 기미 생겼다고 우울해하

더니.

현주 (황당) 솔직히 말해. 어제 아침에 뭔 일 있었지?

솔 어? (OFF) 어제 아침엔 내가 내가 아니었어서 기억이... (갸웃하는데)

현주 어제 그놈이 뭔 소릴 했길래 정신줄 놓고 안 하던 땡땡이를 치냐고!

솔 어제? 그놈? (갸웃하는데 담임 들어오자 반가워서 달려간다) 어머~ 선
생니이임~~

현주 (어이없는 표정)

씬/6 금 비디오&DVD 가게 (D)

복순, 부동산 여사. 수다 떠는 중.

복순 (먼지 털며) 여기 세 내놓은 지가 언젠데 왜 안 나가? 노력하고 있는 거
야?

부동산여사 세놓지 말고 그냥 이거 팔고 판교에 아파트 사놔. 지하철 개통되면 쭉쭉
오를걸?

복순 분당 옆에 허허벌판~교? 오지게도 올랐드만. 서울도 쭉쭉 떨어질 일만
남았는데 거길 왜 사? (하는데 〈원초적인 본능〉 케이스가 뒤집어져 있다.
꺼내서 바코드 찍으면 '연체 중' 뜨는) 뭐야? 빌려 간 지가 한 달이 넘었
잖아? (회원 정보 보고 전화 건다) 네~ 여기 금비디온데요~ 비디오 반납
하시라구.

근덕(F) (젠틀하게) 비디오요? 빌린 적이 없는데요?

복순 오호홍. 빌려 가셨으니까 전화 했지. 〈원초적인 본능〉 빌려 보셨잖아요~

근덕(F) 안 빌렸다니까 그러시네. 요즘에 누가 비디오를 봅니까? 디비디도 한물
갔는데.

복순 뭐요? (욱하는데 참고) 다른 가족이 빌렸을 수도 있으니까요. 확인 한번
해보시고! 빠른 반납 부탁해용~ 연체료는 만 오천입니다양~ (끊자마자
말투 돌변) 이 양반이.. 빨간딱지 빌려봐놓고 창피하니까는! (구시렁)

그때, 개량한복에 커다란 갓을 쓴 금(얼굴 안 보이게)이 들어온다.

금   (목탁 두드리며) 마하반야바라밀다심경 관자재보살 행심반야....

복순   (한숨 쉬며, 무시하고 계속 먼지 터는)

부동산여사   시주 받으러 왔나 봐. 스님~ 저희가 교회를 다녀서요. (십자성호 그으며) 아멘...

금   (목탁 두드리며) 나무관세음보살...

복순   (먼지떨이로 찌르며) 내가 보살이다! 니 놈 끼고 사는 내가 보살이라고!

부동산여사   아유 부처님한테 천벌받아~~ (말리는)

금   아! 아! (삿갓 벗겨진다) 엄마! 아파! 아!

부동산여사   어머, 금이야? 깜빡 속았네? 완전 메머드 연기네에!

금   (칭찬에 신난) 그쵸! 아줌마 저 잘하죠!

복순   이번엔 뭔 오디션인데? 맨날 되도 않는 연기를 한다고 이 오바를 떠냐고!

금   엄마. 사람 일 모르는 거다? 혹시 알아? 내가 깐느 레드카펫 딱 밟고...

복순   (O. L) 딱 밟히기 전에 나가! 나가! (발로 밀며 내쫓고) 깐느는 얼어 죽을.

씬/7   자감여고 솔이네 교실 (D)

수학 수업 중. 솔, 끊어진 선재 시곗줄 다시 끼워 넣으며 요리조리 살펴본다. 3:00:00에 멈춰 있는 시계.

솔OFF   시간은 안 가는데... (버튼 보며) 그래. 이 버튼을 눌렀을 때 넘어온 것 같아. 이게 타임머신 그런 건가? 혹시 다시 누르면 현재로 돌아가는 거 아니야? (눌러보려다 헉! 손가락 떼며) 아니지. 괜히 돌아갔다가 다시 못 오면 어떡해?

수학쌤   15번! 나와서 풀어보자.

솔OFF   절대 누르지 말자... (하는 순간, 현주가 팔을 꾹 찌르는 바람에 움찔하며 버튼 꾹 눌러버린다) 으헉! (눈 질끈 감으며 폭탄 터진 듯 책상에 납작 엎드린다)

현주   (솔이 흔들며) 왜 이래. 니가 15번이잖아.

솔	(다리 달달 떨다가 조심스레 머리 들고 주위 살핀다) ...그대로네?
수학쌤	임솔! 나와.
솔	아...네. (일어나며 가슴 쓸어내리는) 큰일 날 뻔했네...

(컷 튀면)
솔, 칠판 앞에 분필 들고 서서 함수 문제 보고 있다.

솔OFF	이게 더 큰일이네? 하...세월이 야속하구만. 어떻게 한 개도 기억이 안 나? (슬쩍 선생님 눈치 보다 안 되겠다 싶고. 배 잡고 허리 숙인다) 아...!
수학쌤	왜 그래? 너 어디 아파?
솔	(아픈 척) 네...제가 생리통이 좀 심해서...
수학쌤	뭐? 그럼 얼른 양호실 가봐.
솔	죄송합니다. (배 잡고 튀어 나간다)
현주	(황당) 저 지지배, 지난주에 끝나놓고?!

씬/8 　자감고 운동장 (D)

어느새 날이 말갛게 갰다. 쨍하니 햇살 내리쬐는 운동장으로 총총 뛰어 오는 솔. '체육관' 건물 보며 반짝 웃으며 달려간다.

씬/9 　자감고 체육관 강당 (D)

운동부 학생들 곳곳에 모여 훈련 중이다. (*운동부 남학생들 많이)
선재, 수영부원들 일각에서 지상 훈련 (*동적인 훈련) 중인데.

태훈	선재야. 근데 태환이 형 가까이서 보면 어때. 잘생겼냐?
현규	누구 맘대로 태환이 형이래? 우리 중에서 박태환을 형이라고 할 수 있는 사람은 우리 자감고 에이스 선재밖에 없어 짜샤.
선재	떠들지 말고 집중해 이것들아. (하는데)

형구	(비웃으며 시비 거는) 모의 경기 나간 걸로 오바는.
선재	...? (고개 돌리면 형구랑 눈 마주치는)
형구	누가 보면 금메달 따고 온 줄 알겠네~ (빈정대며 다른 쪽으로 가는)
선재	하, (어이없다는 듯 피식 웃곤 별 타격 안 받은 듯 다시 운동하는)
현규	뭐야. 형구 저 새끼는 왜 너만 보면 못 갈궈서 난리냐?

한편, 관람석 입구로 들어오는 솔. 넓은 강당 내려다본다.

솔	우리 선재 어딨나... (쭉 보며 찾다가 선재 발견) 저깄다! (씩 웃으며 자리에 앉는) 맘만 먹으면 쉽게 볼 수 있고 좋구만~ 열심히 하네... (선재 운동하는 모습 보는)

잠시 후, 선재. 수영부원, 힘들어서 바닥에 나가떨어지자, 선재가 일으켜 주며 웃는다. 솔, 선재 웃는 모습 흐뭇하게 바라본다.

솔OFF	앞으로 내가 옆에 딱 붙어서 지켜줄게. 절대 나쁜 생각 못 하게... (그러다 문득 드는 생각, ON) 그러려면 15년 동안 딱 붙어 있어야 되는데...어떻게 가까워지지?

솔, 생각에 잠겨 있는데, 어디선가 풍기는 냄새에 킁킁.

솔	웬 담배 냄새야...? (두리번거리다 창문 너머로 하얀 연기 보인다) 어?! (인상 구기며 벌떡 일어나 튀어 나가는)

한편, 운동하다 관람석 쪽 돌아보는 선재. 뛰어나가는 솔이 뒷모습 보는 표정에서..

씬/10 자감고 체육관 뒤편 + 자감고 뒷골목 (D)

#체육관 뒤편

학교 담벼락이랑 좁게 붙어 있는 후미진 건물 뒤편. (낡은 책상, 의자들 쌓여 있고) 솔, 뛰어오는데 아무도 없다. "어디서 담배를 피는 거야…" 하며 두리번대는데 담벼락 위로 담배 연기 올라온다.

담벼락에 붙어 까치발 들고(또는 책상 밟고 올라가) 빼꼼 내다보는 솔. 담벼락 너머, 으슥한 학교 뒷골목이다. 보면, 타 학교 교복(대상고) 입은 일진 셋이 담배 들고 껄렁하게 서 있다. (*아직 태성 보이지 않게)

솔OFF　저것들이! (체육관 건물 창문과 번갈아 보며) 하필 여기서 담배를 펴대고 있어 체육관에 다 들어가게 저 날라리들!!

#자감고 뒷골목
대상고 일진1, 들고 있던 담배를 툭 던진다.
앞에 떨어진 담배를 지그시 밟아 비벼 끄는 발부터 천천히 틸업하면… 범상치 않은 교복 차림의 태성이다! 태성, 대상고 패거리들 보며 피식… 비웃으면. 열받은 듯 인상 찌푸리는 일진1 "…웃어?"
대치하고 서 있는 태성과 대상고 패거리들 일촉즉발 분위기.
그때, 일진1이 먼저 주먹 휘두르며 달려가자, 일진2, 3도 움직이는.
순간, 날렵하게 허리 숙여 주먹 피하고 일어서는 태성. 곧바로 달려드는 일진2를 발로 퍽 밀어 쓰러트린다. 순식간에 일어난 일이다.

#담벼락

솔　(훔쳐보다 놀라) 어머어머. 어떡해! 어떡해!

#자감고 뒷골목
헛주먹질에 휘청하며 넘어졌던 일진1이 다시 돌아서서 태성에게 달려들려는데. 태성, 탁탁 한두 걸음 도움닫기 하곤 날렵하게 벽 차고 날아서 발차기 날리면.
일진1, 얼굴 홱 돌아가며 픽 쓰러지고.
태성, 가볍게 착지해선 씩 웃는데 멋진 비주얼 컷.
일진1 "아아!! 야 니들은 뭐 해!" 아파 죽는다고 소리치자 뒤에 서 있던 일진2, 3 "이 새끼가!!" 하며 태성한테 동시에 달려들려는데...

솔(E)   이것들아!!!

태성과 일진2, 3 멈칫하고 ?? 올려다보면 솔이 담벼락에서 뛰어내리는
모습 slow.
일진1, 비틀거리며 일어나는데 떨어지는 솔이 발에 얼굴 맞고 다시 픽
쓰러진다. 바닥에 엉덩방아 찧으며 떨어지는 솔. "아...." 신음하며 엉덩이
잡고 일어나는.
태성, 일진2, 3 말문 막혀 정지화면처럼 서 있다가.

일진2   (어이없어하며) 뭐냐?
솔   (엉덩이 털며) 뭐긴...니들 쌈 말리려고 그르지. 왜 여기서 쌈박질이야!
          친구끼리 사이좋게 놀아야지!
일진1   (얼굴 붙잡고 일어나며 버럭) 아..이년이 미쳤나! 어디 겁대가리 없이!
솔   (욱!) 어디 버르장머리 없이! 뭐 이년?? 어린 노무 시키가 누님한테!
태성   (그런 솔이 보다가 피식...)
솔   (버럭) 남에 학교까지 와서 쌈질하고 담배나 피워대고! (일진1 교복 앞
          주머니에서 담뱃갑 쏙 뺏어가며 체육관 건물 가리키는) 여기 체육관 앞
          이거든??! 저기 수영부 애들 간접흡연 하면 폐에 얼마나 안 좋은 줄 알
          아?! 아주 겉멋만 들어가지고... 이거 압수야! 이제 가! (썩 꺼지라는 듯
          손짓하며) 가라고! 안 가?!
일진1   (같잖다는 듯 비웃으며) 쪼끄만 게 까부네? 야, 김태성 니 오른팔이냐?
일진2,3   (낄낄 비웃고)
태성   (골목 끝에서 대상고 일진들 5~6명이 우르르 몰려오는 모습 보이자 솔
          이 어깨 톡톡) 저기 누님? 뛰어야 될 것 같은데? (하는데)
솔   오른팔은 무슨! 조폭이냐? 니들 한 번만 더 여기서 담배 피워대봐 아주!
          피울 거면 니 방에서 피워! (일진1 보며 계속 쏴대고 있는)

태성, 솔과 일진 패거리들 번갈아 보며 피곤해졌다는 듯 "하..." 한숨.
순간 솔이 손목 확 잡고 골목 반대편으로 뛰기 시작한다. 솔, "어? 뭐야!"

하는데 돌아보면 일진들 "거기 서!" "어딜 튀어 xx." 욕해대며 우르르 쫓아오고 있다.

솔, 헉! 뒤늦게 겁먹고 미친 듯이 쫓아 뛰기 시작하고.

태성, 골목에 버려져 있는 가구 확 쓰러트리곤 골목 빠져나간다.

씬/11 자감고 뒤편 (D)

태성, 솔이 손목 잡고 뛰어오다가 낮은 담벼락 앞에 멈춰 선다. 다급하게 "올라가!" 하는데 솔이 낑낑대자 태성, 솔이 허리를 확 안아 올려주면 후다닥 담 넘어가는 솔. 뒤따라 태성, 번쩍 담 올라타서 넘어가면.

뒤늦게 뛰어오는 패거리들, 좌우 살피다가 반대쪽으로 뛰어가는.

씬/12 자감고 교정 일각 (D)

담벼락 다시 넘어와, 내려오는 태성과 솔.

솔   (담벼락 빼꼼 내다보며) 하...요즘 애들 무섭네. 아니지. 옛날 애들인가?

태성 (뒤에 서서 솔이 손에 있던 담뱃갑 자연스레 뺏어 들며) 일 년 끊었어?

솔   (돌아보면 태성이 담뱃갑 들고 라이터 꺼내고 있자) 15년 끊었다! 기껏 압수했더니만 니놈이 채 가? 내놔.

태성 (담뱃갑 든 손 높이 들며) 누나처럼은 안 보이는데... (하며 솔 얼굴 가까이 보는)

솔   내놔아! (높이 손 뻗다가 태성과 눈 마주친다. 태성 얼굴 이제야 제대로 보는데 순간 갸웃) 어?!

태성 (갸웃하며) 어디서 봤는데?

솔   (뭔가 떠오른 듯) 너어!!

〈솔 회상 인서트〉

#자감고 강당 (N)

(자막) 2007년 9월. 자감고 축제

자감고 밴드부 공연 중이다. (기타-인혁, 베이스-태성, 보컬-동섭, 드럼-장우) 무대 아래에서 솔, 학생들 틈에 껴서 공연 보고 있다. 오직 태성만 눈에 보이는.

태성이 베이스 치다가 관중들 향해 웃으며 손짓하자 여학생들 자지러진다. "꺄!!" 솔이도 반한 듯 가슴에 손 올리고 있다가 방방 뛰며 소리치는데. 씩 웃는 태성 얼굴 위로.

솔NA   그래...기억나...내 첫 덕질 상대이자 내 과거의 최애...!

#다시 현실

솔   (갸웃하며) 근데 너 이름이 뭐더라? (태성 명찰 보고 급 화색 O.L) 맞다 김태서엉! 어머어머 웬일이야! 진짜 반갑다아! 와 이게 얼마 만이야아! (박수 치다가 태성에게 짝짜꿍하듯 손 흔들면)

태성   ??? (얼결에 짝짜꿍해주다가 !!! 기억 떠오른 표정) 어? 어제 너...

솔   (O.L) 고3 때 정신 못 차리고 쫓아댕겼었는데. (요리조리 보다 빵 터지는) 이야...! 그땐 세상 멋있더니 지금 보니까 촌시럽다~ 촌시러어~

태성   걔 맞네~ (피식) 근데 어제랑 왜 이렇게 달라? 설마 다중이?

솔   (태성 말 귀에 안 들어오는) 이야. 그땐 눈에 콩깍지가 씌어서 몰랐었는데 너 완전 날라리였구나? 담배나 피우고 말이야. (태성 손에서 담뱃갑 확 다시 낚아채며) 정신 좀 차려. 담배가 이게 백해무익한...

태성   (솔이 뒤쪽 힐끔 보곤 O.L) 네. 누님. 그럼 이것도 좀~ (씩 웃으며 라이터를 솔이 손에 꼭 쥐여 주며) 이번엔 혼자 잘 튀어봐. 알았지?

솔   뭐?

남고학주(E)   너네 딱 걸렸으!

솔   (돌아보면 남고학주 다가오는) ???

남고학주   수업 시간에 땡땡이치고 뭐야! (솔이 손에 담배 보며) 너! 담배 피웠어?!

솔   네? 아니 이게 제 게 아니구요...! (하는데 태성 없다) 어?! (돌아보면 태성이 눈웃음치며 손 흔들고 도망가고 있다. 헉!) 저, 저런 양아취...!

씬/13 자감고 체육관 입구 (D)

솔이 의자 위에 무릎 꿇고 앉아 담뱃갑과 라이터 양손에 꼭 쥐고 손들고 있다.
체육관에서 운동부 남학생들 훈련 마치고 우르르 나오다 솔이 보고 수군수군하며 지나가는. (*아직 선재 안 보이게)

솔   (눈 부릅) 저는 불량 학생들을 선도한 것뿐입니다. 우리 운동부 아이들의 건강한 폐! 간접흡연 방지를 위해! 용감하게 나섰을 뿐이라구요. 억울합니다 슨생님!

남고학주   여자애가 굳이~ 남고까지 와서, 선도를 했다고? 그걸 누가 믿어!

솔OFF   고딩 때도 안 받아본 벌을 서른 넘어서 받고 앉았네... (수영부원들이랑 나오는 선재 보고 헉! 놀라 머리 축 늘어트리며 고개 숙이는) 뭐야...! 나 못 봤겠지?

남고학주   자세 똑바로 못 해?

솔OFF   (고개 드는데, 얼굴 가리려 머리를 삐딱하게 기울이자 흘러내린 머리카락이 얼굴에 커튼을 친다) 그냥 가 빨리...제발 가...

남고학주   (솔이 머리카락을 교편으로 고이 넘겨주며) 까~꿍~ 어디서 장난질은!

솔   (머리 젖혀지자 남고학주 바로 뒤에 선 선재랑 눈 딱 마주친다) !!!

남고학주   너 종 칠 때까지 벌서고 가! 씨씨티브이로 다 보고 있으니까 꼼수 피울 생각 말고!

솔   (창피해 눈 내리까는데, 선재 운동화 다가오자 다시 올려다본다) !!!

선재   (솔이 손에 담뱃갑, 라이터 빼서 휴지통에 버리며) 수달이가 얼마나 속상하겠냐?

솔   어?

선재   (정색하고 장난) 우리 주인 막산다고. 금연해라.

솔   아니야. 나 담배는커녕 여름에 모기향도 안 피워. 내가 힘들 때 술은 좀 마셔도 담배는! (하다 헙! 입 다물고) 저기 선재야?! 나 담배 안 피워!

선재   (무시하고 휙 돌아서서 가는데)

솔   (손 든 채로) 완전 모범생이었는데? 진짜야~

선재	(뚝 멈춰서 돌아보며 CCTV 턱짓한다) 아, 저건 진짜 아니고 가짜니까
	그냥 가라~ (다시 돌아서서 가며 피식 웃는다)
솔	(의자에서 내려오며) 잠깐! 오해 좀 풀고 가지? (쫓아가려는데 다리 저려
	서 휘청한다. 코에 침 바르며 멀어지는 선재 안타깝게 보며) 선재야~~

M. 브라운 아이즈 '점점' "점점 넌 멀어지나 봐~"

씬/14 자감고 교정 일각 (D)

솔, 허벅지 두드리며 걸어가고 있는데, 태성이 불쑥 나타나 막아선다.

태성	잘 튀어보라니까 왜 쪼르르 쫓아가서 벌을 받냐?
솔	염장 지르려고 기다렸니?
태성	내 라이터 받으려고 기다렸지?
솔	버렸거든?! 와...의리 없이 일진들한테 얻어터질 뻔한 거 구해줬더니 혼
	자 튀어?
태성	오...나 구해준 거였어?
솔	그래!
태성	대들다가 한 대 맞을까 봐 데리고 튀어줬더니만... (눈치챘다는 듯) 아~
	알겠네. 내 관심 끌려고 그런 거였나 봐?
솔	뭐? (어이없는) 얘가 이런 애였나? 무지하게 얄밉네?
태성	응. 칭찬 고마워. 근데 누님? (긴히 얘기해주듯 다가가서) 앞으로는 나서
	지 말고 몸 사려. 그러다 크게 다쳐.
솔OFF	이런 놈을 어릴 땐 대체 왜 좋아했지??
가현(E)	태성아~~~~
태성	(뛰어오는 가현 보이자 표정 확 굳으며) 하...쟤 또 귀찮게... (획 가는)
솔	(태성 획 가버리자 벙찐 표정으로 서 있는) ???
가현	김태서엉! 태성아! (달려오다가 솔이 마주치자) 야 비켜. (어깨 확 치고
	지나간다)
솔	(황당, 어깨 문지르며) 저 싹퉁바가지가...!

가현	(멈칫, 돌아서서) 뭐라 그랬냐? (솔이 노려보며) 야...눈 안 깔아?
솔	어머어머어머. 얘 봐라? (똑바로 보는데, 가현 뒤로 가현팸1, 2 껄렁하게 다가오는 모습 보인다)
가현	(낮게) 깔라고...
솔OFF	몸 사리자...크게 다칠라. (자연스레 눈 내리깔며 신발 끈을 묶는 척하는)
가현	(같잖게 보며) 너 한 번만 더 태성이 앞에 알짱거리기만 해봐. (가면)
솔	어후... 옛날 애들 무서워. (고개 절레절레 저으면)

씬/15 자감여고 솔이네 교실 (D)

고개 절레절레 젓는 솔이 표정에서 빠지면... 교실, 방과 후 분위기다.

솔	오랜만에 학교생활 하려니 힘드네....아우 허리야. (가방 챙기는데)
현주	(확 눌러 앉히며) 이게 상습적으로 땡땡이네. 야자 오늘도 빠지게?
솔	야자? (동공 지진) 아니야. 나 시차 적응이 필요해. 무려 15년의 시차라 좀 쉬어야겠어. (다시 가방 끌어안고 일어나며) 그냥 우리 놀자. 응?
현주	(정색) 야. 우리 고3이야. 놀 시간이 어딨냐? 궁둥이 붙여라.
솔	(눈 굴리다) 오랜만에 쟁반빙수 콜?
현주	(정색하고 있다가) .....콜. (씩 웃는)

씬/16 캔모아 (D)

솔, 현주와 흔들그네 자리에 앉아 쟁반빙수 먹고 있던 분위기.
솔, 캔모아 둘러보며 추억에 젖은 표정인데. 문득 현주 보며 예전 기억 떠오른다.

〈솔 회상 인서트〉
#카페 안 (D) •하얀 바닥, 아기자기한 소품들로 꾸며진 카페
(자막) 2018년. 여름

솔	(전동휠체어 타고 통화하며 들어오는) 아...살겠다. 나 더워서 먼저 들어왔어. 빨리 와! (전화 끊고 땀 닦으며 빈자리 찾는데)
카페사장	(커피 서빙하다 솔이 막아서며) 실례지만, 저희 카페는 휠체어 출입이 안 돼서요.
솔	(멈칫) 네? 왜요?
카페사장	워낙 고가의 소품들이 많아서 파손 위험 때문에 휠체어 출입을 제한하고 있습니다~ (휠체어 바퀴 보며 인상 찌푸린다) 바닥 위생 문제도 있구요.
카페직원	(사장 눈치 보며 밀대로 휠체어 바퀴 지나온 자리 박박 닦는데)
카페사장	여기 손님들 다니는 입구라서, 좀 나가주시죠?
솔	죄송합니다... (휠체어 살짝 뒤로 빼는데 누군가 옆에 선다. 보면 현주다)

현주, 사장 앞으로 성큼성큼 다가가 서더니 주위 소품들 찬찬히 살핀다.
들고 있던 자동 양산의 버튼을 누르자 발사되듯 튕겨 나간 양산이 진열
된 소품에 명중해 요란한 소리를 내며 떨어진다. 일동, 놀라 쳐다보고.

현주	(태연히) 이게 고장이 났나? 왜 이러지? (다시 접었다가 사장 향해 버튼 누른다)
카페사장	(황당하게 보는데, 양산 피하려다 커피 잔을 놓쳐 깨트린다) 꺅!!
현주	(엉망이 된 바닥 보며) 이런. 이런. 실수를 해버렸네??
카페사장	실수라뇨! 일부러 그랬잖아요!
현주	(명함 내밀며) 보상해드릴게요. 됐죠? 가자! 솔아. (돌아서다 멈칫) 아, 이제 나도 출입 금지겠네요? 고가의 소품 파손, 바닥을 이 꼴로 만들었으니까? 근데 인간이라면 다 실수하지 않나? (버럭) 여긴 인간 아닌 것들만 들어와야겠네! 하!
카페사장	(열받아서 버럭) 미쳤나 봐! 남의 가게에서 이게 뭐 하는 짓이야?!
현주	(욱해서) 이쁜 짓이다! 왜! 니가 내 친구한테 한 짓은 생각 안 해?

#다시 현실

솔	(예전 생각나서 피식 웃고)

현주	(핸드폰 고리 흔들어 보여주며) 나 핸드폰 고리 바꿨어. 귀엽지~~
솔	니가 더 귀여워... (미소 지으며 OFF) 현주야. 나 다시 걸어. 니가 보면 얼마나 좋아했을까? (마음이 찡하다)
현주	(빙수 먹으며) 식빵 리필 할까? 아니다 참자. 교복 터져.
솔	나이 들면 다 빠져~ 먹어 그냥.
현주	아니야. 꾹 참을 거야.
솔	(피식 웃다 문득) 맞다, 있잖아. 내가 어떤 애랑 꼭 친해져야 하는데 어떻게 해야 될까? 누구랑 마음 터놓을 만큼 친해져본 게 너무 오래전이라 방법을 모르겠네?
현주	흠...일단. 첫인상이 중요해.
솔	첫인상? (*1화 58씬. 다리에서 진상 부리던 컷 스치고) 최악이었는데?
현주	하...그럼 두 번째 인상이라도 좋아야지.
솔	(*2화 13씬. 담배 들고 벌서던 장면 짧게 스치고) 더 최악이었는데?
현주	포기해.
솔	안 돼애.
현주	그럼 섣불리 다가가지 말고 일촌신청부터 해봐.
솔	뭐, 일촌? (오랜만이라 웃긴데)
현주	(의심의 눈초리) 혹시 남자냐? 너 고새 갈아탔어? 난 또 어제 김태성한테 고백했다 차여서 꿀꿀한 줄 알았더니!
솔	뭐?

〈솔 회상 인서트〉
#자감고 일각 + 담벼락 뒤 (D)
태성, 바이크에 앉아 있는데, 옆에 선 솔이 얼굴 붉히며 고백하고 있다.

열아홉솔	(떨리는 목소리) 나...너 작년 축제 때 공연하는 거 보구 그때부터 좋아했어... 이건 내 서, 서, 서 선물인데... (하얀 쇼핑백 내미는데 손 덜덜 떨던)
가현	태성아! (골목 들어오다 솔이 보고 도끼눈 뜨며) 야! 너 누구야!

열아홉 솔, 헉! 당황해서 내밀었던 쇼핑백 다시 끌어안고(*이때 쇼핑백 안에서 편지 툭 떨어지고) 도망간다. 태성, 편지 주워 들며 뛰어가는 솔

이 보는 표정.

솔, 뛰어가다 막다른 길 나오자 에잇! 그대로 담벼락 타 넘어가는데 "으아아 꺅!" 담 위에서 떨어지며 엉덩방아 찧는 솔. 떨어진 쇼핑백 안에서 헤드폰 상자 튀어나오고 "아 쪽팔려어~~~" 울상 짓는 데서.

#다시 현실

솔   현주야. 내가 김태성한테 고백한 게...어제라고?! (경악스런 표정)

씬/17 솔이 집 솔이 방 (N)

솔, 경악스런 표정에서 빠지면... 꾸깃꾸깃한 편지지 보고 있다. 보면, 연습하려다가 만 편지고. 편지지 잡은 양손을 부들부들 떤다.
'밤하늘에 왜 별이 없나 했는데 니 눈 속에 있었나 봐. 어쩐지 너무 눈이 부셔서 쳐다볼 수도 없었어. 태성아 넌...내 별이야. 큰 별...'

솔   왜 하필 어제냐고! 하루만 더 일찍 올걸... (질색하며 꾸기며) 흑역사다 흑역사...
금(E)   (염불 톤) 밤하늘에왜별이없나니니눈속에있었네...

솔, 헉! 돌아보면 삿갓 쓰고 도인 복장 한 금이 목에 하얀색 헤드폰 걸고 옆에서 편지 하나 펼쳐 읽고 있다. (*책상에 편지 뭉치들 쌓여 있음)

솔   뭐야. 언제 들어왔어? (편지 확 뺏는데)
금   이놈한테 주려고 이 비싼 선물까지 산 거냐? 쯧쯧 고3이 잘하는 짓이다...
솔   (금이 목에 헤드폰 보고) 어? (쇼핑백 보면 비어 있고 바닥에 빈 상자 떨어져 있다) 이건 또 언제 홀랑 뜯었냐? 내놔. (가져가려고 하면)
금   (도인 말투) 보아하니 차인 것 같은데 이 불쌍한 중생에게 넘기시지요.
솔   (목에서 헤드폰 확 빼가며) 됐거든? (한심하게 위아래로 보며) 꼬라지 보니까 딱 등록금 환불받은 거 꿍쳐서 연기학원 등록했을 땐가 보네.

금	(헉!) 어떻게 알았어? 우리 과사에 전화해봤나?
솔	엄마 알고 뒷목 잡기 전에 알바 해서 채워놔라? 엄마 속 좀 그만 썩여 이 화상아! 나가! 나가아! (금이 밀어내고 문 쿵 닫고 돌아서면)
금(E)	아 어떻게 알았냐고!
솔	(문 잠그며 손에 든 헤드폰 들어 보는) 으휴...미쳤었지 내가. (고개 저으며 책상으로 돌아와 헤드폰 내려놓는데 컴퓨터 모니터 눈에 들어오는)

(컷 튀면)

솔	(설레는 표정. 모니터 앞에 앉아 바탕화면에 싸이월드 창 클릭하면 미니홈피 창 뜬다. 반갑다) 웬일이니. 이게 얼마 만이야...! (사진첩 들어가서 사진 쭉 보는. *저화질의 셀카, 현주랑 찍은 사진, 스티커 사진 등등) 근데 일촌신청을 어떻게 했더라?

씬/18 선재 집 선재 방 (N)

선재, 어깨 재활운동(방에서 할 수 있는) 하고 있는데 모니터에서 알림소리 난다. 모니터 보며 알림 클릭하면, 싸이월드 쪽지다!
〈일촌신청〉
보낸 이: 임솔
'임솔 님께서 일촌신청을 하셨습니다.'

씬/19 솔이 집 솔이 방 (N)

솔, 헤드폰 끼고 BGM 들으며 선재 미니홈피 보고 있다. 수영 대회 때, 전지훈련 사진 보며 "이땐 수영에 미쳐 있었구나..." 하는데 쪽지 도착한다. 반가워하며 클릭.
〈알림〉
보낸 이: 류선재

'류선재 님께서 일촌신청을 거절하셨습니다. 또 다른 소중한 인연을 찾아보세요.'
실망한 표정 위로. **M. 브라운 아이즈 '점점'** "점점 넌 멀어지나 봐~"

씬/20 버스정류장 (D)

솔, 선재의 우산을 들고 버스 기다리고 있다.

솔   (우산 보며 혼잣말) 점점 멀어지기만 하고 있는 것 같네...일촌도 거절당하고.

그때, 휠체어 탄 여자1 길을 건너온다. 솔, 예전 생각이 나는 듯 보고 있는데, 여자1, 턱 때문에 인도로 못 올라오고 있자 짠하게 보는 솔.
솔, 도와주려고 다가가는데, 솔이 뒤쪽에서 불쑥 나타난 선재가 달려가더니 가볍게 휠체어를 밀어 인도 위로 올려준다. (*선재, 교복 위에 수영부 운동복 점퍼)
그 모습 보는 솔이 표정. 여자1, 선재에게 고맙다 인사하자 선재, 꾸벅 인사하고 돌아서는데 솔이와 눈 마주친다. 솔, 반가운 듯 인사하려는데.
마침 버스가 도착하자, 선재 획 돌아 버스에 올라타는.

씬/21 버스 안 + 버스정류장 + 거리 일각 (교차) (D)

학생들, 출근하는 직장인들로 꽉 찬 버스 안. 선재, 솔 딱 붙어 서 있다.

솔   (신기한 듯) 우리 같은 정류장에서 탔었구나...전에도 같은 버스 탄 적 있으려나? 너 혹시 나 본 적 있어?
선재   (멈칫) 있어도 없어.
솔   있다는 거야 없다는 거야...넌 맨날 이 시간에 타?
선재   원래 더 일찍 가거든? 대회 전이라 새벽 훈련 없어서 지금 가는 거지.

솔OFF	이제 선재 시간에 맞춰 타야겠다. 친해지려면. (ON) 근데 곧 대회야? 무슨 대회?
선재	(솔이 돌아본다) 알려주면 뭐, 또 뛰어오려고?
솔	(막 대답하려는 찰나 끽, 버스가 급정거하며 몸이 뒤로 휘청한다)
선재	(솔이 책가방 탁 붙들어 잡아준다) 내려.

버스, 정류장에 멈춰 서자 선재, 학생들 제치고 뒷문으로 내린다.
솔, 따라 내리려는데 우산을 떨어트린다. 내리려는 학생들 틈 사이에서 끙끙대고 허리 숙여 우산 주워 들면 선재 이미 내린 뒤다.
솔, "잠시만요! 내릴게요!" 학생들 틈 비집고 뒷문 쪽으로 이동한다.
한편, 정류장에 내린 선재, 솔이 내렸나 뒤돌아보는데...!!
솔이 내리려는 순간 버스 문이 닫히는 바람에 뒷문 창에 얼굴이 찰싹 붙는다. (*자감고 학생들 내린 뒤에도, 다시 탄 사람들로 계속 만원 버스)

솔	(문 탕탕 치며) 기사님! 저 못 내렸는데요~~ (소리치는데)
여고생들	('Bromide' 아이돌 잡지 같이 보며 꺅꺅 소리치고 시끄럽게 떠든다)
버스기사	(못 듣고 그대로 버스 출발하고)

출발하는 버스 황당하게 보고 있던 선재. "어어!" 버스 쫓아 달리기 시작한다.
M. 러브홀릭 'Loveholic' 이어진다.
버스 안에선 솔이 "기사뉘임! 아저씨!" 하며 소리치는데
버스 기사, 시끄러워 계속 못 듣는.
한편, 버스는 푸른 나무들이 쭉 이어진 가로수길을 달리고 있다.
선재가 전력 질주하며 버스 쫓아가는 모습, 청량한 분위기로 보여진다.
선재, 버스 뒷문 쪽까지 따라잡고 버스 탕탕 두드리는데.
버스 안에선 유리창 밖으로 버스 따라 뛰고 있는 선재 모습 보인다.
솔 !!! 선재 보고 놀란 표정.
버스 안 학생들 "오오오..." 신기한 듯 구경한다.
한편, 버스 따라 달리던 선재, 더 속도 내 앞문 쪽으로 달려가고.
눈앞에서 그 모습 보는 솔이 눈 더 커진다.

학생들도 더 큰 소리로 "오오오!" 소리치며 선재 쪽으로 고개 돌아가고.
선재, 앞문 탕탕 두드리며 "기사님! 스탑! 스탑!"
버스 기사, 선재 돌아보고 헉! 놀란 표정. 끽- 버스 세운다.

씬/22 자감고 앞 거리 + 자감고 교문 앞 (D)

선재, 숨 고르고 있고. 멈춰 선 버스 뒷문에서 솔이 우산 들고 톡 튀어 내
린다.

솔	선재야 괜찮아?
선재	(숨 고르며 타박) 정신 똑바로 차리고 있어야지, 그걸 못 내리고 있냐? 헉헉..
솔	(웃으며) 고마워.
선재	너 고마우라고 한 거 아니고. (우산 가져가며) 내 우산 가져가려고 세운 거거든?
솔	맞다. 그거 준다는 게..
선재	(휙 먼저 걷기 시작하고)
솔	(쫓아 걸으며) 근데 너 위험하니까 다음부턴 그러지 마. 누가 버스랑 달리기 시합을 하니? 너 운동선수야! 조심해야지. 늘 몸 사리구.
선재	내 우산을 든 누가 못 내리지만 않았어도 몸을 사렸겠지?
솔OFF	어릴 땐 이런 성격이었어? (ON) 한 마디도 안 져요. 아부지 속 좀 썩였겠네.
선재	너만 할까. 담배나 끊어라~
솔	하...어쩌다 내가 이런 오해를. 너 혹시 그래서 내 일촌신청도 거절한 거야?
선재	왜. 찔려?
솔	아니라니까..자! (두 손가락 뻗어 선재 코에 대며) 맡아볼래? 담배 피는 사람은 요 손에도 냄새가 밴대~ 맡아봐!
선재	(손 치우려는데)
솔	봐! 안 나지? (실수로 두 손가락이 선재 콧구멍에 알맞게 딱 끼워진다)

!!!! (얼음)

선재   (정색하는 표정으로. 얼음)

인혁   (맞은편에서 걸어오다 그 모습 보고 멈춰 선다) 헐...

선재   (인혁과 눈 마주치자 수치스럽다. 솔이 손목 잡고 지그시 내리며) 그래.
       안 나네.

M. 브라운 아이즈 '점점' "점점 넌 멀어지나 봐~"

선재   (획 지나쳐 성큼성큼 빠르게 교문 안으로 들어간다)

인혁   (솔이 힐끔 쳐다보곤) 선재야! (쫓아가는)

솔   (선재 콧구멍을 쑤셨던 손을 찰싹찰싹 때리며) 거길 왜 기어들어 가 왜!

솔, 자책하며 터덜터덜 교문 쪽으로 걸어가는데.
교문 들어가려다 멈칫. 다시 돌아 나와 안내판에 붙은 포스터를 본다.
'제27회 대통령배 수영 대회 개최'라 적힌 포스터.
솔, "이 대흰가..." 하며 보다가 순간 심장 쿵! 불안한 표정이다.

씬/23 자감고 교정 일각 (D)

인혁   (큭큭대며 선재 콧구멍 들여다보는) 콘센트가 아니라 코센트냐? 220볼
       트네?

선재   (인혁 머리 확 밀어 치우며 걸어가면)

인혁   (쫓아 걸어가며) 근데 아무 사이 아니라더니 등교도 같이 하고?

선재   우산 돌려받았다. 우산!

인혁   (삐죽이며) 맞다, 나 걔 어디서 봤는지 기억났어. 우리 연습실! 걔 김태성
       좋아하는 애거든. 연습실 찾아와서 몰래 초콜렛 놓고 가. 어쩐지 낮이
       익더라.

선재   (무심한 듯 듣고 있다가) 김태성이 누군데?

인혁   우리 밴드 베이스. 싸이 얼짱으로 유명한데...김태성 몰라?

선재   몰라!

인혁	왜!
선재	뭐가!
인혁	왜 성질이야!
선재	내가 언제! (휙 가는)

씬/24 자감고 밴드부 연습실 + 복도 (교차) (D)

#복도

인혁, 복도 걸어오는데, 연습실 안에서 현란한 기타 솔로 연주 소리 울려 퍼지고 있어 살짝 놀란 표정.

여학생들이 연습실 창문 쪽에 다닥다닥 붙어 서서 열린 창문 틈으로 연습실 안 훔쳐보며 수군대고 있다. 몇몇은 사진도 찍고 있는.

인혁, 갸웃하며 여학생들 지나쳐 연습실 안으로 들어가는데.

#자감고 밴드부 연습실

인혁, 들어와서 한심하게 보면,

태성, 폼 잡고 기타 치는 척하고 있다. (*음악 꺼지기 전까진 진짜처럼)

열린 창문 밖으로 태성 우러러보는 여학생들 보이고. 구석에선 이슬이 2G폰으로 '붕어빵 타이쿤' 게임하고 있는.

인상 팍 구긴 인혁, 연습실 창문 탁탁 닫으며 걸어가 CD 확 끈다.

태성	(기타 치던 손 멈칫, 인혁 발견하고) 왔어?
인혁	뭐 하냐?
태성	지미 헨드릭스 같냐?
인혁	지미 헨드릭스는 지랄...! 니네 수업 또 쨌냐?
태성	교실보다 여기가 온도랑 습도가 나랑 딱 맞아.
인혁	근데 어떻게 베이스 들고 일렉기타 치는 시늉을 하지?
태성	대충 비슷하게 생겼으면 됐지~
인혁	(태성이 들고 있는 베이스 가리키며) 봐! 베이스는 4줄! 일렉은 6줄! 숫자 못 세냐? 어떻게 이게 비슷해! 아주 미니홈피엔 음악에 미친 자처럼

구라를 쳐놨더만!

〈태성 싸이월드 인서트〉
태성이 헤드폰 끼고 싸이 얼짱처럼 찍은 사진 아래 허세글.
'난 지금 미쳐가고 있다. 이 헤드폰에 내 모든 몸과 영혼을 맡겼다. 음악만이 나라에서 허락하는 유일한 마약이니까...'

#다시 현실

인혁   연습은 맨날 빠지면서! 이럴 거면 탈퇴를 하든가 이 자식아! 밴드부가 장난이냐?

태성   아~ 난 왜 지랄하는 애들이 귀엽지?

인혁   (속 터지는) 와...! 저런 걸 여자 애들은 도대체 뭐가 좋다고!

#다시 현실

태성   (*10씬, 솔이 잔소리하던 컷 짧게 떠올리고, 피식 웃는)

인혁   뭐야? 징그럽게 왜 웃어!

이슬   아씨!!! (성질낸다) 붕어빵 태웠어! (다시 게임하는)

씬/25 자감고 체육관 앞 또는 운동장 (D)

선재, 수영부원들이랑 걸어가는데, 솔이 달려와 선재 앞에 선다.
수영부원들 "오오..." 선재 놀리듯 보면, 선재, 입 다물라는 듯 째려본다.

솔   선재야. 잠깐 얘기 좀 할 수 있어?

선재   나 지금 훈련 가야 돼. (지나쳐 가려고 가면)

솔   (쫓아가 선재 앞 막아서고) 선재야! 너 이번 대회 나가면 안 돼!

선재   (표정 굳는) 왜?

솔   (말하는 동시에 시간이 멈춘다) 너 그 대회 나가면 또 부상당해! 다신 수영 못 하게 돼! 그니까 나가면 안 돼... (말 끝나면 시간 흐르고, 뭔가 이상한) 어?

선재   왜 안 되냐고.

솔   못 들었어? 방금 내가 한 말.

선재   무슨 말.

솔   (말하는 동시에 시간 멈추는) 너 어깨 다친다고. 이번 대회가 마지막 경기라고...! (말 끝나면 시간 다시 흐르는 모습 보고 헉! 놀라 OFF) 이거 뭐야...초능력이야?

선재   할 말 없으면 간다. (지나쳐 가는데)

솔   (정신 차리고 핸드폰 꺼내서 문자 치며 쫓아가는. **'이번 대회 나가면 선수 생활 끝이야!'**) 선재야! 이것 좀 봐. (하며 선재 눈앞에 핸드폰 화면 들이민다)

선재   (보자마자 시간 멈추고, 문자 사라지는 CG. 다시 시간 흐르면) 도대체 뭘 보라고?

솔   (핸드폰 화면 보면 텅 비어 있다) !!!

씬/26 자감여고 솔이네 교실 (D)

담임, 교탁 옆에 앉아 감독하고 있고, 학생들 자습하고 있다. 조용한 분위기. 솔, 심각한 표정. 머리 쥐어뜯으며 다리 달달 떨고 있다.

솔OFF   미래의 일을 말하면 시간이 멈추나? (눈 굴리는데, '정치 교과서'에 미국 대통령 선거 방식 설명 글 보이고 큰 소리로 테스트해보는 ON) 오바마 미국 대통령 된다! (시간 멈춰서 조용한 교실. 말 끝나면 다시 시간 흐르고 주위 둘러보면 학생들 아무 반응 없는) 뭐야...무섭게. (왠지 소름 끼치는 표정에서)

씬/27 솔이 집 옥상 (N)

평상에 앉아 있는 솔, 밤하늘 보며 생각에 잠겨 있다.

〈솔 회상 인서트〉
#현재 솔이네 아파트 솔이 방 (N)
솔, 휠체어에 앉아 노트북으로 선재 인터뷰 영상 보고 있다.

MC   데뷔 전에 수영 선수셨던 건 워낙 유명하잖아요. 비운의 꽃미남 스포츠
              스타라고.

선재   (웃으며, 겸손하게) 아니에요. 그렇게 유명한 선수는 아니었는데.

MC   부상 때문에 관두신 걸로 아는데, 지금이야 가수로 또 배우로 성공하셔
              서 괜찮겠지만 당시엔 많이 힘드셨을 것 같은데.

선재   그땐 그랬죠. 마지막 경기가 어깨 수술받고 나서 다시 복귀하는 첫 경기
              였거든요.

〈자료 화면〉 '제27회 대통령배 수영 대회' (먼 거리에서 찍힌 경기 영상)
4레인에서 수영하고 있는 선재. 레이스 하다가 턴 도는데...
선재, 물 위로 올라와 고통스러워하며 눕는다. (*특이한 무늬가 들어간
반신 수영복) 의료진들 달려와 들것에 실려 나가는 장면 위로 선재 멘트
오버랩 되는.

선재   그 경기가 결국 제 마지막 경기가 됐어요. 그땐 제 욕심에 너무 무리했나,
              후회도 했는데...어쩌면 가수가 될 운명이어서 그렇게 된 게 아닐까 싶어
              요. (웃고)

솔, 안타까운 표정으로 모니터 속 선재 보는 표정에서...

#다시 현실

솔OFF   그때 수영을 계속했으면...넌...죽지 않고 살았을지도 몰라.

씬/28 자감고 체육관 외경 (D)

씬/29 자감고 수영장 안 (D)

수영부 훈련 중이다. 레인에 선재, 형구, 다른 선수 차례로 들어와 물 위로 올라온다. 선재, 수경 벗으며 얼굴 쓸어내리는데. 기록 재던 안코치가 놀라 다가온다.

안코치　(스톱워치 보여주며) 너 지금 1분 50초대 초반 끊었어! (흥분) 이번 대회 때 드디어 49초대 돌파하는 거 아니야? 그럼 대회 신기록인데?

선재　!! (벅차고, 수모 벗고 활짝 웃으며 좋아하는)

안코치　형구 넌 집중 안 해?

형구　하.. (옆 레일에서 수경 벗으며 선재 째려보는)

선재, 난간 잡고 물 위로 올라오는데, 순간 난간 잡은 왼쪽 어깨가 찌릿한다. 살짝 미간 찌푸리며 불안한 표정 스친다.

안코치　선재야, 너 왜 그래?

선재　(아무렇지 않은 척) 아니에요. (타월 두르고 어깨 지그시 누르며 가는데)

형구　(선재 막아서며) 너 이번 대회 두 종목 다 나간다며? 나 이제 알았네? 수술한 지 얼마나 됐다고 벌써 나가냐?

선재　나갈 만하니까 나가지. (지나가려는데)

형구　무리하지 말라고~ 그러다 어깨 또 아작 나면 평생 숟가락도 못 들어 인마.

선재　왜. 나 복귀하면 메달권 밖으로 밀려날까 봐 불안하냐?

형구　(정곡을 찔린. 주먹 불끈 쥐며 자존심 상하는 표정)

선재　니 앞가림이나 잘해라. (획 지나쳐 가는데 표정 차갑게 굳는)

씬/30 자감고 수영장 앞 (D)

선재, 생각에 잠긴 표정으로 걸어 나오는데. 수영부원들 "쟤 또 왔다!" 수군대는 소리에 보면, 솔이 쇼핑백 들고 서 있다.
표정 굳는 선재. 일부러 반대쪽으로 걸어간다.
이를 본 솔, "선재야!" 부르며 쫓아간다.

씬/31 자감고 교정 일각 (D)

선재, 걸어가는데 솔이 "잠깐만!" 총총 쫓아간다.

선재   (갑자기 뚝 멈춰 서고) 왜, 왜 또 왔는데?
솔   니가 우산도 빌려주고, 버스도 잡아주고 했잖아. 고마워서 보답하는 의미로 간식 좀 사 왔어. 잠깐 이거 먹으면서 우리 얘기 좀 할래? (쇼핑백 들어 보이는)
선재   바로 훈련이라 바빠.
솔   10분, 아니 5분도 안 돼? 제발...
선재   지금 해.
솔   여기서?
선재   여기서.
솔   그래... (쇼핑백에서 간식 꺼내려는데)
선재   먹을 시간은 없어.
솔   (다시 넣으며) 알았어... (조심스레) 있잖아. 이번 수영 대회...그거 꼭 나가야 될까?
선재   (순간 표정 굳고) 그건 왜.
솔   내가 수영 팬이라고 했지? 니 경기도 전에 봤고, 작년에 부상 있었던 것도 알아.
선재   아는데?
솔   내 생각엔 이번 대회는 수술한 어깨에 무리가 되지 않을까? 알아보니까 재활 끝난 직후가 훨씬 더 위험하다고 하더라. 되려 더 큰 부상 입는 선수들도 많다 그러고. 그래서 말인데, 좀 더 쉬었다가 다음번 대회부터 나가는 게...

선재	(O.L) 니가 상관할 일이 아닌 것 같은데? (더 들을 필요 없다는 듯 획 가버린다)
솔	선재야! (쫓아가며 계속 쫑알쫑알 설득한다) 주제넘는 말인 거 아는데...
선재	(O.L) 어. 주제넘네~ (계속 걸어간다)

씬/32 자감고 체육관 복도 + 체육관 로커룸 (D)

선재, 앞만 보고 성큼성큼 걸어가면, 솔이 총총 쫓아가며 계속 설득 중인.

솔	그런 말도 있잖아. 더 큰 도약을 위해서 한 발짝 뒤로..
선재	(O.L) 두 발짝 앞으로 나가면 더 큰 도약이 되겠지?
솔	어깨 상태부터 체크해봐. 돌다리도 두드려보고 건너랬어~
선재	(O.L) 뭘 돌다리로 건너. 그냥 헤엄치지.
솔	(답답) 너 지금 니 몸 상태 괜찮다고 생각하지? 근데 그게 아니..
선재	(O.L) 너야말로 괜찮겠어?
솔	어?
선재	(로커룸 문 열며 씩 웃는) 괜찮으면 계속 따라오든가.

솔, 보면 로커룸에 운동부원들 웃통 벗고 있다가 몸 가린다.
솔, 헉! 눈 질끈 감으면 로커룸 문 쿵 닫힌다. 눈 떠 보면 굳게 닫힌 문.

솔	저 똥고집... (한숨 쉬며) 설득이 안 될 것 같은데...어쩌지?

씬/33 금 비디오&DVD 가게 앞 (N)

복순, 근덕 붙들고 따지고 있다.

복순	아니, 연체료 그 몇 푼이 그렇게 아까우세요?
근덕	몇 푼 때문이 아니라! 여기서 실수한 걸 수도 있지 않습니까! 네?

복순	싹~ 다 확인했걸랑요. 회원 중에 비슷한 이름도 없어서 실수할 수가 없다니까?
근덕	거참 이상한 아줌마를 다 보겠네! 아니라면 아닌 거지!
복순	이상한 아줌마?! 참 나. 야한 비디오 본 게 창피해서 이러세요?
근덕	뭐, 창피? 나이가 몇 갠데 보고 싶었음 당당하게 빌려봤죠! 그리고 〈원초적인 본능〉 그거 옛날에 마누라랑 피카디리 가서 본 거네요!
말자	(왕만두 쪄서 나오다가, 만두로 복순 입 틀어막는) 그만혀어! 지 딸내미가 무쟈게 집요한 구석이 있어갖고. (만두 접시 주며) 요 만두 좀 잡숫고 기분 풀어요이.
근덕	괜찮습...
말자	(기어이 들려주는 O. L) 잡솨봐아. 나가 찐 건께! 가서 일 보소~ (가라는 듯 손짓)
근덕	크음... (만두 접시 들고 인사하며 가는)
복순	(만두 뱉으며) 아 엄마 왜 이래!
말자	마누라한테 창피한갑다 하고 말제. 니가 쌈닭이여? 이러니 손님이 떨어지지.

그때, 솔이 뛰어와 복순, 말자 사이를 지나쳐 건물 안으로 들어간다.
씩씩대던 복순과 말자 어리둥절한 표정.

씬/34 거리 일각 (N)

바이크에서 내리는 태성. 헬멧 걸어두고 건물 들어가려는데 훌쩍이는 소리에 멈춰서 돌아본다. 보면, 아이스크림 든 남자아이(6~7살) 혼자 서서 울고 있다.

〈태성 회상 인서트〉
#공원 일각
벤치에 앉아 있는 어린 태성에게 콘 아이스크림 쥐여 주는 태성 모.
어린 태성, 아이스크림 손에 꼭 쥐고 먹지도 못하고 울음 참고 있다.

태성 모, 같이 울음 참고 있는.

(시간 경과)
어린 태성 발아래로 아이스크림이 뚝뚝 떨어진다. 보면, 손에 아이스크림 다 녹아 있고. 옆자리 보면 태성 모 가고 없는. 울컥 울음이 터진 어린 태성 앞으로 다가오는 남자. 태성, 울다 올려다보면 착잡한 표정의 젊은 김형사 서 있다.

#다시 현실
태성, 아이에게 다가가려는데, 가게 안에서 뛰어나오는 아이 엄마.

남자아이　엄마~~ (울음 뚝 그친다)
아이엄마　계산할 동안 가만 서 있으라니깐 왜 혼자 나갔어~ 가자. (손잡고 가는)

태성, 멀어지는 모자 보고 서 있다 쓸쓸한 표정으로 돌아서는데.
대상고 패거리들(4~5명) 또 마주친다.

일진1　꽁지 빠져라 튀더니. 여기서 만나네? (태성 바이크에 침을 퉤 뱉는데)
태성　하... (차갑게 노려보는)

씬/35 경찰서 (N)

태성과 대상고 패거리들 껄렁하게 앉아 있다. 진탕 싸우고 뒹굴다 잡혀 온 듯, 다들 얼굴에 상처 나 있고, 옷 풀어져 있다.

경찰1　(태성에게) 바이크에 침 좀 뱉었다고 쌈박질을 해?
태성　경찰 아저씬 내 새끼한테 침 뱉으면 손 안 나가세요?
경찰1　니 오도바이 새끼는 누가 낳았냐?
태성　제 가슴이요~ (씩 웃는)
경찰1　(고개 저으며) 모성애냐 부성애냐~

태성	그리고 저놈들이 먼저 시비 걸었거든요?
패거리들	안 닥치냐? / 저 새끼가! / 이런 씨X. (욕해대면)
경찰1	조용해 이것들아! (서류철로 패거리들 머리 때려 누르며 앉히는데)

그때, 김형사 들어온다.

경찰1	(김형사 알아보고) 어? 안녕하세요. 김경위님이 저희 서에 어쩐 일로...
태성	(표정 확 굳는)
김형사	너 아직도 이러고 돌아다니냐?
태성	(차갑게) 이러고 다니든 말든 관심 없잖아.
김형사	뭐?!
태성	보호자 왔으니까 가도 되죠? (김형사 획 지나쳐서 나가면)
김형사	야 김태성! (보면 이미 태성 나가고 없고, 한숨)
경찰1	(살짝 놀란 듯) 경위님 아들이에요?

씬/36 주택가 골목 (N)

어두운 골목길. 왠지 스산한 분위기. 선재, 통화하며 걷고 있는.

| 선재 | 훈련 끝나고 지금 가고 있어요. 어~ (끊는데 누군가 앞을 막아선다) ?? |

보면, 커다란 삿갓 푹 눌러쓰고 도인 복장 한 솔이다. (*금이 입었던)

솔	(할머니 목소리) 학생...천신할매한테 시주 좀 해. (팔 들면, 손끝까지 다 가린 긴 한복 소맷자락이 축 늘어진다)
선재	네? (살짝 의심스럽게 보다가, 지갑 열어 천 원짜리 몇 장 꺼내는데)
솔	(천 원 한 장만 획 빼 와서 소맷자락 안에 넣으며) 고맙구려.
선재	아닙니다. (가려는데)
솔	첫서리가 내리는 상강 무렵에 태어났구먼.
선재	! (어떻게 알았지? 살짝 흠칫)

솔	자네한테 살이 보여. 귀신의 문이 빗장을 걸고 있네. 쯧쯧쯧...귀문관살이 꼈구만.
선재	네? (뭔 소린가 싶은데)
솔	요즘 몸 어딘가가 불편하지 않어? 어깻죽지가 영 무겁고 그라지 않냐~ 이 말이여.
선재	(어깨에 손 올리며, 이 할머니 뭐지? 하며 보는데)
솔	(의미심장) 수살귀! 억울하게 물에 빠져 죽은 처녀 귀신이 딱 들러붙어 있네.
선재	귀신이요? (황당)
솔	49재가 끝나면 저승에 데려갈 총각을 찾고 있으니까 당분간 물을 멀리해야여! 딱 사흘이면 돼. 낼모레가 49재거든! (삿갓 아래 표정, 제발제발 믿어주길 바라는)
선재	(어이없어 피식) 저 수영 선수라 내일 대회 나가는데요?
솔	(어떻게 믿게 하지 싶고, 버럭) 경기고 나발이고 뭐시 중헌디! 목숨보다 중혀? 저승 가서 삼도천 다리 건너고 싶지 않으면 사흘 동안 물에 발도 담글 생각 말어!
선재	(안 믿고 건성건성) 네네. 명심할게요.
솔	(안 믿는 것 같자 쫄려서 팔로 막아 세우며) 명심할 껴? 나가 어째 믿지?
선재	샤워도 안 할게요. 됐죠? 말씀 감사합니다. (인사하고 서둘러 가려는데)
솔OFF	안 믿는 거 같은데...? (눈 굴리다 큰 소리로 ON) 학생! 쇄골뼈 아래 점 있지?
선재	! (흠칫하며 쇄골뼈에 손 올리는데, 아직 의심) 점이야 뭐, 열에 셋은 있지 않나?
솔	왼쪽 발바닥에 흉터도 있다는디?
선재	(헉! 놀란다) 보셨어요?
솔	...봤다네? (선재 어깨 쪽 손짓하는) 거 처자가.
선재	(어깨 쪽 돌아보며 소름 돋는 표정)

씬/37 편의점 앞 (N)

솔이 삿갓 벗어서 끌어안고 선재한테 받은 천 원 팔랑이며 걸어온다.

솔   너 징크스 예민하잖아. 제발 믿어봐...웅? (하다가 놓쳐서 천 원 날아가는)

솔, 바람에 날아가는 지폐 주우려고 쫓아가는데 누군가 먼저 집어 드는 손. 올려다보면 바이크에 기대 서 있는 태성이다!

태성   어디서 도 닦고 왔어?
솔   (손등에 상처, 터진 입가 보이고) 이놈은 또 어디서 쌈박질하고 왔나 보네. 쯧쯧... (한심하게 보며) 이제 내 천 원을 돌려주겠니? (손 내밀면)
태성   (팔랑팔랑 흔들며) 주면? 관상 봐주나요? 연애운 좀.
솔   차암~~ 매를 부를 상이다...
태성   언젠 좋다더니?
솔   (헉!) 혹시! 편지 읽었어?
태성   오늘 밤하늘엔 별이 많이 없지? 다 내 눈에 박혔나? 눈부셔서 어쩌...
솔   (수치스럽고 O. L) 그만! 그만! 자세히도 읽었네...
태성   (큭큭 웃는데 터진 입 아파서 인상 쓴다) 아...

〈솔 회상 인서트〉 *1화 16씬
현주가 태성의 자퇴 얘기해주던 컷 스친다.

솔   (기억 떠오르자 태성 상처 눈에 밟히고) 잠깐 있어봐. (편의점 들어가는)

(컷 튀면)
태성, 편의점 앞 파라솔 의자에 앉아 있고.

솔   (태성 옆에 앉아 연고 까면서) 자, 손 딱 대.
태성   살살해~ 이쁜 손 흉 안 지게~ (씩 웃으면)
솔OFF   바람둥이 저거 눈웃음 실실 흘리고 있네. 저러니 여자 애들이 정신 못 차렸지 쯧쯧. (ON 투박하게 연고 발라주며) 왜 툭하면 쌈질을 하고 다녀. 학교 짤리고 싶어? 고등학교 졸업은 해야지 나중에 얼마나 후회를 하려고.

태성　(연고 바르는 솔이 가만 보다가) 니가 내 엄마야? 잔소리는~

솔　(밴드 까면서) 그니까. 내가 봐도 한심한데 부모님 속은 썩어 문드러지시겠어.

태성　(아무렇지 않은 듯) 관심도 없을걸?

솔　(밴드 붙여주며) 나도 옛날엔 그런 줄 알았거든? 근데 그게 아니더라고. 자식이 아프면 부모 마음은... (잠시 생각. 울컥하는 마음 누르며) 이 열 손가락이 다 뽑히는 것 같대. 자식 우는 소리가 천둥소리 같다고. 우리 엄마가 그랬어.

태성　(솔이 말 듣는) ...

솔　(동생 대하듯) 그니까 부모님 맘 아프지 않게, 다치지도 말고 아프지도 마.

태성　세상 모든 부모가 다 그런 줄 아냐?

솔　뭐, 그렇긴 한데...너도 어른이 되면 조금은 알게 될 거야. (손 톡톡 두드리며) 이제 됐지? 내 돈 줘 이제.

태성　자~ (천 원 주는 척하다가 솔이 잡자 안 놓고 괜히 장난치듯 버티는)

솔　어어? 찢어져 놔. (찢어질까 봐 손에 힘 푸는 순간)

태성　(동시에 힘 빼고 확 놓자 팔랑 하필 웅덩이에 떨어진)

솔　(헉! 얼른 줍는데 천 원 더러워진) 힝...내 최애 손때가 묻은 돈인데! (째려보면)

태성　아 미안해~ 바꿔줄게. 응? (주머니에서 천 원 꺼내주는데)

솔　증말 매를 부를 상이다...됐어! (휙 가는)

씬/38 솔이 집 앞 (N)

솔, 천 원짜리 옷에 슥슥 닦으며 걸어가는데 태성 쫓아온다.

태성　바꿔준다니까? 인심 썼다! (오천 원 꺼내며) 자! 오천 원으로 바꿔줄게 됐지?

솔　됐으니까 가라고. 위이~ 위이~ (하는데 맞은편 골목에서 오던 선재랑

딱 마주친다) 헉! (얼른 태성 뒤로 숨어 삿갓 다시 눌러쓰는)

태성　뭐야?

선재　(태성 뒤에 숨은 솔이 보며, 어이없고) 하, 할머니?

솔　(당황. 할머니 목소리로) 아이고 학생. 또 만났네 그려. 허허허...

태성　(상황 웃기고) 아아~ 할머니야? (이해했다는 듯 끄덕인다)

솔OFF　미치겠네...

태성　너 류선재지? 인혁이 친구! 수영 선수!

선재　(그제야 태성과 눈 마주친다) 니는 누군데?

태성　(같은 말투로 받아친다) 나는 김태성?

인혁(E)　김태성 좋아하는 애거든. 연습실 찾아와서 몰래 초콜렛 놓고 가고.

선재　(인혁 말 떠올라, 표정 확 굳는)

솔　(뒷걸음질 치며 할머니 목소리) 항시 물 조심허고. 노인네는 이만 갑세...

선재　(열받은) 뭐 하냐 너? (솔이 멈칫하자) 분장까지 하고 뭐 하는 거냐고?

태성　(속삭인다) 할머니, 들킨 것 같은데?

솔　어떡해...

선재　(싸늘) 나 놀리냐? 넌 이게 재밌어?

솔　놀리는 게 아니라...

선재　(솔과 태성 번갈아 보곤 화 누르며 휙 돌아가는)

솔　(쫓아가며) 선재야. 내 말 좀 들어봐! 나 진짜 귀신 본다? 물 조심해야 되는 거 맞아! 진짜야아! (하는데 선재가 바로 앞집 대문 쾅 닫고 들어간다) 어? (어리둥절한데, 명패에 '류근덕' 보고 헉! 놀란다) 선재네 집이 여기야?!

태성　(재밌다는 듯 웃으며) 할머니 진짜 귀신 봐?

솔　(태성 확 밀치고 비디오 가게 안으로 뛰어 들어가는)

씬/39　금 비디오&DVD 가게 (N)

솔　(뛰어 들어오며) 엄마! 저기 파란 대문집! 배 씨 아저씨 언제 이사 갔어?

복순　깜짝이야. 꼴이 그게...배 씨 봄에 이사 가고 딴 집 들어왔잖아. 너 몰랐어?

솔　어...몰랐어. (넋 나간) 도대체 난 정신을 얻다 두고 산 거지?

씬/40 선재 집 선재 방 (N) + 전주 수영 경기장 (D) (교차)

선재, 침대에 누워서 이어폰으로 경기 실황 소리 들으며 이미지 트레이닝 중이다.
(E) 출발 준비 소리 울리자, 전자시계 스톱워치로 바꿔놓고 눈 감는 선재. 한편, 관중도 선수도 아무도 없는 수영 경기장에 선재 홀로 출발대에 올라선다. 마음 가다듬고, 스타트 자세 취하는 선재.
다시 선재 방. 눈 감고 있는 선재. (E) 출발 신호 울리자, 스톱워치 버튼 누르면! 수영장, 선재가 물속으로 멋지게 입수하는 장면으로 이어진다.

선재   (눈 감고 속으로 초 세는 OFF) 1, 2, 3, 4, 5, 6... (손에 쥔 스톱워치 숫자도 선재 목소리와 정확하게 똑같이 늘어나고 있는)

다시, 수영장. 물속에서 힘차게 잠영하며 나아가다 수면 위로 확 올라와서 치고 나가는 선재 모습과 눈 감고 숫자 세는 선재 모습 교차된다.

선재OFF   7, 8, 9, 10, 11... (*숫자는 영상 속도에 맞게)

물속에서 선재, 터치패드를 터치하며 멋있게 턴하고 쭉 뻗어나간다.

선재OFF   22, 23, 24.....턴...29, 30, 31, 32... (숫자 세다 갑자기 멈춘다)

수영장 물속에서 선재, 수면 위로 확 튀어나오면
동시에 선재, 눈 번쩍 뜨며 일어난다. 계속 흐르고 있는 스톱워치 버튼 눌러 끄며 한숨 내쉰다. 집중 안 되는지 머리 헝클이고.
일각에 수영 대회 메달, 트로피 본다. 벌떡 일어나 가방 들고 나가는.

씬/41 솔이 집 솔이 방 + 선재 집 앞 (N)

솔, 답답한 표정으로 창문 앞에 서 있다. 창문 너머 선재 집 보며 속상한.

솔   이제 뭔 말을 해도 안 믿을 텐데 어떡해... (불안한 표정인데, 대문 열리고
     선재가 나오는 모습 본다!!) 이 시간에 어디 가는 거지?

씬/42 자감고 수영장 안 (N)

아무도 없는 수영장. 선재, 천천히 잠영하며 들어와 레인 끝에 다다르자
물 위로 올라온다. 수경, 모자 벗고 잠시 숨 고르다가, 부상당했던 팔을
들고 부드럽게 스트로크 해보는데. 젖은 머리카락 끝에서 떨어지는 물방
울... 솔이 말 떠오른다.

솔(E)   내 생각엔 이번 대회는 수술한 어깨에 무리가 되지 않을까? 알아보니까
        재활 끝난 직후가 훨씬 더 위험하다고 하더라.

선재, 조명 반사된 수영장 물빛 가만히 내려다보며 생각에 잠긴다. 수술
받은 어깨 지그시 눌러본다. 사실 불안하지 않다고 하면 거짓말이다.

형구(E) 그러다 어깨 또 아작 나면 평생 숟가락도 못 들어 인마.
근덕(E) 역시 자랑스런 우리 아들~ 보란 듯이 해낼 줄 알았어.

이내, 마음 굳게 다잡은 듯, 힘껏 일어서는 선재.
타월 어깨에 툭 걸치고 샤워실로 걸어가는 모습.

씬/43 샤워장 (N)

샤워하며 머리 감고 있는 선재. 쎄한 기분에 멈칫. 뒤를 돌아본다.

솔(E)	수살귀! 억울하게 물에 빠져 죽은 처녀 귀신이 딱 들러붙어 있네. / 나 진짜 귀신 본다? 물 조심해야 되는 거 맞아!
선재	(왠지 무섭고, 머리 박박 감으며 당시 유행 노래 크게 노래 부르는)

씬/44 탈의실 + 샤워장 (교차) (N)

형구, 수영부원1. 탈의실 조명을 탁 끄고 살금살금 들어온다.

형구	(속삭이는) 이 새끼 전날 입은 수영복으로 경기해야 메달 따는 징크스 있잖아. 그래서 꼭 하루 전엔 경기용 수영복 입고 연습하고.
수영부원1	그래서 뭐 어쩌려고?
형구	(건조대에 널어놓은 선재 수영복 발견하고 집어 들며) 없어지면 겁나 당황하겠지? (키득키득 웃어대고)
수영부원1	야아. 들키면 어쩌려고! (샤워장 쪽 망보는)
형구	너만 입 다물면 아무도 몰라. 쫄았냐? (수영복 훔쳐 들고 나가려는데)

순간, 불쑥 나타난 솔이 형구 손목을 확 잡아챈다.
형구, "악!!" 기겁하며 나자빠지고.
한편, 머리 헹구던 선재, 뭔 소리 들었는지 샤워기 잠그고 귀 기울인다.

솔	(낮게 협박) 손모가지 잘리고 싶어? 놔라.
형구	너 뭐야? 이거 놔! (수영복 낚아채려는데 솔이 수영복 잡고 안 놔준다)
솔	내가 수영부에 확 퍼트려볼까? 아님 경찰에 신고해? 놓고 조용히 가라...
선재(E)	거기 누구야!

형구, "에잇" 수영복 확 놓고 도망가자, 반동으로 넘어진 솔.
한편, 선재... 허리에 타월 두르고 건조대 쪽으로 걸어온다.
솔, 다가오는 선재 그림자 보고 당황. 수영복으로 눈 가리고 허둥대는데.
선재가 코너 도는 순간!
솔이 눈앞에 보이는 큰 세탁 바구니 속에 몸을 숨긴다.

선재   (아무도 없고) 뭐지? 불은 또 왜 꺼진 거야? (서둘러 옷 입기 시작)

#바구니 속

솔OFF   어떡해...!! (들킬까 봐 초조 불안)

#탈의실
옷 다 입은 선재. 세탁 바구니에 젖은 타월 툭 던져 넣는데.
순간, 타월이 절로 꿈틀하며 들썩인다. "뭐야.." 흠칫 놀라는 선재.

#바구니 속

솔OFF   하...다리 저려... (살짝 몸 비트는데)

#탈의실
타월이 또 절로 들썩! 하는 걸 본 선재. 침 꼴깍 삼키며 조심스레 손 뻗어
타월 확 들추자 솔의 검은 머리통이 드러난다. "흐흑!!!" 기겁하는데.
한편, 당황한 솔. 급히 수건 뒤집어쓰고 바구니에서 튀어 나간다.

선재   너 누구야! (정신 차리고 일어나 쫓아가고)

씬/45 자감고 수영장 (N)

솔, 정신없이 뛰어나오는데, 잡으러 쫓아오는 선재. (*수영장 한가운데
정도까진 추격 씬 이어지게)
어느새 따라붙은 선재가 솔이 뒤집어쓴 수건을 확 잡아 돌려세우는 순
간, 중심 잃고 휘청하며 뒤로 넘어가는 솔. "어어어!" 수건 잡고 있던 선
재까지 같이 중심 잃고 무너지면서 수영장 물속으로 풍덩... 같이 빠진다.
선재, 먼저 물 위로 올라오고, 솔이 허우적대며 뒤늦게 올라온다.

솔, 물 먹어서 콜록콜록 기침해대는데.
선재, 그제야 솔이 얼굴 보고 화난 듯 표정 굳는다.

선재   뭐야...너였어? (물 위에 떠 있는 수영복 확 잡아 들어 보며 더 화나는) 이
       제 하다하다 수영복까지 훔치냐?
솔   (얼굴에 물기 닦아내며) 아니...이건 내가 훔친 게 아니라...
선재   (O.L) 왜, 이번엔 또 뭐라고 변명하려고? 귀신이 훔쳤다고 하려고?
솔   ...... (말문 막히고)
선재   나한테 왜 그러는 건데?! (쏘아붙이면)
솔   (울먹이며) 걱정돼서 그랬어. 어떻게 설명해야 할지 모르겠는데...그래.
       꿈. 안 좋은 꿈을 꿨어. 네가 경기장에서 많이 다치는 꿈을 꿨는데 진짜
       같이 생생했어. 그래서 정말 그 일이 일어날 것 같고, 불안하고, 걱정돼
       서...
선재   (O.L) 니가 내 걱정을 왜 하냐?
솔   (상처) 지켜주고 싶으니까...!
선재   (점점 더 감정 실리고) 왜? 니가 날 왜 지켜? 내가 죽기라도 해?!
솔   (울컥해 말하는데 시간 멈춘다) 응...맞아! 너 죽어! 죽는다고! 그걸 세상
       에서 나만 아는데! 말해줄 수도 없어. 그래도 널 지키고 싶으니까, 살려야
       되니까 뭐라도 해보는 거야... (닿을 수 없는 말이다. 다시 시간 흐르면)
선재   왜 아무 말도 못 하고 있는데? (참다 폭발한다) 넌 니가 한 행동들이 다
       정상이라고 생각해? 이상하지 않아? 갑자기 생판 모르던 나한테 찾아와
       서 팬이라고 하질 않나! 그러더니 갑자기 대회를 나가지 말라고? 고작
       꿈 때문에? 니가 뭔데? 내가 왜 니 말을 들어야 되는데!
솔   (할 말 없고, 창피하고, 미안하다)

선재, 솔이 노려보다 수영복 집어 들고 물 밖으로 걸어 나가고.
물속에 혼자 남겨진 솔, 불쌍해 보이는 모습.

씬/46 선재 집 선재 방 (N)

똑똑. 노크 소리 들리고 "아빠 들어간다~" 하며 들어오는 사람 틸업. 근덕이다! 보약이랑 만두 접시(*말자가 준) 놓인 쟁반을 책상에 내려놓는.

근덕　언제 나갔지? 내일 새벽같이 나가야 되는 애가 어딜 간 거야? 참 나...

나가려다 침대 아래에 떨어져 있는 이어폰 줍는데, 침대 밑에 뭔가가 보인다. 팔을 뻗어 꺼내 보는데 비디오테이프이다.

근덕　(비디오테이프 천천히 뒤집어 보는데 헉!) 왐마 이게 뭐여!

기겁하며 침대 위로 던지는데, 비디오 제목... 〈원초적인 본능〉이다!

씬/47 선재 집 앞 + 마당 (N)

열받은 선재, 젖은 옷 위에 트레이닝복 걸쳐 입고 대문 확 열고 마당으로 들어가는데 전화 와서 받는다.

현규(F)　야 너 수영장 갔었지? 형구 만났냐?
선재　뭐?
현규(F)　그 자식이 너 한방 먹인다고 수영장 간다고 했다던데, 너네 혹시 싸웠나 해서.
선재　(멈칫 멈춰 선다) 그 자식이 왔었다고? (오해했다 싶은) 아...씨...

그때, 툭툭툭 빗방울 떨어진다. 하늘 올려다보는 선재. "하..." 한숨 쉬는데 현관 앞 우산 통에 꽂힌 우산이 눈에 들어온다. (*1씬에서 솔에게 씌워줬던 우산)

씬/48 다른 거리 일각 (N)

솔, 쫄딱 젖은 채 불쌍한 모습으로 걸어가며 옷에 물기 쫙 짜는데. 사람들이 이상하게 쳐다본다. 그때, 소나기가 내리기 시작한다.

솔   비까지 와?! (손으로 머리 가리려다 툭 떨어트리며) 뭘 가려...이미 젖은
         거. (한숨 쉬며 비 맞으며 걷는데 선재 말 떠오르는)
선재(E) 넌 니가 한 행동들이 다 정상이라고 생각해?
솔   (씁쓸한) 그러게. 정상이 아니네. 나도 내가 뭘 하고 다니는 건지 모르겠
         다...

솔, 스스로가 한심하고, 다 망쳐버린 것 같아 속상하다. 횡단보도 앞에 다다르자 멈칫하며 한 걸음 뒤로 물러나는 솔. 숨 크게 들이쉬고 눈 감으면 암전. (E) 차들 쌩쌩 지나가는 소리 크게 들린다. "하나..둘..셋..넷.." 들릴 듯 말 듯 작게 숫자 세는데.
차들 멈춰 서는 소리 들리고 주위 조용해지자 다시 눈을 뜬다. 파란불로 바뀌어 있고, 안심한 듯 횡단보도 건너는데. 멀리서 승용차 한 대가 빠르게 달려온다.

〈승용차 안 인서트〉
운전자, 졸음운전 하다가 눈 번쩍 뜨는데. 횡단보도에 솔이 보고 헉!!

#다시 거리 일각
(E) 빵- 클랙슨 소리. 브레이크 밟으며 빠르게 다가오는 차.
솔, 밝은 헤드라이트 불빛에 눈이 시리다.

〈솔 회상 인서트〉
#주양저수지 다리 위 (N)
비 오는 날. 솔(*춘추복), 뛰어오다 멈춰 서고.
맞은편 저 멀리 빗속에 누군가 달려오는 모습. (*선재인지 잘 안 보이게)
그때, 쌍라이트 켜고 뒤에서 달려오는 차에 치여 날아가는 솔.
다리 아래 저수지 물속으로 풍덩 빠지는 모습 빠르게 스치듯 보여진다.

#다시 현실

솔, 순간 떠오른 사고 장면의 충격에 다리가 얼어붙어 꼼짝도 못 하고 서 있다.

그때, 건너편에서 달려온 선재가 들고 있던 우산 확 놓고 솔이 손목을 잡아 횡단보도 중앙 쪽으로 끌어당기는 모습 slow. 땅에 펼쳐진 우산이 툭 떨어지고...

선재, 솔을 품에 감싸 안으며 어깨 힘껏 움켜쥔다. 횡단보도 지나쳐서 끽- 멈춰 섰던 승용차 그대로 지나쳐가고.

선재   (정신 들고, 솔이 떼어내며) 너 미쳤어?! 왜 안 피하고 서 있어?!

넋 나가 있던 솔, 선재 보자마자 다리에 힘 풀려서 기절할 듯 쓰러지면 선재, '!!!' 쓰러지는 솔 부축하듯 다시 품에 안는다.

횡단보도 한가운데 내리는 비 함께 맞으며 안고 있는 두 사람.

비 내리는 하늘에서 장면 전환.

씬/49 과거 몽타주 * 선재 시점

M. 김형중 '그랬나 봐'

#1. 솔이 집 앞 골목 (D) *6화에 솔이 시점으로 다시 보여집니다.

비 내리는 골목.

택배 기사(*파란 유니폼, 검은 모자)가 선재 집 앞에 택배 놓고 가면.

파란 운동복 상의에 검은 캡모자 쓴 선재가 비 맞으며 뛰어온다. 택배 들고 들어가려다 멈칫. 보면 받는 사람 '임솔'이다.

선재   잘못 왔나 보네. 34-1..? (솔이 집 앞으로 걸어가 건물 주소 보고 있는데)
열아홉솔(E)   아저씨! (부르며 달려오는 소리)

선재, 돌아보면 교복 입은 솔이 노란 우산 쓰고 뛰어오는 모습 slow.

솔, 선재 앞에 멈춰 서서 선재 머리 위로 우산 씌워준다.

선재, 순간 심장이 쿵, 발밑으로 떨어진다.

열아홉솔 택배 제 꺼죠? (선재 손에서 택배 가져가 확인하며) 내 꺼 맞네. (헤 웃는)
선재 (솔이 교복 명찰이 눈에 들어오는 OFF) 임솔..
열아홉솔 아저씨 이거 쓰세요. (우산 들이밀며) 아 어서요!
선재 (얼결에 우산 받아 드는) !
열아홉솔 쓰고 가시구 담에 아무 때나 쪼기 가게 앞에 우산 통에 넣어주세요. 실은 죄송해서 빌려드리는 거예요. 다음 껀 좀 무겁거든요. 중고 책을 잔뜩 사서...
선재 (눈 깜빡이는 것도 잊고 바라본다. 쫑알거리는 솔이 너무 예뻐 보여서)
열아홉솔 그럼 이거 드시고~ (주머니에서 박하사탕 꺼내 주며 활짝 웃는다) 안녕히 가세요! (건물 입구로 폴짝 뛰어 들어가 계단을 총총 올라간다)

선재, 솔이 모습 사라질 때까지 보고 있다가 손바닥 내려다본다. 박하사탕이다.

#2. 금 비디오&DVD 가게 앞 (D)
모자 쓴 선재, 우산 통에 노란 우산 꽂아 놓으며 가게 안을 들여다본다.
카운터에 앉아 졸고 있는 솔이 보이고... 반가운 눈빛. 운동복 매만지며
조심스레 문 열고 들어간다.

#3. 금 비디오&DVD 가게 안 (D)
선재, 비디오 고르는 척 서서 졸고 있는 솔이 보며 피식... 웃는다.
그때, 솔이 고개를 책상에 찧을 듯 크게 툭 떨구자 선재, "어어!" 달려가고. 솔이 머리가 책상에 닿기 직전에 선재가 팔 쭉 뻗어 팔뚝으로 얼굴을 받쳐준다. 솔, 선재 팔뚝에 한쪽 볼을 대고 자고 있고... 선재 심장이 또 한번 쿵. 떨어진다.

(시간 경과)
30분 정도 흐른다.
이마에 땀 흘리는 선재, 주먹 꽉 쥔 팔뚝에 힘줄 튀어나와 있고,

살짝 구부리고 있는 다리가 후들거리는데 꾹 참고 버티고 서 있다.

그때, 문을 벌컥! 요란하게 열며 들어오는 손님.

잠에서 깬 솔이 고개 번쩍 들자, 선재, 얼른 팔 거두고 일어나 비디오 고르는 척..

솔이 갸웃하며 선재 돌아본다. 당황한 선재, 비디오 아무거나 뽑아 들고 카운터에 내려놓는다. 팔이 저려 몰래 주먹을 쥐었다 폈다 하는 선재.

열아홉솔   (하품 쩍 하며 테이프 꺼내주고 바코드 찍으며) 회원명 불러주세요.
선재   근덕이요! 류근덕. (비디오 받아 드는데 〈원초적인 본능〉이다) !!! (민망해 뛰어나가는)

#4. 만원 버스 안 (D)

솔, 자리에 앉아 있고, 그 앞에 서 있는 선재. 어떻게 말 걸어볼까 고민하는데 마침 가방에서 PMP 꺼내던 솔이 단어장을 떨어트린다. 선재, 얼른 주워 주며 "저기..." 말 시켜보려는데. 솔, "고맙습니다." 보지도 않고 대답하곤 귀에 이어폰 꽂고 인강 보기 시작한다. 선재, 말 못 붙여서 아쉬운.

#5. 모의 수영 경기장 (D) *1화 54씬 선재 시점

솔이 선재 허리를 두 팔로 와락 끌어안는 모습 slow. 선재, 안기는 힘에 밀려 뒤로 한 발짝 물러난다. 심장 쿵. 사고 정지.

선재OFF   뭐야. 어떻게 된 거야...꿈인가? (하는데 E. 심장 두근두근 뛰는 소리)

#6. 선재 집 선재 방 (N)

선재, 솔의 일촌신청 쪽지 보며 좋아 웃다가 '수락' 누르려는데.

근덕   (문 벌컥 열고 들어오며) 아들!!
선재   (화들짝 놀라 '거절' 버튼 눌러버리곤 동공 지진. 버럭한다) 아 아부지! 노크 조옴!

#7. 솔이 집 앞 + 버스정류장 *20씬 앞 상황

선재, 대문 앞에 서 있다가, 솔이 건물에서 우산 들고 나오는 모습 본다.
선재, 솔이 손에 든 우산 보며 피식 웃고. 솔이 걷자 뒤따라 걷는다.
솔, 버스정류장 도착한다. 선재, 솔이 뒤에 서는데 솔이 책가방 지퍼가 열려 있다.
솔이 "나랑은 친해질 마음이 전혀 없는 것 같은데.." 혼잣말하면 뒤에 선 선재, 피식 웃으며 솔이 가방 지퍼를 몰래 조심조심 잠가준다.
예쁘게 서 있는 투샷. 솔이 시선은 도로를 향해 있고, 선재 시선은 솔을 향해 있다.

씬/50 다시 거리 일각 (N)

선재, 솔을 품에 안고 있는데, 차들이 양방향에서 빠르게 달리며 지나간다. 도로 한가운데 갇혀 있는 듯한 두 사람 모습. 솔, 바들바들 떨고 있다.
선재도 그 떨림 느껴진다. 걱정스런 표정으로 솔이 보는 표정에서.

씬/51 호텔 스위트룸 (N)

2023년 현재. 시간이 멈춰 있다.
폴리스라인이 설치된 호텔방 안. (*1화 40씬과 똑같은데 폴리스라인만 설치된) 활짝 열린 테라스에 시폰 커튼이 바람에 날린 채로 정지해 있고.
테이블 위엔 비어 있는 술병, 뚜껑 열린 채 넘어져 있는 약통에서 흘러나와 있는 알약 몇 알. 박하사탕 병, 그리고 지갑 놓여 있다.
그때, 지갑 옆에 사진 한 장이 새로 생겨나는 CG. (*옛날 즉석사진기에서 찍은) 보면, 열아홉 선재와 솔이 붙어 서서 웃고 있는 사진이다!

Lovely ♡

Runner ♡

3화

네가 다른 시간 속에 있다 해도

다 뛰어넘어서 널 보러 갈 거야.

씬/1   놀이터 (N)

비 그쳐 있고. 솔, 어깨에 선재 트레이닝복 걸쳐 입고 벤치에 앉아 있다.

솔   아까 그건...사고 때 기억이 떠오른 건가?

〈솔 회상 인서트〉 *2화 48씬
사고 직전, 빗속에서 누군가 달려오던 모습 떠올리는.

솔   혹시 그 사람이 나 구해줬던 사람인가? (생각에 잠겨 있는데)

그때, 선재가 따뜻한 병음료를 사 들고 걸어온다.

선재   (솔에게 음료 건네주며) 자.
솔   고마워.
선재   (솔이 옆에 털썩 앉고) 괜찮아? 진정 좀 됐어?
솔   응. (따뜻한 병을 손으로 꼭 감싸 쥐며 마음 가라앉혀본다)
선재   (잠시 말 없다가) 너 혹시...전에 사고 난 적 있어?
솔   (끄덕이고)
선재   언제?

솔	(고민하다가) ...15년 전?
선재	되게 어릴 때네. (안쓰럽다) 차 무서워하는 거 같던데.
솔	무섭다기보단 그냥 내 몸이 반응하는 것 같아. 차만 보면 조심해, 물러서. 이렇게. 사실 사고 난 날 기억이 다 사라지고 없거든. 어쩌다 사고가 난 건지, 얼마나 끔찍하게 아팠는지 전혀 기억 안 나. 어떻게 보면 다행이지 뭐.
선재	(속상) 몸이 다쳤는데 다행이 어딨어.
솔	그래도 누구 덕분에 견딜 만했어~ (살짝 미소 띠며 선재 본다)
선재	...그건 다행이네.
솔	(이제야 좀 진정되는 것 같은데)
선재	아깐 미안했다.
솔	응?
선재	수영복. 오해해서.
솔	아...그건 오해받을 만했지. 내가 한 짓이 있는데.
선재	나 걱정돼서 그랬다며.
솔	....그랬지.
선재	(좋으면서) 내가 애도 아니고...꿈 하나 꿨다고 걱정을 그렇게. 참 나...
솔	(다시 수영 대회 생각에 마음 무거워져 고개 숙이고) 그건...
선재	(O. L) 나 대회 나갈 거야.
솔	...!
선재	나 대회 나갈 거라고. 나가서... 꼭 메달 딸 거야. (솔이 보며, 별일 없을 거라는 듯) 근데 걱정하지 마.
솔	(선재와 눈 마주친다)
선재	(자신감 넘치고, 씩 웃으며) 내가 니 꿈 반대로 할 거니까. (눈빛 빛난다) 한번 믿어봐.
솔	(믿고 싶다)
선재	뭐...불안하면 경기 보러 와서 눈으로 확인하든가~
솔	보러 갈게.
선재	(!) 진짜?
솔	응.
선재	(좋은데, 문득) ...근데, 전준데. 경기장.

솔	알아.
선재	좀, 먼데?
솔	멀어도 꼭 갈게. 가서...너 응원할게!
선재	!! (심쿵했다. 좋아 죽겠는데 애써 마음 가라앉히고) 그럼 대회 끝나고...
솔	?
선재	(다시 솔이 본다) 볼까? 우리 둘이.
솔	(정말 그랬으면 좋겠다) 그래...그러자. (미소)

선재, 솔이 보며 처음으로 환하게 웃는다.

씬/2   전주 수영 경기장 외경 (D)

씬/3   전주 수영 경기장 (D)

#관중석

관중석, 사람들 꽉 차 있고... 경기장에 안내방송 흘러나오고 있다.

안내방송(E)   남자 고등부 자유형 200미터 결승 경기 시작하겠습니다.

관중석에 응원 와 있는 인혁과 근덕, 그 옆에 근덕과 똑같은 티셔츠 맞춰 입은 중년 아저씨들 10명 정도 보인다. (근덕, '자감남고 청상아리 류선재' 적힌 제작한 티 입은) 인혁, 단체 아저씨들 보며 입 떡 벌어지고. 한편, 경기장. 들어가고 나오는 선수들, 코치들로 분주하다. 경기 마친 선수들 들어가면 자유형 200m 결승 참가 선수들 교차되어 나온다.

인혁	아저씨! 선재 나왔어요!
근덕	어어 선재야아!! (소리치고)
아저씨들	류선재! 류선재!

#경기장

경기장 걸어 나오던 선재. 관중석 쪽 보며 솔이 왔나 찾는데...

단체 티 맞춰 입은 근덕과 친구들, 인혁이 손 흔드는 모습 보인다.

선재, 솔이 안 왔나 싶어 아쉬운 듯한 표정.

4레인 앞에 서서 트레이닝복 벗고 몸 풀며 경기 준비하는데. (*다른 수영복 착용)

안코치 어! 너 왜 갑자기 다른 수영복 입었어? 징크스 뚫고 나가 보겠다 이거야?
선재 (결심에 찬 표정) 네. 오늘은 반대로 한번 해보려구요.

선재, 다시 한번 다른 쪽 관중석 보며 솔이 모습 찾는데.

관중들 틈에 앉아 있는 솔이 모습 보인다. !! 반가운 듯 씩 웃는 선재.

#관중석 + 경기장

솔, 관중석에 앉아 초조한 듯 두 손 꼭 쥐고 경기장 보고 있다.

선재, 수경 내려 쓰고 후후. 긴장 풀며 스타트대 쪽으로 걸어간다.

스타드대 위에 올라선 선수들. 경기장 안 침묵 흐르고. 긴장된 분위기.

솔NA 정해진 운명이라는 게 있는 걸까?

(E) 출발 신호 땅! 떨어지자 물속으로 뛰어드는 선재.

솔, 간절한 표정으로 경기 보는 모습 교차로 보여진다.

잠영하던 선재, 수면 위로 올라와 물살을 가르며 헤엄치기 시작한다.

솔NA 바꿀 수도, 거스를 수도 없는 필연 같은 것 말이야.

초반 레이스. 비슷비슷한 속도로 가고 있는 선수들... 박빙이다!

그때, 선수들 턴 돌기 직전이다. 솔, 불안해서 눈 질끈 감는다.

〈솔 회상 인서트〉 *2화 27씬 자료 화면

4레인에서 수영하고 있는 선재. 레이스 하다가 모두 턴 도는데...

그때, 선재, 물 위로 올라와 고통스러워하며 눕는 장면.

#다시 현실
솔, 손 꼭 쥐고 눈 감고 있다.

솔NA   만약 그렇다고 해도 선재야.
선재(E)   한번 믿어봐.
솔NA   난...널 믿어보고 싶어.

인혁, 근덕, 근덕 친구들 벌떡 일어나 "와!!!" 크게 소리친다.
눈 감고 있던 솔... 함성 소리에 눈 떠 보면,
선재, 이미 턴 하고 반대 방향으로 가고 있다. 운명이 바뀐 순간이다!
솔, !!!! 놀라 벌떡 자리에서 일어나 마지막 순간까지 눈을 못 떼고 지켜
본다. 2등으로 가고 있던 선재가 막판 스퍼트 내며 선두로 치고 나가기
시작한다.
솔, 심장이 두근두근 점점 빨라지기 시작한다.
잠시 후, 선재, 1등으로 터치하고 수면 위로 올라온다.
선재, 전광판에 뜬 기록 확인하는데 '1:49:58' 대회 신기록이다.
감격스러운 표정의 선재. 주먹 불끈 쥐고 흔들며 환하게 웃는다.
관중석에 근덕과 인혁 환호하며 껴안고, 난리가 난다.
솔, 가슴이 벅차오른다. 빨리 선재를 가까이에서 보고 싶어 그대로 계단
을 빠르게 뛰어 내려가기 시작하는 솔.
선재, 모자 벗으며 물 위로 올라오자 안코치가 타월 둘러준다.
선재도 땅에 서자마자 솔이 모습 찾으려 관중석으로 시선 돌린다.
그때, 경기장에 가깝게 뛰어 내려온 솔과 시선이 마주친다.
혼란하고 시끄러운 경기장 한복판. 서로를 바라보며 활짝 웃는 솔과 선
재 두 사람에서... (F. O. F. I.)

씬/4   솔이 집 앞 (N)

(자막) 어젯밤

솔, 선재 걸어온다. 몽글몽글한 분위기.

솔	이거. 고마워. (걸치고 있던 선재 옷 돌려주며 멈춰 서는) 우리 집 여기야. 바로 앞집인데 어떻게 오다가다 한 번을 안 마주쳤나 몰라. 신기하지?
선재	(모른 척) 그니까. 주위를 좀 살피고 다니라고. (피식) 어서 들어가라.
솔	응. 푹 자고. 내일...경기장에서 보자. (인사하고 들어가는)

선재, 설레는 맘 주체 못 해 솔이 집에 대고 손뽀뽀(*황정민 손뽀뽀)를 막 날리다가 돌아서면, 대문 앞에 인혁이 입 떡 벌리고 서 있다.
선재, !!! 민망함에 잠시 얼어붙는데. 이내 인혁에게도 뻔뻔하게 손뽀뽀를 날린다.
인혁, 헉. 라면 봉지 툭 떨어트리면, 선재, 허공에서 갈 길을 잃은 손.

씬/5   선재 집 선재 방 (N)

선재, 가방 챙기고 있는데, 인혁, 라면이랑 만두 먹으며 말하는.

인혁	근데 걔 김태성 쫓아다니던 앤데 괜찮아?
선재	요즘은 나 쫓아다니거든? 내 팬이랬잖아. (살짝 우쭐해하는)
인혁	선재업고튀견지 뭔지 그거?
선재	뭘 튀겨. 튀기긴.
인혁	암튼. 이성적으로 좋아하는 거랑 팬심이랑 같냐?
선재	(다른 수영복 챙기다가 멈칫. 살짝 철렁하는데) 사귀는 것도 아닌데 뭐.
인혁	오...남잔데? (문득) 너 고백은 해봤냐? 잘할 수 있겠어?
선재	울 아부지가 나 첫걸음마 때 신랑 입장하는 줄 알았대. 너무 잘 걸어서.
인혁	그게 뭐?
선재	안 해봐도 잘한다고. (씩 웃으며) 내일 금메달만 따봐. 좋아한다고 고백한다 내가.
인혁	고백이 뭐 쉬운 줄 아냐? 좋아한단 말이 요 목구멍까진 어떻게 잘 올라

와! 근데 요 입술 언저리에서 빙빙 맴돌고 나오질 않아요~ 암튼 상황 잘 보고 해라. 고백은 타이밍이 중요하거든.

선재   (아직은 뭔 말인지 모르겠고. 수영복 챙기며 끄덕끄덕)

씬/6   다시 전주 수영 경기장 (D)

선재, 경기장에 가깝게 뛰어 내려온 솔과 시선이 마주친다. 혼란하고 시끄러운 경기장 한복판. 서로를 바라보며 활짝 웃는 솔과 선재 모습.

씬/7   전주 수영 경기장 로비 (D)

안코치, 수영부원들 모여 서 있고 "선재는?" "왜 안 나와 이놈." 웅성웅성 하는데 인혁이 그 가운데 서서 씩 웃는다.

인혁   자자자~ 선재 빼고 먼저들 올라가세요!

안코치   뭐어? 오늘 누구 때문에 회식하는 건데 주인공이 왜 빠져?

인혁   아부지 친구들까지 다 응원 오셔가지고 같이 밥 먹으러 간다는데요? (해맑은)

(컷 튀면)
인혁, 해맑은 표정에서 빠지면 근덕, 근덕 친구들 우르르 모여 서 있다.

근덕   선재는? 왜 안 나와?

인혁   먼저들 올라가시래요. 수영부 회식이라 절대 빠지면 안 된다는데요? (해맑은)

근덕.친구들   어? / 금메달리스트랑 밥 먹을라 했는데. (웅성웅성)

인혁OFF   잘해봐라 친구야... (ON) 에이 아부지들 밥은 저랑 먹으면 되죠! (넉살 좋게 근덕, 근덕 친구들 팔짱 끼고 나가는 모습) 우리 장어 먹음 안 되나?

씬/8   전주, 거리 일각 (D) *옛 분위기 거리

선재, 솔 걸어오는. 선재, 미리 알아본 장소 찾느라 정신 딴 데 가 있다.

선재   (주위 두리번거리며 OFF) 아...분명 이 근처라고 봤는데.
솔   근데 아버지도 응원하러 오신 것 같던데 이렇게 나와도 돼?
선재   (가게 찾느라 대충 대답) 어어.
솔   어깨는? 괜찮아?
선재   어어.
솔OFF   기분이 왜 안 좋지? (ON) 근데 우리 어디 가?
선재   어어. (했다가 아차 싶은) 아, 내가 말 안 했나? 밥 먹으러 가자.
솔OFF   배고파서 까칠했구나? (ON) 그래! 밥 먹어야지. 나도 배고파. 뭐 먹을래?
선재   가다가 괜찮아 보이는데 들어가지 뭐. (OFF) 왜 안 나오는 거야.
솔OFF   뭘 먹여야 몸보신이 되려나...
선재   (통유리창 안으로 분위기 좋아 보이는 파스타집 발견) 찾았다. 우리 저기 갈끼...
솔   (O.L) 어! 우리 저거 먹자 저거! (손으로 가리키는)

씬/9   한방삼계탕집 (D)

아저씨들 왁자지껄 떠들고 있는 식당 한가운데 마주 앉은 선재와 솔.

선재   (주위 둘러보며 분위기 영 맘에 안 들고, 혼잣말) 기껏 좋은 데 알아 왔더니만...
솔   (물 두 잔 따르며) 경기도 치렀는데 몸보신해야지. 뜨끈뜨끈한 거 좋아하지? (물잔이랑 앞접시 놔주고, 냅킨으로 수저 닦아 선재 앞에 놔준다)

선재, 꼼지락거리며 챙기는 모습 빤히 보고 있다가 피식 웃는데.

그때, 아주머니가 삼계탕 두 그릇 놓아주고 간다.

선재, 깔끔하게 닭 반으로 딱 갈라서 솔이 앞에 밀어 준다.

선재   후후 불어 먹어라.

솔   (삼계탕과 선재 번갈아 보며) 나 같은 성덕이 어딨어 진짜.

선재   뭐?

솔   너랑 밥도 같이 먹고. 성공한 덕후라고.

선재   덕후가 뭔데?

솔   팬이랑 비슷한 말이야. 내가 니 팬이라고 했잖아. (아차) 수영 팬.

선재   (표정. 인혁 말 떠오르는)

인혁(E)   이성적으로 좋아하는 거랑 팬심이랑 같냐?

선재   (넌지시) 김태성 말이야. 밴드부 베이스.

솔   응? 왜?

선재   (살짝 긴장) 너 걔 팬이냐? 아님, 좋아해?

솔   에이. 언제 적 얘길 하고 있어. 전혀 아니지.

선재   전혀 아니야? (아싸! 좋아서 식탁 밑으로 주먹 불끈 쥐고)

솔   그건 왜?

선재   그냥, 어제 같이 있었잖아. 궁금해서. 먹어 어서. (웃음 참으려 막 먹는)

솔   꼭꼭 씹어 먹어. 체할라. (깍두기 밀어주며 오구오구, 흐뭇하게 보는)

(시간 경과)

다 먹은 분위기. 선재가 계산서 가져가려 하자 손목 잡아채며 막는 솔.

솔   내가 낼게.

선재   니가 왜 내. (가져가려 하면)

솔   (확 잡아채는) 내가 밥 한 끼 사주고 싶어서 그렇지.

선재   내가 먹자고 했으니까, 내가 내. (다시 뺏어 오려고 손 뻗으면)

솔   (뒤로 빼며) 그럼 내기해! (식당 TV에 마침 2008년도 〈1박2일〉 틀어져 있고, '말도 안 되는 쿵쿵따' 하는 장면 보이는) 끝말잇기 해서 진 사람이 내기 콜?

선재   뭔 내기야. 됐어.

솔	(우기려고) ...어? 어부!
선재	하! (어이없는)
솔	대답 안 해? 니가 진 거...
선재	(할 수 없이 툭 O. L) 부자.
솔	자전거!
선재	거위.
솔	위?...
선재	하나, 둘...
솔	(O. L) 위하여~~ (짠 하는 시늉)
선재	야, 뭐야. (반칙이라는 듯)
솔	(그냥 넘어가 달라는 듯 웃으면)
선재	(피식) 여행.
솔	행복!
선재	복구.
솔	구...? 구조!
선재	(솔이 얼굴 사랑스럽게 보다가 무의식중에) 좋아해. (내뱉자마자 헉! 입막으면)

순간, 귀신 지나간 듯 식당에 잠시 정적 흐른다.

선재	(마음 들킨 것 같아 당황) 야, 그게...
솔	(씩 웃으며 O. L) 해 질 녘! 아싸 이겼다!
선재	...!!
솔	(헉! OFF) 내가 지려고 했는데! (ON) 취소취소! 바꿀게. 해장국!
선재	아냐 됐어. (계산서 뺏어 들고 일어나 가면서 혼잣말) 이 타이밍에 좋아해가 왜 튀어나와 멍충아...!
솔	(쫓아가며) 해장국이라니까? 아님 해산물? 해돋이?!

씬/10 예쁜 길 (D)

선재, 솔 예쁜 길 걸어가고 있다.

솔   잘 먹었어. 진짜 내가 사주고 싶었는데.

선재   다음엔 니가 사면 되잖아.

솔   (좋아서 피식) 그래. 다음엔 내가 더 맛있는 거 사줄게.

선재   (같이 걸으니 좋고, 인혁 말 떠오르는)

인혁(E)   고백은 타이밍이 중요하거든.

솔   여기 길 되게 예쁘다... (문득) 근데 둘이 왜 보자고 했어? (선재 눈 마주
          치며 묻는)

선재   (살랑이며 부는 바람, 돌담길 풍경, 분위기 잡히는 것 같고 OFF) 타이밍
          인가? (ON) 그냥...어제 너 오해한 것도 미안하고.

솔   미안하긴~ 너는 다 괜찮아. (예쁘게 웃는)

선재OFF   타이밍이다. (ON) 그리고 나 너한테... (두근두근. 긴장해서 말문 막힌
          다)

솔   (어딘가 보고 표정 반짝) 어?! (주머니에서 동전 꺼내는데)

선재   (떨리고, 마음 가다듬으며 OFF) 고백...고백하려고...고백을..

솔   오백 원 있어?

선재   (저도 모르게) 고백 원?

솔   어?

선재   어? (정신 차린) 아. 고배...오백 원? (주머니에서 오백 원 꺼내 내밀면) 오
          백 원은 왜...

솔   (손바닥에 오백 원짜리 6개 챙기며 O. L) 저거 찍으려고!

선재   뭐? (돌아보면 일각에 3분 즉석사진기 보인다) 저거 여권 사진 찍는 거
          아니냐?

솔   좀 찍어주라아. 응? (OFF) 팬싸에서 같이 셀카 찍은 팬들 엄청 부러웠단
          말이다~

선재   같이 찍자고?

솔   응!

선재   (크음. 헛기침하며 싫은 척) 나 사진 찍는 거 별로 안 좋아해.

솔   (실망) 그렇구나. 그럼 할 수 없...

선재   (O. L) 햇빛이!

솔   ??

선재   너무 뜨겁네. 잠깐 들어가지 뭐. (휙 지나쳐서 빠르게 즉석사진기 쪽으로
        가는)

씬/11 즉석사진기 안 (D)

솔, 선재 딱 붙어서 앉아 있다. 선재, 긴장했지만 긴장하지 않은 척 있는
데, 솔, 신나서 버튼 이것저것 누르며 설정하면, 그런 솔을 보는 선재 표
정. 선재, 화면에 솔이와 나란히 비치자 살짝 웃었다가 애써 표정 감춘다.

솔   됐다...이제 곧 찍힌다? 카메라 봐 어서!

선재   어디. 저기? (딴 데 보는데 찰칵! 찍힌다)

솔   아니이. 여기 보라고 여기.

선재   여기? (어리버리)

솔   (기계음 또는 화면 숫자로 3, 2, 1 카운트 되자) 좀 웃어봐~ (활짝 웃고)

선재   (어색한 표정으로 찍히는)

솔   화보 장인이 왜 이래? (답답) 그럼 이거라도 해봐. (왼손으로 C자 만들어
        볼하트)

선재   그게 뭔데? 혹이야?

솔   혹이라니! 하트잖아. (반대 손으로 볼하트랑 머리 따라 큰 하트 그리는)

선재   (귀엽게 보다가 괜히) 나보고 귀여운 척하라고? 안 해. 안 해.

솔   어? 이제 찍힌다! (화면 보며) 어서 해보라니까? (다시 기계음 또는 숫자
        로 3, 2, 1..)

선재, 순간 솔이 어깨에 팔 두르고 솔이 볼에 볼하트 만들며 씩 웃는데 찰
칵! 솔, 웃고 있다가 !! 놀란 표정으로 찍힌다. (*2화 51씬 선재 지갑 속
사진)
선재, 재밌는지 피식 웃다가 고개 돌리는데... 그 자세로 솔과 눈 마주친
다. 순간 긴장돼서 말 없어지는데. 덩달아 긴장되는 솔.
어색하게 팔 거두는 선재. 좁은 공간, 조용한 분위기. 고백 타이밍 같다.

선재	저기, 나 할 말 있어.
솔	응?
선재	나... (좋아한단 말이 입안에서 맴돌고) ...너 좋 (아한다 말하려는데)
기계음(E)	사진이 완성되었습니다.
솔	(눈치 없이) 나왔나 봐! 잠깐만. (커튼 젖히고 휙 나간다)

선재, "하..." 한숨 쉬며 내다보면 솔이 기계에서 사진 받고 있다. 선재, 분위기 깨져 아쉬운 표정.

씬/12 고속버스 안 + 고속도로 (N)

선재, 인혁에게 온 문자 확인하고 있다. **'고백 성공했냐? - 인혁'**

선재OFF	고백은 무슨. (핸드폰 확 닫는데, 괜히 조바심이 나는)

선재, 목 쭉 늘이고 앞뒤 살핀다. 사람들, 이어폰 꽂고 있거나 자고 있다.

선재OFF	그래. 나쁘지 않은 타이밍이야. (하며 옆에 앉은 솔이 돌아보면)
솔	(낯빛 어둡고 OFF) 아...급해 죽겠는데. 휴게소야 언제 오니이.
선재	저기... (말 꺼내자마자)
솔	(정색 O.L) 아무 말도 하지 마.
선재	(당황) 어?
솔	(다리 달달 떨며 헤드에 머리 딱딱 부딪힌다) 돌겠네...
버스기사	(속도 줄이며 도로 살피는) 사고가 났나? 밀리는 구간이 아닌데.
솔	뭐?? (창밖 보면 차들 꽉 막혀 있는)
선재	왜 그래?
솔	(이 악물고) 아니야. 아무것도. (OFF) 최애한테 내 생리 현상을 어떻게까지겠냐고오.

앞좌석에 앉은 남자아이와 아이 엄마 대화 소리 들린다.

남자아이   엄마 나 쉬 마려워.

아이엄마   어머 어떡해. 휴게소까지 좀 참아볼래?

남자아이   못 참겠떠어~

솔   (동병상련이다. 울 것 같은 표정으로 다리 떠는데)

선재   ?? (솔이 보는 표정)

아이엄마   어쩌지. 버스 세워달라고 해야 되나...

솔   (눈 번쩍 OFF) 네! 네! 제발 대신 좀 세워주세요. 네?

아이엄마   정말 못 참겠어?

솔   (간절한 표정 OFF) 급하다고 해 빨리! 빨리!

남자아이   엄마 나 급해! 오줌 쌀 것 같애~~~

아이엄마   어머어머. 알았어. 잠깐만! (일어나려는데)

솔OFF   제발....!

아이엄마   (생수통 들고 속삭이는) 여기다 해. 엄마가 가려줄게. (몸으로 아이 가려
           주며 입으로 소리 내는) 쉬이...쉬이...

솔   (절망. 머리 쥐어뜯다가 양손으로 귀 막는데)

선재   기사님! (큰 소리 치며 벌떡 일어나는) 버스 좀 세워주세요!

버스기사   여기서? 갑자기 왜요?

선재   (갑자기 배 잡고 얼굴 시뻘게지며 연기) 제가 지금 좀... 사정이 급해서...

솔   !! (구세주다!)

버스기사   에? 아니 아까 휴게소에서 싸지... (구시렁)

선재   아...배야...! 제발요 기사님! (못 참겠다는 듯 연기)

승객들   (놀라서) 아이고 세워줘요! / 저러다 싸겠네!

버스기사   나 참... (갓길에 버스 세우며) 얼른 다녀와요!

선재   죄송합니다... (인상 쓰며 나가는데 기사가 건네주는 랜턴 받아 드는)

솔   (벌떡 일어나 뛰어나가며) 잘됐다!

씬/13 고속도로 갓길 (N)

갓길에 세워진 버스. 선재, 솔 내리는데....

솔   (급한데 아닌 척) 어서 다녀와~ 난 저쪽 가서 바람 좀 쐬려구. 하하하.
선재   (랜턴 건네주며) 저쪽 위험해. 이쪽으로 다녀와.
솔   어?
선재   빨리 갔다 와. 여기서 망봐줄 테니까.
솔   망...? (들킨 건가 싶고 절망적인 표정에서 스틸)

M. 〈인간극장〉 엔딩 BGM' 흘러나온다.

솔   (랜턴 확 뺏어 들고 울먹이며 풀숲으로 뛰어가며) 망했어...!
선재   (멀어지는 솔이 보며) 이 타이밍은...아니겠지? (하는 데서)

씬/14 선재 집 안방 (N)

근덕, 디카로 선재 수영 대회 사진 보고 있다. 금메달 수여식 사진이고.

근덕   (일각에 놓인 아내 사진 보는데 뭉클한) 여보...오늘 우리 선재 금메달 땄
        어. 신기록도 세우고. 내가 아들 하난 잘 키운 것 같아. 그치? (미소 짓는
        데, 그 옆에 놓인 〈원초적인 본능〉 비디오테이프 보이고) 훌쩍 컸어 아
        주. 다~~ 컸어.

씬/15 금 비디오&DVD 가게 + 가게 앞 (교차) (N)

        #가게 안
        복순, 세입자와 얘기 중이다.

복순   또? 다른 집 멀쩡한데 왜 202호 변기만 맨날 막혀?

복순 뒤 유리창 밖에서 근덕이 살금살금 걸어오다 허리 훅 숙이는 모습 보인다.

#가게 앞
근덕, 비밀스럽게 품 안에서 비디오테이프를 꺼낸다. (*비디오에 연체료를 끈으로 꽁꽁 묶어놓은) 몰래 반납통에 비디오 밀어 넣으려는데 돈이 묶여 있어 잘 안 들어가고. "왜 안 들어가...!" 당황스러운데.

#가게 안

복순   일단 뚫어보고 공사는 나중에... (유리창 밖 낌새 수상해서) 잠깐만~ (나가보는)

#가게 앞
복순 나오는 모습에 근덕, 헉! 놀라 미친 듯이 뛰어 도망가는데 한쪽 슬리퍼 벗겨진다. 복순, 문 확 열고 나오면, 동시에 대문 안으로 뛰어 들어간 근덕. (E) 쾅. 대문 닫히는 소리 들리고.

복순   뭐야? (반납통에 끼어 있는 비디오테이프 보이고) 참 나. 저 양반 맞구만! 웃겨 아주. (어이없는데 덩그러니 벗겨진 지압 슬리퍼 보인다)

씬/16 선재 집 마당 (N)

근덕, 발바닥에 박힌 작은 돌 빼며 "아야...!" 주먹 물고 있는.

씬/17 거리 일각 (N)

솔, 선재 걸어가고 있다.

선재OFF　이러려고 먼 데까지 오라고 한 거냐고! 고백도 제대로 못 하고. (아쉽고)

솔OFF　이러려고 과거까지 온 거냐고오! 흑역사만 쌓고 있네 아주. (고개 숙이고 걷는데)

그때 선재, 솔이 팔 살짝 잡아 세우더니 솔이 앞을 막아선다.

솔, 의아한 듯 보면, 선재 앞이 횡단보도다. 그 앞으로 차들 쌩쌩 달린다.

선재(E)　전에 사고 난 적 있어? 차 무서워하는 거 같던데.

솔, 말없이 차도 막아주며 서 있는 선재 뒷모습을 한동안 바라본다.

잠시 후, 차들 멈춰 서고, 보행 신호로 바뀌자 다시 비켜서는 선재. "가자."

솔, 선재 등 보며 쫓아 걷는데, 고맙고. 마음 뭉클해진다.

씬/18 선재 집 앞 (N)

솔, 선재 걸어온다.

선재　(집 앞 도착하자 아쉽고) ...다 왔네.

솔　오늘 고생 많았어 선재야. 금메달 딴 거 진심으로 축하하구.

그때, 벚꽃 꽃잎이 흩날리며 떨어진다. 로맨틱한 분위기.

솔　(손바닥 펼쳐 벚꽃 꽃잎 받으며) ...여름에? (갸웃)

선재　...임솔.

솔　(처음으로 이름 불러준)!

선재　오늘 와줘서 고맙다.

솔　난 지구 반대편까지도 쫓아갈 수 있어~ 아니, 니가 다른 시간 속에 있다 해도 다 뛰어넘어서 널 보러 갈 거야.

선재　(심장이 진동하듯 뛰고)

솔　내가 니 팬이라고 했잖아.

선재	(표정) ...그래서 언제까지 내 팬 하려고?
솔	어? (철렁)
선재	난...이제 니가 내 팬 안 했으면 좋겠어.
솔	왜? (OFF) 어떡하지?
선재	나... (고백 시동 거는)
솔OFF	난 니 옆에 있어야 되는데?
선재	너 조... (아한다 고백하려는데)
솔	(O. L) 그럼 친구 할래?
선재	...?!
솔	나랑 친구 하자!

솔, 간절한 표정. 선재는 말문 막힌 채 서 있는데. 그때, 마지막 벚꽃 꽃잎
하나가 팔랑이며 선재 콧잔등으로 떨어진다.
선재, 올려다보면, 인혁이 담벼락 위에 올라앉아 벚꽃 꽃잎이 든 봉지 들
고 있다.
인혁이 위로하듯 봉지 털어주자, 꽃잎이 참... 쓸쓸하게도 흩날리는 데서.

씬/19 선재 집 거실 (N)

선재, 현관 들어오면. 근덕이 호들갑스럽게 달려가는.

근덕	아이고오 금메달리스트 오셨구만 오셨어~ (포옹하려 두 팔 벌리는데)
선재	(넋 나간 표정으로 근덕 휙 지나쳐 2층 계단 올라가는)
근덕	(벌린 두 팔 민망한데 인혁이 들어오자) 우리 인혁이~~ (안으려는데)
인혁	야! 선재야! (근덕 휙 지나쳐 2층 올라가는)
근덕	(머쓱한)

씬/20 선재 집 선재 방 (N)

방에 들어온 선재, 침대에 털썩 앉는데. 인혁이 들어오며 잔소리해댄다.

인혁	안 해봐도 잘해? 으휴. 답장 없는 꼴을 보니 고백 못 한 것 같길래 이 엉아가! 어? 분위기 잡으라고 판까지 쫙 깔아줬구만. 뭐, 팬인 게 싫어? 멘트 꼬라지 하고는. 열라 구려. 완전 캐안습...
선재	(베개로 인혁 얼굴 퍽퍽 치며 O. L) 닥쳐. 누가. 누가. 훔쳐보래. 어?
인혁	언다 화풀이야! 야! (허우적대며) 아직 차인 것도 아닌데 왜 난리야!
선재	(멈칫) 아니야?
인혁	뭘 했어야 차이지! 고백도 안 해놓고.
선재	...그러네? (씩 웃으며 베개 끌어안고 침대에 드러눕는)
솔(E)	니가 다른 시간 속에 있다 해도 다 뛰어넘어서 널 보러 갈 거야.
선재	(가슴에 손 올리고 솔이 생각에 설레서 히죽 웃는)

씬/21 자감고 체육관 외경 (이른 아침)

씬/22 자감고 수영장 (이른 아침)

안코치, 수영부원들 몸 풀고 있는데. 선재 "죄송합니다!!" 소리치며 달려온다. (*아직 수모 안 쓴)
수영부원들 일동 "오오오~~~~~" 소리치고. 형구, 선재 째려보는.

선재	(갸웃하며 줄 끝에 서서 몸 푸는데)
수영부원들	얼~~~~ (계속 놀리며 오버해대는)
선재	뭐야? 왜들 이래?
현규	인혁이 말론 여자친구 생길 예정이라던데 맞나?
태훈	너 어제 회식 째고 데이트 갔다며? 인혁이가 그러던데?
선재	아...백인혁 이 입 싼 놈.
안코치	그때 달려와서 너한테 안긴 애 걔 맞지? 너랑 잘 어울리던데?
선재	잘 어울리긴 무슨. (하는데 좋고, 들떠서 귀 빨개지는)

수영부원들   얼~~~~~~

안코치   어어? 귀 빨개진 것 봐라 이거?

선재   더워서 그래요 더워서!

안코치   홀딱 벗고 덥기는. 그러면 자! 시원~~하게 물에 들어가! 어제 대회 신기록 세운 기념으로 모닝 기록 한번 재보자. 저 끝에 여자친구 서 있다고 생각하고! 신기록 갈아치우는 거 아니야 이거?

선재   아 코치님!

안코치   (웃으며) 준비해 임마.

(컷 튀면)

수모 쓴 선재, 스타트대 앞에 서 있고. 물안경 내려 쓰며 스타트대 위에 올라선다. 가볍게 손발 풀며 자세 잡는다.

안코치, 호루라기 불며 스톱워치 누르면 선재, 스타트. 물속으로 뛰어든다. 잠영하던 선재 물 위로 올라와 헤엄치기 시작한다.

안코치, 기록 재고 있고. 수영하는 선재와 안코치 모습 교차되어 보여진다. 안코치 스톱워치 보다가 다시 선재 쪽으로 시선 돌리는데 !!! 심장 쿵. 수영부원들 모두 놀란 표정. 안코치, "선재야!!" 소리치며 다급하게 막 뛰어가는 모습 slow.

보면, 선재, 어깨 붙잡고 괴로워하며 물 위로 올라오고 있고. 수영부원들도 놀라 달려가는 모습에서.

씬/23 자감고 수영장 밖 + 수영장 (D)

솔, 벽돌 밟고 올라서서 창문으로 수영장 안 훔쳐보고 있다.
수영부원들 몇 명 훈련하고 있다.

솔   선재는 왜 안 보이지? (걱정) 어디 아픈가?

태성   (불쑥 끼어들어 창문 들여다보며) 할머니 좋은 구경하네? 오...재 몸 좋은데?

솔   (태성 돌아보는) 뭐야...

태성	(놀리듯) 할머니 이런 취미 있었구나. 난 또 나 보러 온 줄 알았네?
솔	(어이없는) 너...뭐 돼?
태성	(당당하게 으쓱)
솔	남고 지금 수업 시간 아닌가? 땡땡이치지 말고 어서 들어가라~ 인생 선배로서 해주는 말인데. 학교 다니고 싶어도 못 다니는 사람도 있거든? 다닐 수 있을 때 열심히 다녀. 나중에 인생 안 풀릴 때 아~ 그때 착실히 좀 살걸, 하고 후회하지 말고.
태성	(코웃음) 고백할 땐 내 눈도 못 마주치던 게. (장난) 이런 식으로 관심 끌려는 거 안 통한다? 너 내 취향 아니거든.
솔	예예~~ (다소곳이 인사하며) 감사합니다. 아유~ 취향이 아니라 다행이네요~ 이참에 말씀드릴게요. 고백을 취소합니다! 그때 제가 잠시 정신이 나갔나 봐요. 오홍홍. (아줌마처럼 웃으면)
태성	예예. 취소를 거부합니다.
E	쉬는 시간 종소리
솔	(황당한 표정) 웬 거부야? 받아줄 것도 아니면서?
태성	나 줬다 뺏는 거 되게 싫어해~
솔	(어이없어 입 떡 벌어지고) 어머 웬일이니 얘.
태성	(씩 웃는데. 핸드폰 벨소리 울려 확인하면 '최가현'이다. 인상 확 썼다가 솔이 보며) 할머니. 귀찮은 사람 떼어내려면 어떻게 해야 돼? 조언 좀.
솔	음... (심각하게 듣고 있다가 정색) 이렇게.
태성	응?
솔	(무시하고 휙 지나가면)
태성	(뒤에 대고) 그게 뭔데?
솔	(안 돌아보고 큰 소리로) 상종을 안 하는 거다 이눔아! (하며 가면)
태성	(피식 웃곤) 조언 고마워 할머니~~~

한편, 솔, 고개 절레절레 저으며 "도대체 뭘 보고 좋아했던 건지 모르겠네..."하며 걸어가는데. 수영장에서 나오던 수영부원 현규와 마주친다.

현규	어? (솔이 알아본) 너 또 선재 보러 왔어?
솔	응. 선재는 어디 갔어? 훈련할 때 안 보이던데.

현규   어...그게. (걱정스런 표정) 선재 아침에 병원 실려 갔어.

솔   (심장 쿵) ...뭐?!

씬/24 대학병원 진료실 (D)

선재, 안코치 긴장해 앉아 있고. 의사, MRI 결과 보며 얘기 중인.

의사   전에 수술했던 회전근개가 다시 파열됐어요. 지금 상태가 많이 안 좋아서 한시라도 빨리 재수술받아야 할 것 같네요.

선재   재...수술이요? (쿵!)

안코치   얘 수술받은 지 6개월밖에 안 됐는데 또 수술이라뇨!

의사   수술받으면 후유증은 남겠지만 왼쪽 팔이고 하니까 일상생활 정도는 무리 없이 할 수 있을 겁니다.

선재   (충격받은 표정)

안코치   일상생활 정도요..? (불안) 그럼...선수 생활은...

의사   (조심스럽게) 전에도 말씀드려서 아시겠지만, 재수술받게 되면 최소 2~3년은 재활해야 할 겁니다. 재활해도 이 회전근은 80퍼센트 정도 밖에 회복이 안 될 거예요. 그렇게 되면 원래 기량을 되찾는다는 건...아마 불가능하지 않을까 싶네요.

선재   ... (절망적인)

안코치   선생님, 얘 지금 수영 접기 아까운 선수예요. 이제 시작이라구요.

의사   (안타까운) 일단은 통증이 심할 테니 수술부터 받고 다시 얘기합시다.

씬/25 대학병원 복도 (D)

진료실에서 걸어 나오는 선재, 충격받은 표정.

안코치   (착잡한. 한숨 쉬며) 다른 병원도 한번 가보자. 혹시 다른 방법이 있을 수도 있으니까 일단 아버지한테 연락해서...

선재   (O. L) ...아버지한텐. 제가 직접 말할게요. 그게 나을 것 같아요.

씬/26 선재 집 앞 (D)

솔, 대문 초인종 누르고 있다. 그런데 아무 반응 없고, 다시 초인종 눌러
보는데도 반응 없자 점프해서 안쪽 살핀다.

솔   병원 아침에 갔다면서...아직 안 왔나? (걱정하는데 선재 집 앞에 쌓인 재
      활용 박스에 '류근덕 갈비' 상호명 보고 표정) !

씬/27 버스정류장 (D → N)

선재, 충격이 가시지 않는 듯... 넋 놓고 앉아 있다.
버스와 차들 지나가고, 오가는 사람들 사이에 미동 없이 앉아 있는 모습.

근덕(E) 역시 자랑스런 우리 아들~ 보란 듯이 해낼 줄 알았어.

그 자리에 그대로 앉아 있는 선재. 어느새 저녁이다.
그때 핸드폰 벨소리 울린다. 보면, 발신자 '아부지'다.

씬/28 류근덕 갈비 (N)

선재, 가게 안으로 들어오는데... 보면, 가게에 커다란 현수막 걸려 있다.
'대통령배 수영 대회 금메달리스트 류선재'
근덕이 일가친척 다 초대해서 북적북적 마을 잔치처럼 판 벌여놓은.
일동 '청상아리 파이팅' 문구 넣은 제작 티셔츠 입고 있다.

근덕   (선재 보자마자 우렁차게) 주인공 납시오~~~ 자 박수!! (박수 치면)

친척들	(박수 치며) 아이고 우리 선재 축하해~ (한 소리씩 해댄다)
선재	! (하필이면 오늘. 당황스럽다) 뭘 또 먼 데까지 오셨어요.
친척들	당연히 와야지! / 암만~
근덕	(선재 끌고 와서 자랑 시작) 우리 아들이 그동안 재활하느라고 경기를 쉬었는데 이번에 나가자마자 기냥 금메달을 따악! 신기록을 따악! 수영장을 뒤집어 놨다니까?
일동	대단하네! / 역시 류씨 집안 자랑이여!
근덕	내가 말했나? 얼마 전엔 그 박태환이가 베이징 가기 전에 모의 경기를 했는데! 거기 선재가 가서 파트너 해줬자녀. 그게 뭐겠어요. 박태환이랑 어깨를 나란히 할 만하다~~ 마린보이의 뒤를 이을 청상아리가 여깄다~~ 고런 뜻 아니겠어?
선재	하... (마음 무겁고, 심란하고)
근덕	(사람들에게) 자자! 4년 뒤에는 런던에 가서 금메달을 휩쓸 예정이니까 미리미리들 싸인도 받고 사진도 찍으소! 줄을~ 서시오! 하하하하
일동	그래야겠네! (웃으며 박수)

선재, 무거운 마음 더 꾹 누르고.. 친척들이랑 다 같이 사진 찍고, 사인도 해준다. 친척들 "글믄 다음에는 국가대표 되는 겨?" "박태환이 어떠 잘생겼어?" 질문하면, 선재, 어색하게 대답해주는 모습들.

(시간 경과)
친척들 식사하고 있으면 근덕, 분주하게 고기 서빙한다. 시끌벅적.
선재, 카운터 앞에 서서 뒤에 걸린 액자 사진들 보고 있다.
대회 때마다 근덕과 메달 걸고 찍은 사진들이다. 착잡한데.

근덕	선재야! 여 앉아봐. (다가와 선재 끌어 의자에 앉히고)
선재	다들 가시면 얘기해요.
근덕	좋~은 소식이 있어. (웃으며) 놀라지 말고 들어. 방학 때 너 호주 다녀와.
선재	네?
근덕	호주에 마이클 코치 있자녀. 국가대표들도 레슨받고 했던. 그 코치한테 레슨 신청해놨어. 너도 유명한 선수들처럼 전지훈련도 하고 개인 레슨도

　　　　　받고 해야지.
선재　　　(한숨) 하...그거 취소해요.
근덕　　　왜애? (알겠다는 듯) 돈 많이 들까 봐 그래? 아유 걱정 마! 자식이라곤 너
　　　　　하난데 애비가 안 먹고! 안 쓰고! 모은 돈 다 어따 쓰겠어? 다~ 너 위해
　　　　　서...
선재　　　(속상해 더 욱하는 O. L) 그러니까 그러지 말라구요. 그냥 취소하라고.
근덕　　　무슨 소리야. 레슨비도 다 보내놓고 비행기표도 예약해놨구만.
선재　　　(버럭) 왜 나한테 물어보지도 않고 멋대로 결정하는데!
친척들　　! (떠들다가 조용해진다)
근덕　　　(당황) 거야 당연히 좋아할 줄 알고...
선재　　　(한숨 쉬며 O. L) 저 수영 관둘 거예요.
근덕　　　(쿵. 표정 싸해지고) ...뭐?
선재　　　수영, 관둘 거라고. 그니까 그거 다 취소해요. (휙 나가고)

씬/29 류근덕 갈비 앞 (N)

솔　　　　(걸어오며) 성지순례 때 한 번 와봤었는데, 예전에도 똑같았구나...

　　　　　그때, 선재가 가게에서 튀어나오자 솔이 멈칫, 멈춰 선다.
　　　　　근덕 뒤따라 나와 선재 붙잡아 세우고.

근덕　　　이놈아 수영을 관둔다니, 너 무슨 농담을 그렇게 진지하게 해?
선재　　　(마음 꾹 누르고) 농담 아니야. 나 수영 안 해요 이제.
솔　　　　(일각에서 듣고 쿵!! 놀란 표정)
근덕　　　(쿵) 뭐...뭐라고? 너 뭐 잘못 먹었어? 제정신으로 하는 말이야 지금?!
선재　　　어.
근덕　　　제정신 박힌 놈이 그런 소릴 해?! (진심이라 믿고 싶지 않은) 너 재활하
　　　　　고 대회 치르느라 힘들었어? 그래서 놀고 싶다고 시위하는 거야?
선재　　　(화나는) 아니라고요!
근덕　　　(욱하는 흥분해서) 아니면! 도대체 왜 관둔다는 건데? 갑자기 뭔 반항심

이야?

선재   (맘에 없는 소리 내지른다) 지겨워서!

근덕   (쿵) 뭐? 지겨워?

선재   (울음 참으려 주먹 꽉 쥐고) 어! 훈련도 힘들고, 재활 밥 먹듯이 하는 것도 지쳐서 이젠 수영이라면 지긋지긋해! 이쯤에서 좋은 기록 세웠을 때 쪽팔리지 않게 관두려고.

근덕   뭐? 안 돼!! 지금 얼마나 중요한 시긴데 겨우 그런 이유로 이제 와서 관둬 관두길!

선재   내 인생인데 내 맘대로도 못 해요?!

근덕   10년 동안 수영만 하고 산 놈이 수영 관두면 뭐 먹고 살 건데?

선재   뭐든 하고 살겠지! 정 할 거 없으면 맘 편하게 아부지 가게에서 일하면서....

근덕   (화나서 선재 뺨을 척 때린다)

선재   (고개 휙 돌아가고) ....!

솔   (!!! 놀라고, 마음 아픈)

근덕   (때린 손끝 떨리고, 눈빛 흔들리는데) 그걸 말이라고... (화나서 씩씩대는) 너...수영 관둔다 소리 할 거면 집에 들어올 생각도 하지 말어. 알았어?!

선재   (울컥하는데 꾹 참는다. 그대로 휙 돌아 걸어가는데 솔과 마주친다) !

솔   선재야...

선재   (들키고 싶지 않았던, 얼굴 일그러지며 그대로 지나쳐 가고)

근덕   (혈압 올라 휘청하는)

그 광경 지켜보며 서 있던 솔. 걱정돼서 쫓아 달려가는.

씬/30 거리 일각 (N)

선재, 열받은 듯 빠르게 횡단보도 건너가고 있다. 눈물 참느라 눈 빨갛고. 솔, 선재 쫓아가려 뛰어가는데 신호 빨간불로 바뀐다. 쌩쌩... 차들 빠르게 지나가자 눈 질끈 감으며 뒤로 물러서는 솔.

다시 눈 떠 보면, 길 건너 선재 이미 사라지고 없다. 솔, 허망한 표정.

솔NA　운명은 바뀌지 않았다. 내 간절함을, 너의 안간힘을 비웃기라도 하듯, 여지없이 이렇게...

씬/31 솔이 집 솔이 방 (N)

착잡한 심정으로 방에 들어오는 솔. 책상에 털썩 앉는다. 일각에 놓인 탁상달력을 집어 들어 9월로 넘겨 본다. 가만 보고 있다가 1일 날짜에 '교통사고'라 적는데 글자가 사라진다. 반복해서 '교통사고'라 적어보는데, 적을 때마다 사라진다.

솔　(답답하다. 울먹이며) 내 사고도 못 막고 선재도 못 살려? 그런 게 어딨어...아무것도 못 바꾸면...그럼 난 여기 왜 온 건데... (책상에 엎드리는)

씬/32 자감고 체육관 로커룸 (N)

불 꺼진 로커룸 안. 굳은 표정의 선재가 로커문을 열고 안에 있는 짐들 확확 빼서 가방 안에 넣기 시작한다. 운동복, 수영복 등 거칠게 쑤셔 넣는데 문짝에 빼곡히 붙여놓은 종이들 보인다. 재활 운동법, 훈련 시간표 보이고. 훈련 날짜별 기록표 '목표 1분 49초대 돌파. 할 수 있다!' 등 그간 노력의 흔적들...

〈선재 회상 인서트〉
#재활훈련실 (N/D)
6개월 전, 수술 이후 시점. 어깨 붕대 감고 보호대까지 찬 선재, 고통 참아가며 재활 훈련하는 장면들 날 경과하며 몽타주로 보여진다. 땀 비 오듯 흘리며 재활 운동하는데, 나중엔 어깨가 더 이상 안 올라가는데도 이 악물고 소리치며 기어이 어깨 들어 올리고야 마는... 악착같이 훈련하는

선재 모습.

#다시 현실

힘들었던 시간들 떠오르자 울컥 감정 올라오는 선재. 종이들을 확 뜯어 구겨 버리고 열받은 듯 가방 내던지며 성낸다. 처한 현실 분해 죽겠고, 분 풀이하듯 로커문을 주먹으로 꽝!꽝! 계속 때려댄다. 이 분노와 절망감을 어찌할 바 모르겠는. 그 자리에 털썩 주저앉아 씩씩대는 선재 모습에서.

씬/33 한강 다리 위 (N) * 1화 30씬 같은 다리

선재, 다리 중간에 서서 야경 보고 있다. 괴롭고 심란한 마음이다.
잠시 후... "헛둘. 헛둘." 누군가 티 나게 소리 내며 달려온다. 보면 솔이다.

선재	! (놀란)
솔	(모른 척 선재 지나쳐 갔다가 다시 뒤로 달려오며) 류선재?
선재	... (황당)
솔	(어색하게) 어머 웬일이야. 아니 세상에 이런 우연이?!
선재	우연은. 연기하는 거 다 티 나.
솔	연기라니? 나 달밤에 여기 종종 뛰어. 운동 삼아. (헛둘헛둘 뛰는 시늉)
선재	(안 믿고, 다시 시선 돌려 야경 보며) 나 여깄는 거 어떻게 알았어?
솔	에이... 안 넘어가주네. (선재 옆에 서서 야경 보며)

〈솔 회상 인서트〉
#현재 솔이네 아파트 거실 (N)
(자막) 2009년 겨울
솔, 휠체어에 앉아 연말 가요시상식 보고 있다. TV 속, 이클립스 수상 소 감 중이다.

선재	(감격, 울음 꾹 참고) 작년에 제가 오랜 꿈을 접게 되면서 많이 힘들었 거든요. 한강 다리 위에서 반짝이는 불빛들을 보면서 그런 생각을 했어

요. 내 빛은 이제 꺼졌구나. 더 이상 빛나지 않겠구나...그땐 오늘 같은 날이 올 줄은 상상도 못 했는데... (뭉클한) 제가 이렇게 다시 빛날 수 있게 해주셔서...감사합니다.

솔, 두 손 모으고 함께 감동한 표정으로 선재 수상 소감 보고 있는.

#다시 현실

솔	누가 그러더라고. 힘들 때마다 여기 와서 몇 시간을 이러고 서 있었다고. 그 말이 생각나서 와보니까 니가 있네?
선재	그게 누군데?
솔	있어. 전에 여기서 나 우산 빌려준 사람. (미소)
선재	...?

솔, 선재 보는데, 순간 비 내리는 다리 위에서의 선재 모습(*1화 30씬)에서 다시 지금의 선재 모습으로 오버랩 되어 보여진다.

솔	근데 너 집에 안 들어갈 거야?
선재	...
솔	12시도 넘었는데. 가출이라도 하려고?
선재	너나 들어가. 늦었다.
솔	흠...우리 내기할래? 쩌~~기 다리 끝까지 먼저 뛰어가는 사람 소원 들어주기.
선재	또? 넌 뭘 내기에 한 맺혔어?
솔	왜? 질 것 같아서?
선재	이길 게 뻔해서지. 넌 내가 무슨 소원을 빌 줄 알고.
솔	그럼 이겨봐. 말도 안 되는 것만 아니면 무조건 다 들어줄게.
선재	...무조건? (살짝 혹하는데)
솔	(말 끝나기 무섭게) 5초 세고 출발해! (하며 냅다 뛰기 시작)
선재	(황당) 누가 한댔나... (솔이 멀어지자) 어어? 하...1, 2, 3, 4, 5! (빨리 세고 뛰기 시작)

한강 다리 위 달리기 시합하는 두 사람 모습.
선재가 금방 따라잡더니 솔을 역전해 지나친다. 솔, 어? 질 것 같고, 안 되겠다. 솔, 안간힘 쓰고 달리다 갑자기 "아!!" 하며 다친 듯 멈춰 선다.
선재, 멈칫, 돌아보면 솔이 다리 붙잡고 있자 놀라 되돌아간다. "왜! 다쳤어?" 보면, 솔이 맨발 붙잡고 아파하고 있고, 한쪽 신발이 저 뒤에 벗겨져 있는.

선재   잠깐 있어봐! (솔이 신발 주우러 달려가는)

솔, 선재가 돌아서자마자 씩 웃으며 냅다 달리기 시작한다.
선재, 솔이 신발 줍고 돌아보면 솔이 다리 끝에 먼저 도착한. 당했다!

씬/34 한강 공원 (N)

솔, 선재 시원한 음료수 마시고 있다. 시원한 강바람 솔솔 부는.

솔   시원~하다! 뛰니까 좋네.
선재   너 그거 반칙이야. 내기를 했으면 정정당당하게 해야지.
솔   반칙 규정 정한 것도 아니면서?
선재   하, 몰라~ 난 인정 못 해.
솔   스포츠맨십에 어긋나는 거 아니야? 결과에 승복해야지.
선재   참 나...
솔   (음료수 쫙 들이켜고 내려놓으며) 그럼 소원을 말해볼까...
선재   뭐, 집에 들어가라고 하려고?
솔   진실게임.
선재   뭐?
솔   10분. 딱 10분 동안만 솔직해지는 거야. 거짓말하지 않고 진심으로 대답하기.
선재   ...! (표정)

솔	(선재 손목 잡아끌어 선재가 찬 전자시계 타이머 맞추는)
선재	(그 모습 보는)
솔	시작!
선재	(살짝 긴장)
솔	음...살면서 제일 창피했던 순간은?
선재	(피식하며) 그게 왜 궁금한데.
솔	어? 솔직하게 대답해야지.
선재	흠...중학생 때 수영복에 구멍 난 줄도 모르고 대회 나간 거?
솔	그렇군...
선재	(피식) 뭐 이런 게 소원이래.
솔	(한강 다리 가리키며) ...너 저기서 무슨 생각했어?
선재	...
솔	많이 힘들지?
선재	... (힘들단 말 못 하는)
솔	(기다려주는)
선재	(말없이 강물 바라보다가) 우리 엄마가...오래 아팠거든.
솔	...! (처음 듣는 엄마 얘기다. 선재 보는)
선재	(담담하게) 근데 죽기 직전에 거의 1년 만에 웃었어. 그게 내가 처음 메달 땄을 때야. 그 전엔 수영, 힘들고 재미도 없었는데 그때부터 죽어라 하기 시작했어. 그 뒤로 메달 딸 때마다 생각해. (밤하늘 보며) 혹시 보고 있을까, 웃고 있을까.
솔	(짠하고) 기뻐하셨을 거야.
선재	(쓸쓸하게 웃으며) 그랬을까.
솔	...내가 널 멀리서 볼 땐 몰랐어. 네가 웃으면 정말 웃고 있는 건 줄 알았거든. 근데 아니었어. 아픈 거, 힘든 거 꽁꽁 숨기고 혼자 다 참고 견디고 있었더라고.
선재	! (어떻게 알았을까. 감정을 움켜쥐듯 주먹을 쥔다) ......
솔	선재야. 참지 마.
선재	(단단히 쌓아놓은 둑이 와르르)
솔	내 앞에서라도 아니, 10분 만이라도 맘껏 아파해.
선재	(울컥, 감정 쏟아지는)

| 솔 | (안쓰러운 마음으로) 혼자 견디지 마... |

선재, 눈시울이 붉어지고. 울음 참으려 습관처럼 주먹을 꾹 쥐는데... 솔, 그런 선재 손을 꼭 잡아준다. 선재, 고개 숙이는데 눈물이 툭 떨어진다. 한 손바닥으로 두 눈을 덮는다. 소리 없이 우는 선재, 등이 들썩인다. 그 모습을 안쓰럽게 바라보는 솔.

| 솔NA | 아직 너의 빛은 꺼지지 않았다고, 반짝이는 날이 올 거라고 말해주고 싶었지만...그럴 수 없었다. |

솔, 눈물이 그렁하고...선재를 품에 안고 떨리는 등을 달래주듯 쓸어준다.

| 솔NA | 선재야. 네가 이 밤을 어떻게 기억하게 될까. 내가 있어 조금은...견딜 만했던 밤으로 기억됐으면 좋겠어. |

한강에 뿌려진 도시의 불빛들이 아름답게 빛난다.

씬/35 주택가 외경 (D)

씬/36 솔이 집 거실 (D)

금이 트렁크 팬티 바람으로 도망가고 복순이 파리채 들고 쫓아간다.

복순	너 일루 안 와?!
말자	(복순 말리며) 아침 댓바람부터 왜 애를 잡냐!
금	(무릎 꿇고 올라앉아) 엄마 내가 잘못했어 응?
복순	(씩씩대며) 알면! 당장 연기학원인지 뭐시긴지 찾아가서 환불받아 와!
솔	(욕실에서 씻고 나오다 보고) 등록금 삥땅 친 거 들켰구만.
금	이미 수업 듣고 있는데 어떻게 환불을 받아~ 내가 배우로 성공해서 두

배 아니 열 배로 다 갚아줄게 응?

복순 아주 맞는 말만 하지! 처맞는 말만! (파리채로 찰싹 때리면)

금 아 따꺼! 아! (다시 도망치다 솔이 보고 버럭) 니가 일렀지! 어? 비밀 지켜준다며!

솔 아니거든? (한숨 쉬며 방으로 들어가는)

금 너 아니면 누군데! (소리치는데)

복순 (파리채로 때리며) 이 박복순이 뿌락치가 집에만 있는 줄 알아? 환불 안 받아 와?

금 아 엄마아! 안 해준다고오! (도망 다니는 데서)

씬/37 자감고 체육관 사무실 (D)

근덕, 양손에 커다란 류근덕 갈비 쇼핑백 들고 들어오며,

근덕 이놈이 안 하던 반항을 다 하고 말이야...도대체 뭐시 힘들어서 그러는지...으휴... (쇼핑백 내려놓고 손부채질 하며 안코치 찾는데)

안코치 (근덕 보고 뒤에서 달려오며) 아버님! 오셨어요?

근덕 아이고. 오랜만에 찾아뵙습니다. (웃는데)

안코치 선재는 좀 괜찮아요? (한숨) 제가 밤새 걱정이 돼서 여기저기 아는 의사들한테 전화도 해보고...

근덕 (O.L) 그게 무슨 말인지...우리 선재한테 뭔 일 있습니까?

안코치 (당황) 아...혹시 아직 못 들으셨어요?

씬/38 자감고 체육관 앞 (D)

근덕, 충격에 넋 나간 표정으로 걸어 나오다가 힘 빠진 듯 털썩 주저앉는다.

씬/39 자감고 건물 앞 (D)

• 방과 후. 솔, 가방 메고 서 있는데 인혁이 건물에서 나오다 솔이 발견.

인혁　어? 너! 우산! (반가운 듯 다가가고) 안녕.

솔　（가까이 선 인혁 보며 혼잣말) 넌...화면이 더 낫구나.

인혁　응?

솔　（급 째려보며 OFF) 따지고 보면 다 이놈 때문이다... (먹살 잡으며 ON) 니놈 팬들이 선동질해서 선재한테 악플 공격에 온갖 루머 만들고 독극물 테러까지 하고! 니 팬들 아니었으면 우리 선재 우울증 걸릴 일도 없었거든?! (버럭하는데, 상상이다)

인혁　너 눈에 살기가 있다?

솔　（화 참으며) 아니다~ 지금의 니가 뭘 알겠니. 선재 어제 너네 집으로 간 거 맞지? 잘 들어갔어?

인혁　어떻게 알았냐? 같이 있었어? 오...

솔　（걱정) 좀 어때? 많이 힘들어하진 않아?

인혁　（솔이 옆에 앉으며 한숨) 나도 걔 속을 모르겠다~ 뭔 말을 해야 알지.

솔　너도 나중에 후회 안 하려면 선재한테 잘해줘. 말 안 해도 마음 잘 살펴봐 주고...

인혁　넌 뒤를 잘 살펴봐야겠는데... (솔이 뒤쪽 보며 눈 점점 커지는) 어어...!

솔, "왜.." 하며 돌아보면, 공중에서 날아온 축구공에 얼굴 정면으로 맞고 뒤로 넘어간다. 인혁, 헉! 놀라는데... 축구공 찬 남학생 달려와 허리 숙여 솔이 살핀다. 쌍코피 흘리며 자빠진 솔이 시선에, 남학생 명찰 보인다. 이름이 '소방관'이다.

남학생　미안! 괜찮아?

솔OFF　어? (하늘이 빙빙 돌고) 나 이 장면 아는데...?

〈솔 회상 몽타주〉 *빠르게 스치듯 보여지는.

#1. 자감고 운동장 (D)

열아홉 솔, 현주와 방과 후에 걸어 나오는데 솔이 축구공에 맞아 뒤로 넘어간다. 솔, 쌍코피 흘리며 자빠지는데 남학생이 괜찮냐며 들여다보고. 이름 '소방관'인.

#2. 독서실 (D)
솔, 코에 휴지 꽂고 있고, 현주랑 같이 독서실 등록하고 있는데.

현주 아까 걔 잘생겼지! 이름이 소방관이더라? 내 맘에 불을 지른 것 같애.
열아홉솔 (어이없어하는데 전화 와서 받는) 뭐? 불났다고?!

#3. 솔이 집 앞 (N)
솔, 뛰어오면 집 앞에 소방차 서 있고. 동네 사람들 구경하며 서 있고. 얼굴 새까매진 금이 바닥에 엎드려 기침하고 있는.

#4. 솔이 집 거실 (N)
주방 새까맣게 타 있다. 가족사진도 다 타버린... 말자와 복순, 주저앉아 울고 있는데. 놀란 솔이 "엄마!" 달려가 보면 복순 손등에 불에 덴 상처 보인다.

#다시 현실
솔, 벌떡 일어나 손등으로 코피 슥 닦으며 뛰어간다.
인혁, "야! 너 괜찮아?" 황당해하며 보는 데서.

씬/40 금 비디오&DVD 가게 + 자감고 운동장 + 솔이 집 주방 (3분할) (D)

지친 몰골인 금이 물 끓이고 있다. (그 옆에는 행주 삶고 있는)
금, 라면 봉지 뜯는데 복순에게 전화 와서 받는다.

복순 너 건물 청소 다 했어?
금 어~ 계단 창문까지 빡빡 다 해놨다니까...껌도 다 뗐다?

복순	그럼 202호 가서 변기 좀 뚫어. 자꾸 변기가 막힌다고 공사해달라고 난 리야.

솔이 뛰어가며 복순에게 전화 거는데 하필 금이와 통화 중이다.
솔, "왜 전활 안 받아!" 성질내며 다급히 뛰어간다.

금	아 엄마. 내가 죄인이라지만 남의 집 변기까지 뚫으래!
복순	내 건물이다! 뚫으라면 뚫어! 아, 그리고 행주 다 삶아졌으면 가스 불 꺼! (끊는)
금	에이! (성질내며 라면 물 올린 가스 불만 확 끄고 나가면. 행주 올려놓은 가스 불은 계속 켜져 있는 모습에서)

씬/41 자감고 교문 앞 (D)

솔, 택시 잡으려 손 흔들며, 금에게 전화 걸고 있다.

〈202호 화장실 인서트〉
금이 '뚫어뻥'으로 변기 뚫고 있고, 주머니에서 진동 울려도 모르는.

솔	왜 다들 전화 안 받아아! (하는데 바이크 탄 태성, 솔이 앞에 멈추는) !
태성	할머니 어디 마실 가?
솔	(다급히) 잘 만났다. 나 좀 태워주라!
태성	태워주고 싶은데 아주 바쁜 일이 있어가지구. 미안. (씩 웃으며 출발하려 는데)
솔	(붙잡고) 집에 불이 나서 그래! 응? 제발.
태성	진짜? 불났으면 신고를 해. 119 번호 몰라? 받아 적어 1, 1, 9...
솔	그게 아직 불이 확실히 난 게 아니라서...이번엔 꼭 막아야 된단 말이야! (간절한) 내가..막아야 돼..!
태성	(뭐가 이렇게 간절한가 싶은 표정)
솔	(다급한 표정) 안 태워줄 거면 마. (다시 급하게 뛰어가는데)

태성	(솔 옆으로 달려가 바이크를 멈춰 세운다) 빨리 타.
솔	?!
태성	안 탈거야?
솔	!!! (얼른 바이크 뒷자리에 올라타면 바이크 부앙- 출발)

그때, 가현과 패거리들 걸어오다가 그 모습 본다. 가현, 열받은 표정. !!

씬/42 솔이 집 거실 (D)

가스 불 계속 켜져 있다. 냄비 물 다 졸아 있고 행주에 살짝 불이 붙는다. 그때, 현주가 씩씩거리며 들어온다. "임솔!!" 솔이 방문 열어 보는데 솔이 없는.

현주	끝나자마자 튀어 나가더니 또 어딜 간 거야? 나랑 독서실 등록하기로 해 놓고! (씩씩대며 소파에 앉아 문자 친다. **'너 또 야자 째고 어디 갔냐?'**)
금	(들어오며) 하...하얗게 불태웠어... (현주 보고) 너 언제 왔냐?
현주	아 냄새! (코 막고) 설마 바지에 똥 쌌어요?
금	아무리 그래도 어른인데 똥을 쌌겠냐? (뚫어뻥 흔들며) 이거 안 보여?
현주	아 드러~ 아 좀 씻든가~ 최악이야 진짜~

금이 씩씩대며 욕실에 뚫어뻥 던져 넣고 문을 쾅! 닫는 순간, 행주에 붙은 불이 후드로 옮겨 붙는다.

금	넌 왜 맨날 이 오빠만 보면 벌레 보듯 하는 거냐? 이참에 이유나 좀 묻자!
현주	옛날에 술 먹고 내 신발에 오바이트한 건 기억 안 나나 봐요? 되게 트라우만데.
금	(할 말 없고) 난다! 나! 내가 깨끗하게 빨아줬잖아! 그걸 아직까지 담아 두고 있냐?

씬/43 솔이 집 앞 + 솔이 집 거실 + 건물 계단 (교차) (D)

#솔이 집 앞

태성 바이크 서고, 솔이 내린다. 3층 창문 밖으로 연기 새어 나온다.
솔, 태성 둘 다 헉! 놀란 표정.

#솔이 집 거실

현주   그리고! 내가 가장 질색하는 인간상이 다섯 부류가 있거든요. 첫째. 청결
       하지 못한 사람. 둘째, 게으른데 밥만 축내는 사람. 셋째, 나잇값 못 하는
       사람. 넷째, 허황된 꿈을 꾸는 사람. 다섯째, 이 네 가지를 다 갖춘 사람.
       바로 임. 금.

금   (반박 못 하다가) 와하하! 야, 허황된 꿈이라니! 내 꿈을 알아?

현주   (거실에 연기 번지는데 모르고) 등록금 삥땅 쳐서 연기학원 등록한 거
       다 알거든요?

금   니가 그걸 어떻게 알아.

현주   거기가 수학학원 바로 앞이거든요. 보니까 연기도 별로던... (말하다가 입
       막고 헉!)

금   (O.L) 니가 뿌락치였냐?

#건물 계단

솔, 태성 뛰어 올라가는데, 2층 세입자가 문 열어놓고 식탁을 옮기고 있
어 길이 막힌다. 발 동동 구르다가 솔, 식탁 밑으로 기어가고 태성, 점프
해 넘어가는.

#솔이 집 거실

현주   근데 뭐 타는 냄새 나는 것 같은데...

금   내 속이 불타고 있다! 동생 친구라 오냐오냐해줬더니!

       그때, 솔과 태성 뛰어 들어오면 거실이 연기로 자욱하고. 그제야 불난 것

보고 경악하는 금. 태성, 연기 빼려고 창문 열어젖히는데.

한편, 연기를 들이마신 현주가 픽 쓰러진다. 놀란 금이 "현주야!!" 소리치며 쓰러진 현주를 들쳐 업고 뛰어나가고. 솔, 식탁에 놓인 물병 들고 불에 물 쏟아 부어 끄려는데 안 되자 발매트를 들고 내려친다.

태성 야 위험하게! 나와봐. (솔을 뒤로 잡아끌곤 셔츠 벗어 내려치며 불 끄기 시작하는데 안 되겠다 싶은지 밖으로 뛰쳐나간다)

솔, 식탁보까지 잡아끌어 내려치며 불 끄고 있는데, 소화기 들고 다시 뛰어 들어온 태성이 "비켜봐!" 소리치며 소화기를 뿌린다. 그렇게 간신히 불 꺼지고... 보면, 주방 바닥이랑 식탁 다리 까맣게 그을려진.

복순 이게 뭔 냄새야... (하며 들어오는데 주방 꼴 보고 경악) 어머어머! 이게 뭐야! 불났어?! 어떡해 이거어어! (소리치며 방방 뛰는)

분말가루 뒤집어쓴 솔, 깨끗한 복순 손, 타지 않은 가족사진 보며 안도.

솔 막았어...내가... (힘 빠져 털썩 주저앉는 데서)

씬/44 솔이 집 옥상 (D)

금이 현주 업고 올라와 평상에 눕힌다. "야! 숨 쉬어!" 현주 얼굴 흔들어 깨우는데 의식 안 돌아오자 다급해져 현주 코 잡고 인공호흡 하려 한다. 그때, 번쩍 눈을 뜬 현주 시야에 금이 숨 크게 들이마시고 고개 숙여 가까이 다가오는 모습. 순간 현주 질색하며 금이 입에 주먹을 날린다.
뻑! 하는 소리와 함께 금이 입 막고 뒤로 나자빠지고.

현주 (벌떡 일어나) 지금 뭐 하는 거예요?
금 (억울해하며 손 떼면, 입술에 피 흐르고 손에 앞니 하나가 떨어진다) !!!
현주 헉! (당황)

금   (앞니 빠져서는 오만상) 야아아이이이! 내 이쁘아르... (울먹이는)

씬/45 솔이 집 앞 (해 질 녘)

태성, 바이크에 앉아 있고. 하얀 분말 뒤집어쓴 솔, 태성 배웅하고 있다.

솔   (벅차고 다시 희망이 생긴) 오늘 정말 정말 고마웠어. 덕분에 운명을 바
         꿨거든.
태성   (그 말에 우쭐해지고) 뭘 또 운명까지~
솔   암튼 이 누나가 조만간 크게 한턱 쏠게.
태성   이런 식으로 은근슬쩍 나랑 데이트하려는 거야? 애쓴다~
솔   (어이없고) 싫음 말고. 잘 가라. (머리 분말 툭툭 터는데)
태성   (솔이 얼굴에 묻은 검댕 자국 빤히 보며 씩 웃는)
솔   왜?
태성   거기, 코 옆에도 묻었다. (하며 솔이 코 옆 가리키면)
솔   여기? (손으로 닦으면 검댕 자국이 더 크게 번진다) 됐어?
태성   (웃긴데 참고) 응. 깨끗해졌다. 이쁘네~
솔   바람둥이 저거 아무한테나 이쁘다고... (구시렁)

태성, 씩 웃으며 솔이 보고 있고. 솔, "안전운전 해라. 응?" 누나처럼 잔소
리하고... 노을 진 하늘 아래. 두 사람 모습에서.

씬/46 인혁 자취방 (N)

누워서 눈 감고 있는 선재. 아픈 듯 인상 쓰고 있는데. 문 열리는 소리에
눈 뜬다. 보면, 근덕이 들어오며 협탁에 다 까먹은 진통제 상자 본다. 속
상한 표정.

선재   (놀라 일어나며) 아부지..!

근덕   (맘 아픈데 애써 숨기고) 학교도 빠지고 왜 여기 자빠져 자고 있었어?

선재   (죄송한 표정) ....

근덕   일어나 어서. (선재 가만있자) 아, 따라 나와 빨리! (먼저 나가고)

씬/47 거리 일각 (N)

근덕, 앞서 걷고... 선재 한 발짝 뒤에서 걷고 있다.

근덕   (착잡한 심정, 걷다가 멈춰서 돌아보며) 아니 넌 그 중요한 얘길 왜 숨겨 숨기긴! 너 부상 때문에 또 수술해야 된다 그러면 누가 욕을 하냐, 혼내 기를 하냐. 어?

선재   ... (할 말 없고)

근덕   이 미련한 놈아..니가 나보다 머리통 하나 더 크다고 어른 된 줄 알지? 아 프면 아프다고 애비한텐 바로 말했어야지, 왜 나쁜 애비 만들어?

선재   (눈물 꾹 참는다) 죄송해요...

근덕   (다시 돌아서서 걸어가며 후회스러운 듯) 으휴...눈치 없이 잔치한답시고 온갖 사람 다 불러 모아 그 난리를 쳤으니...

선재   (다시 쫓아 걷는데, 마음 아픈)

근덕   (속상해 다시 멈춰서 돌아보며) 지금 너 어깨 무지하게 아플 거라던데!

선재   (대답 못 하고)

근덕   (속 터지고) 빨리 치료받아야지 언제까지 참으려고. 평생 팔 못 쓰고 싶 어?

선재   ... (눈물 참는)

근덕   월요일에 병원 예약해놨으니까 일단 수술 날짜부터 잡아. 아프지 않게 어깨 고쳐놓고! 그 담에 재활을 하든 때려치든 생각해.

선재   죄송해요...

근덕   속이 문드러질 놈이 죄송은...봐봐! (선재 턱을 투박하게 잡고 때렸던 뺨 살피는데 가슴 미어지고) 멍은 안 들었네. (다시 홱 돌아 걸어가며 눈물 훔친다)

선재   (쫓아 걸어가며, 죄책감 덜어주려) 힘도 약해졌더만.

근덕	뭐어? ...너 그 비디오 내가 반납했어.
선재	(갸웃하다 기억난) ...?!
근덕	디비디 빌려서 집에서 당당하게 봐! 몰~래 비디오 빌려서는 연체료를 그냥 만 오천 원씩이나... (구시렁대며 가고)

선재, "아부지 그게 아니라..." 하며 근덕 옆으로 가 선다.
근덕, "하여간 매사 말을 안 해 이놈은." 툴툴.
어느새 나란히 걸어가는 선재, 근덕 모습에서.

씬/48 솔이 집 옥상 (N)

솔, 가족사진 보고 있다. 사진 속 아빠 얼굴 쓸어본다.

솔	우리 가족 다 같이 찍은 사진 이거밖에 없었는데...내가 구했네. (미소)

그때, 대문 소리에 내다보면 근덕, 선재 들어간다. "왔네.." 안도하는 데서.

씬/49 대학병원 외경 (D)

씬/50 대학병원 복도 + 수술실 앞 (D)

어깨 수술 준비 마친 선재, 침대에 누워 수술방으로 이동하고.
근덕, 애써 덤덤한 척 "잘 받고 나와 아들." 하며 들여보낸다.
수술방 화면 '수술 중'으로 바뀌는.

씬/51 대학병원 병실 + 병원 복도 (교차) (N)

선재, 수술 끝난 듯 수술 부위 어깨에 붕대 감고 누워 있다.
회진 온 의사가 수술 결과 말해주고 있고, 근덕 긴장한 표정으로 듣는.

의사　회전근 봉합은 일단 잘됐습니다. 근데 회전근개가 극상근, 견갑하근까지
　　　90퍼센트 이상 파열됐더라구요. 관절와순 손상도 심각하고...
근덕　그러면... (절망적인)
의사　(한숨) 사실상 어깨가 완전히 무너졌다고 보시면 됩니다. 마음 힘들겠지
　　　만, 의사로서 선수 생활을 다시 할 수 있을 거라... 장담해줄 순 없겠네요.

#병원 복도
솔, 의사 얘기 다 들은, 심장 쿵! 문고리 잡고 있던 손 툭 떨어트린다.

#병실
근덕, 감정 주체가 안 되는 듯, 창가로 돌아선다.
선재, 이미 예상한 듯 고개 끄덕이며 담담한 표정이다.
의사와 간호사 나가면서 문 여는데. 선재 시선에 복도를 휙 지나가는 솔
이 모습 얼핏 스치는데... 잘못 봤나? 싶고.

씬/52　대학병원 앞 일각 (N)

선재, 링거 스탠드 끌고 걸어 나온다. 바람 쐬며 숨 크게 들이마셨다가 내
쉬고... 산책로 쪽으로 터덜터덜 걸어가는데.
일각에 놓인 벤치에 앉아 있는 솔이 모습 보인다. 좀 더 가까이 다가가 보
는데 멈칫 멈춰 선다. 보면, 솔... 서럽게 흐느끼며 울고 있다. 가슴 두드리
며 끅끅대며 울고 있는 솔이 모습 가만 보고 서 있는 선재. 꼭 솔이 저 대
신 울어주고 있는 것 같다. 도대체 저 애한테 내가 어떤 의미이기에, 저렇
게 가슴 아프게 울어주는 걸까. 다 울 때까지 있어 주려는 듯. 솔과 좀 떨
어진 벤치에 털썩 앉는데. 솔의 울음소리 계속 들려오자... 왠지 마음 한
구석이 아리다.

선재   왜 니가 더 울고 있냐... (코가 시큰해진다)

선재, 촉촉해진 눈으로 밤하늘 바라보는데 별빛 하나가 눈물방울처럼 떨어진다. (F. O. F. I.)

씬/53 몽타주

#1. 병실 (D)
선재, 누워 있고. 간호사, 링거에 주사 놓고 상태 체크하고 있다.

#2. 병원 복도 (D)
선재 병실 문고리에 쇼핑백 거는 솔이 손 타이트.

#3. 병실 (D)

근덕   (쇼핑백 들고 들어오며) 이거 누가 너 주려고 놓고 갔나? (꺼내 보면 도시락과 유리병에 담긴 박하사탕)

선재   (박하사탕 보자 솔이인 줄 알겠고, 표정 있는) !!!

#4. 솔이 집 주방 (D)
솔, 3단 도시락에 정성스레 도시락 싸는 모습.

#5. 병실 (N)
선재, 쇼핑백 안에서 3단 도시락 꺼내는데 사진 한 장 팔랑 떨어진다. 들어보면, 솔이랑 찍은 사진이다. (선재가 솔이 볼에 볼하트 한 사진)

인혁   (얼굴 들이밀며) 오...포즈 뭐냐 이거? 혹이냐?

선재   혹이라니! 딱 봐도 하트지. 봐! 하트! (솔이 얼굴에 손으로 하트 그리며 씩 웃는) 근데 왜 몰래 두고 가...들어오지. (아쉬운 표정)

#6. 병원 복도 (D)

선재 복도랑 병실 문 앞에서 왔다 갔다 하며 솔이 기다리듯 서 있다. 기다리며 박하사탕 하나 입에 넣는 모습.

(시간 경과)

잠시 선재가 자리 비운 사이, 솔이 걸어온다. 병실 문 앞에 커다란 박스 내려놓고 돌아서는데 근덕과 마주친다.

솔   (! 반갑고) 선재 아버님! (두 손 올리고 바닥에 엎드리며 큰절 올린다)
근덕   (당황) 아니, 왜 이래? 일어나요 학생!
솔   (다소곳이 일어나며) 선재 낳아주셔서 감사합니다.
근덕   혹시...여자친구?
솔   아유 제가 감히. 팬이에요! 그럼 만수무강하세요! (꾸벅 인사하고 후다닥 가고)

#7. 병실 + 병원 복도 (D)

선재, 병실 돌아오면, 간호사, 다른 침대 환자들, 간병인들 모두 손에 컵케이크 하나씩 들고 있다가 선재 보며 인사한다. "잘 먹을게요~"
선재, 갸웃하며 자리에 오면 연예인 조공 간식 비주얼의 간식 박스 놓여 있다. 컵케이크 포장지에 '우리 선재 잘 부탁드려요♡' 문구 적힌 스티커 붙어 있는.

근덕   니 팬이라는 애가 주고 갔어~
선재   (후다닥 뛰어나가 복도 내다보면 솔이 안 보인다. 아쉬운 표정에서)

씬/54 주택가 외경 (D)

씬/55 선재 집 앞 (D)

(자막) 일주일 후

솔, 냄비 들고 내려오면 근덕이 쓰레기봉투 버리러 대문 열고 나온다.

솔   (90도로 인사하며) 안녕하세요!

근덕   어? (알아보고) 우리 선재 팬? 근데 여기 어떻게...

솔   (뒤편 건물 눈짓하며) 저 요 앞집 살거든요. 선재 퇴원했나 봐요.

근덕   아아! 이웃사촌이었구마안! (반갑고) 선재 불러줄까?

솔   아니요~ 푹 쉬어야죠. 이거. (냄비 건네는) 복날이라고 저희 할머니가 토
         종닭 삶으셨거든요.

〈솔이 집 주방 인서트〉

말자, 가스렌지 위에 큰 솥(들통) 뚜껑 열어 보는데 토종닭 하나만 보인
다. "잉? 분명 세 놈 삶았는디 왜 한 놈 밖에 읎대?" 황당해하는 표정에서.

#다시 선재 집 앞

솔   선재랑 같이 드세요!

근덕   어? 아이고 이걸 받아도 되나...

솔   (O. L) 그럼요! 맛있게 드세요.

근덕   고마워서 어쩌나. 잘 먹겠다고 고맙다고 전해드려요. 아! 잠깐만 있어봐.

(컷 튀면)

근덕이 유리병에 담긴 오미자주 솔에게 주는.

근덕   이거 오미자 내가 담근 건데 여름에 시원하게 마시면 좋아. 할머니 갖다
         드려.

솔   (씩 웃으며) 감사합니다!

씬/56 선재 집 선재 방 (N)

선재, 침대에 멍하니 누워 있다. (*수술한 어깨에 간단한 보조기 차고 있음) 고개 돌려 일각에 놓인 박스 안에 메달, 트로피, 수영 관련 책들, 소년체전에서 첫 금메달 땄을 때 찍은 액자 사진 보며 한숨.

씬/57 솔이 집 솔이 방 (N)

솔, MP3로 음악 들으며 얼음컵에 담긴 오미자주 마시고 있다.

솔   오미자청 새콤하게 잘 담그시네? (목이 타는지 벌컥벌컥 들이켜며 얼음까지 아그작 씹어 먹는데) 날이 더워서 그런가? 왜 이렇게 열이 오르지? (갸웃하면서 한 컵 더 따라 마시려는데 이미 오미자주 한 병 다 비워져 있는) 언제 다 마셨지?...어후 더워. (창문 활짝 여는데 대문에서 나와 걸어가는 선재 보인다) 어...?!!

씬/58 자감고 수영장 (N)

아무도 없는 수영장. 레인 끝에 앉아 있는 선재. 푸른 수영장 물빛 바라보고 있다가... 손끝으로 물을 가만히 쓸어본다.
그때, 꽝 넘어지는 소리 들려 돌아본다. 어둠 속에서 "아..." 하는 신음 소리. 선재, 누군가 싶어 가까이 다가가 보면, 넘어져 있는 사람, 솔이다.

선재   (내심 반가운 표정) 또 너야?
솔   또 나야. 미안. 방해할 생각 없었는데... (비틀거리며 일어서다 바로 선다)
선재   (왜 저러지? 하며 보면, 솔이 얼굴이 벌겋고) 너 술 마셨어?!
솔   (세차게 도리도리하는데 살짝 취해 보이는) 아니?!
선재   (훅 숙여 얼굴 들이밀며) 술 냄새 나는 것 같은데?
솔   (억울) 무슨 소리야~
선재   (수상) 얼굴도 벌겋고?
솔   너네 아버지가 주신 오미자청 마셨거든. 그래서 열이 좀 오르나? (손부

채질)

선재   우리 아빠가 준 오미자?

〈선재 집 주방 인서트〉
근덕이 오미자 담긴 투명 통에 소주를 페트병째로 콸콸 들이붓는 컷.

선재   (헉) 야! 그거 술이야!

솔   (헙! 입 막으며) 뭐? 술맛 하나도 안 나던데?

선재   (못 살아. 이마 짚으며) 거기 들어간 술이 몇 병인데! 괜찮아?

솔   에이. 이 정도 가지고 뭘. (하는데 살짝 비틀)

선재   취했구만. (고개 저으며 솔이 끌어다 의자에 앉힌다)

솔   (털썩 앉으며) 안 취했어 진짜. 나 술 은근 쎄.

선재   어린 게 벌써부터...자랑이야?

솔   (맞다 나 열아홉이지. 아차 싶어 입 다무는)

선재   (솔이 옆에 앉으며 한숨)

솔   (선재 어깨 보조기 보며 맘 아픈) 근데...너 쉬어야 되는 거 아니야?

선재   며칠 병원에만 있었더니 답답해서. (하다가) 도시락 고맙다.

솔   (좋고)

선재   근데 왜 나 안 보고 갔어? 기다렸는데.

솔   그냥. 부담스러워할까 봐.

선재   ... (수영장 보며 잠시 말없이 있는)

솔   (선재 쓸쓸한 표정에 맘 아프고) 선재야.

선재   음?

솔   너 갑자기 다운돼 있으니까 좀...벽이 느껴진다?

선재   뭐?

솔   완~벽.

선재   (헉. 썰렁한) 이건 무슨 술주정이지?

솔   니 능력 솔직히 거품이거든?

선재   (뭔 말을 할지 무서운) 하지 마.

솔   언빌리버블~

선재   (헉. 소름) 하지 말랬지.

솔	뭘 그렇게 싫어하냐? 징하다 징해.
선재	제발.
솔	어메이징~~
선재	(귀여웠다. 웃을 뻔하는데 아닌 척) 재미없다~~ 그만해.
솔	(실망한 듯) 치. 이거 예전에 완전 선재 웃음 버튼이었는데. 안 통하네... (구시렁대며 MP3 꺼낸다) 그럼 음악이라도 들을래?
선재	(피식 웃으며 받아 들고, 이어폰 귀에 꽂으며 반대쪽 건넨다) 자.
솔	(이어폰과 선재 번갈아 본다. 같이 듣자는 건가? 조심스레 받아 귀에 꽂는)

M. 김연우 '이미 넌 고마운 사람' 흘러나온다.

솔OFF	팬들한테 자주 불러줬던 노래네. (입가 미소, 눈 스르르 감고 노래 듣는)

나란히 앉아 음악 듣는 두 사람 모습.
잠시 후, 솔이 고개 꾸벅 떨구자 선재, 팔 뻗어(*보조기 안 찬 쪽) 솔이 얼굴을 당겨 어깨에 기대게 한다.

선재	(어깨에 기대 잠든 솔이 보며) 다행이네. 한쪽은 멀쩡해서.

(시간 경과)
음악 다 끝나고. 조용하다.
선재, 솔이 귀에서 조심스레 이어폰 빼주려는데.
솔, 잠결에 선재 가슴팍에 얼굴을 부비부비한다.
선재, 두근! 놀라 벌떡 일어나며 MP3 떨어트린다.
솔, 고개 꾸벅 떨구며 잠에서 깨는데. 양 볼이 더 빨갛고, 눈 반쯤 풀려 있다. 취한 솔이 시선 컷. 선재가 등신대(*1화 솔이 방에 있던)처럼 보인다.

솔	어? (벌떡 일어나면서 바닥에 MP3 발로 꾹 밟는) 이거 내 보물 1혼데.
선재	또 시작이네. (MP3 주워든. *화면에 녹음 표시) 가자. 늦었어.
솔	어? 말도 하네?! (눈 꿈뻑이면 등신대 광고 의상 입은 톱스타 선재로 보

이는) 우와. 광고를 찢고 나왔나아. 막 살아 움직이네?

선재   (아까 하던 농담인 줄) 재밌다. 재밌어 그래. (일부러 씩 웃어준다) 이제 됐지?

솔   (마음 아픈) ...예쁘게도 웃네.

선재   뭐?

솔, 선재 웃는 얼굴 보고 있다가 다리 힘 풀려 휘청한다.
선재, 반사적으로 솔이 허리 감싸 안는데, 솔과 가깝게 마주 본다. 두근두근.
솔의 시선엔 계속 삼십대 톱스타 선재로 보인다. 슬픈 눈으로 바라보다
선재 얼굴을 조심스레 어루만지는 솔.
순간, 두 사람을 둘러싼 공기가 팽팽해진다.
선재, 심장이 요동치고... 더는 숨길 수 없는 마음이다.

선재   ...좋아해.

솔   ... (표정)

M. 김형중 '그랬나 봐' 흘러나온다.

선재   내가 너...좋아한다고.

솔   (애틋하게 보는)

선재   (긴장)

솔   (여전히 연예인 선재로 보이고) 계속 이렇게 웃어주라.

선재   ...?

솔   내가...옆에 있어 줄게.

선재   (꼭 고백에 대한 대답 같은) ...!!

솔   힘들 때 외롭지 않게, 무서운 생각 안 나게...그렇게 평생 있어 줄 테니까...오래오래 살아ㅈ...

선재, 심장 터질 것 같고, 솔이 말이 채 끝나기도 전에 다가가 그대로 입
맞춘다. 솔, 자기도 모르게 눈이 스르르 감기는 데서... 블랙아웃.

씬/59 솔이 집 솔이 방 (D)

솔, 부스스한 몰골로 "아이고 두야..." 하며 힘없이 일어난다.

씬/60 버스 안 + 버스정류장 (교차) (D)

솔이 창가에 자리 잡고 앉으면 출발하는 버스.
창밖으로 막 뛰어오는 선재 모습 보인다. (처음으로 교복 차림. 어깨 보조기 찬) 솔이 탄 버스 놓쳐 아쉬워하는 선재. 뒤이어 도착한 버스에 뛰어 올라타는 모습.
한편, 솔, MP3 음악 들으며 가고 있다.

솔   아~ 같이 음악 들은 것까진 기억나는데...간만에 과음을 했더니 기억이 안 나네... (헉) 혹시 막 술주정 부린 건 아니겠지? 아, 몰라. (유리창에 머리 콩콩 박는)

씬/61 자감고 앞 거리 또는 자감고 인근이나 교정 (D)

솔, 버스에서 내려 터덜터덜 걸어가고 있는데.
MP3 음악 끊기고. 이어서 전날 밤에 녹음된 음성 흘러나오기 시작한다.

솔(E)   어? 이거 내 보물 1혼데.
선재(E)   또 시작이네. 가자. 늦었어.
솔   (헉! 놀란 표정으로 MP3 보면 녹음 파일 재생 중이고) 뭐야. 언제 녹음된 거야!
솔(E)   어? 말도 하네?! 우와. 광고를 찢고 나왔나아. 막 살아 움직이네?
솔   (헉!) 미쳤구나 내가!

한편, 태성, 바이크 헬멧 벗고 있는데 가현이 따지고 있다.

가현   야 김태성. 애들이 얼마 전에 너 여자랑 있는 거 봤다던데 누구야?

태성   (씩 웃어주며) 너 몰라도 되는 여자. (다시 표정 싹 굳히며 바이크에서 내리는)

가현   니 주변 여자 애들 내가 싹 다 털어서 모르는 애가 없는데 무슨! 누구냐고!

태성   (귀찮은 듯 가현 뒤 보며 거짓말) 어? 학주다!

가현   안 속아.

태성   (안 아쉬워하며) 아~ 아쉽네. (지나쳐 가려는데)

가현   (태성 손 탁 잡으며) 입술 개지? 전에 걔 바이크 태워준 거 다 봤어. 난 한번도 안 태워줘놓고 걘 왜 태워준 건데? 설마 걔랑 사귀는 거야?

태성   (표정 굳고. 손 탁 쳐내며) 그 질문은 뭐냐. 걔랑 사귀면 안 돼?

가현   당연하지! 어떻게 니가 그딴 애랑 사겨? 말이 돼?

태성   (멀리 걸어오는 솔이 보인다) 그럼 말이 되게 해줘?

가현   ...?!

태성   (획 돌아 바로 솔이 쪽으로 성큼성큼 걸어가는)

한편, 버스에서 내린 선재. 멀리 걸어가는 솔이 모습 보고 반가운 표정.
선재, 솔에게로 걸어가다가 점점 발걸음 빨라져 달려가는데.
M. 벨 'stay'

선재(E) 재밌다. 재밌어 그래. 이제 됐지?

솔(E)   예쁘게도 웃네.

솔   망신살 이거 어떡할 거야... (창피해 죽으려 하는데)

그때, 불쑥 나타난 태성이 솔이 앞에 선다.
그 모습 보고 달려오다 멈춰 서는 선재.

태성   마침 딱 만났네 할머니? (씩 웃고)

가현   (태성 쫓아 나오다가 솔, 태성 모습 씩씩대며 보고 있는)

솔	뭐라고? (이어폰 빼는데, 이어폰에서 선재 목소리 흘러나오는)
선재(E)	좋아해.
선재	(두 사람 보고 있는데 왠지 불안하다)
태성	나랑 사귈래?
선재(E)	내가 너...좋아한다고.
솔	뭐어? (놀란 표정)
선재	! (철렁. 굳은 표정에서)

〈인서트〉

솔이 손목에 선재 시계. 3:00:00에서 2:00:00으로 탁 바뀌며 빛난다.

그 순간, 시공간이 멈추고. 솔, 땅으로 확 꺼지는 데서 블랙아웃.

씬/62 현재, 호숫가 (N)

〈인서트〉

시공간이 멈춰 있는 도심 일각. 시계탑 또는 어딘가에 걸려 있는 시계 초침이 0시 정각에서 째깍하며 한 칸 움직이는 컷.

솔이 눈을 확 뜨는 순간, 시간이 다시 흐르며 주위 소음이 들려온다.
솔, 시선 내려 다리 본다. 안 움직인다. 혼란스러운 표정.
두 손을 짚고 몸을 일으키는데, 옆에 놓인 휠체어가 보인다.

씬/63 자감고 앞 거리 (D) + 호숫가 (N)

#자감고 앞 거리

열아홉 솔. 마치 막 잠에서 깬 듯 어리둥절한 표정. 주위 둘러본다.

태성	(다시 솔이 보며) 너 나 좋아한다며.

열아홉솔 (얼떨떨) 김태성이다...!

선재 (열받은 표정)

태성 왜, 나랑 사귀기 싫어?

선재 (주먹 꽉 쥐고 태성 쪽으로 성큼성큼 걸어가는데)

열아홉솔 (두근두근 넋 나가서 고개 젓는) 아니. 좋아...!

선재 (심장 쿵. 상처받은 표정)

#자감고 앞 거리 + 호숫가 (2분할)

태성 보며 설레는 표정의 2008년의 열아홉 솔이 모습.

한편, 현재. 건너편 전광판에 속보 이어진다. 〈*故 류선재 부검 예정*〉

충격받은 솔이 모습에서...

4화

그냥 다...다 고맙죠.

이 세상에 존재해줘서.

씬/1 선재 밴 안 + 한강 다리 위 (N) *1화 29씬 선재 시점

(자막) 2022년 12월 31일 콘서트 당일
달리는 밴 안. 선재(*의상 갈아입은) 창밖에 눈 오는 풍경 보며 생각에 잠겨 있다. 동석, 운전하며 룸미러로 선재 눈치 살피는데... 선재, 지치고 힘들어 보인다.
그때, 선재, 다리 위에서 눈 맞고 있는 솔이 모습 발견한다.
점점 가까워지자 솔이 얼굴 선명히 보이고. 놀란 표정.

선재   (다급히 동석에게) 잠깐 세워봐!
동석   (당황해하며 급히 세우고) 갑자기 왜요?

선재, 시린 손에 입김을 불어넣고 있는 솔을 본다. 환영인가 싶어 눈을 가늘게 좁혔다 뜬다. 진짜, 솔이다.
그때, 멈춰 서 있는 밴을 의아한 듯 보는 솔.
그 순간, 선재. 선팅된 창문을 사이에 두고 꼭 솔과 눈이 마주친 것 같다.
심장이 쿵, 내려앉는다. 애틋한 시선으로 잠시 솔을 바라본다.

동석   형 아는 사람이에요? (선재 돌아보는데)
선재   (갑자기 일어나더니 우산 집어 들고 차 문을 확 열고 나가는)

씬/2 한강 다리 위 (N) *1화 30씬 선재 시점

선재가 우산을 펼쳐 들며 솔이 쪽으로 다가간다. 솔에게 우산을 기울여 씌워주며, 솔의 다리, 휠체어를 가슴 아픈 눈으로 본다. 그러다 머리에 자신의 이름으로 된 LED 머리띠를 보는데, 웃음이 날 것 같으면서도 먹먹한 기분.

선재   (울컥하는) ...왜이러고 있어요?
솔   (넋 놓고 보고 있는데)
선재   혹시 휠체어, 고장 났어요?
솔   어? 아...네.

선재, 솔이 모습 천천히 살펴보는. 눈 쌓인 어깨, 빨갛게 언 손 눈에 들어오자 안쓰럽다. 주머니에서 핫팩 꺼내 허리 숙여 솔이 손에 올려주는데 잠시 가까이서 솔과 눈이 마주친다.

선재OFF 하나도 안 변했네... (가슴 저릿하고. 아쉽게 일어나며 물러서는데 손끝이 스친다)
솔   (선재 얼굴 가깝게 내려왔다 멀어지자 심쿵한다. 너무 좋아서 눈물 그렁그렁)
선재   추워 보여서.
솔   (저도 모르게 핫팩 꼭 쥐고 꾸벅 인사하는데, 거의 울먹이며) 고, 고맙습니다.
선재   (울먹이는 솔이 보다가, 장난 섞인) 근데 왜 울지? 나 안 울렸는데?
솔   (훌쩍이며 감정 추스르고) 그게...너무 좋아가지구. 실은 제가 팬...팬이거든요.
선재OFF 기억, 못 하는구나... (씁쓸한 표정 스치고, 자신의 머리 톡톡 가리키며 ON) 그래 보여요.
솔   (LED 머리띠 만지며 민망한 듯) 아...!

선재	('♡선재업고튀어♡' 문구 보며 피식) 재밌네...
솔	(부끄러운 듯 웃으며) 10년 넘게 쓴 팬카페 닉네임이라...제가 데뷔 초때부터 쭉 좋아했거든요. 한눈 한 번 안 팔고!
선재	정말? (아쉬운 듯) 아...고맙네.
솔	(혼잣말처럼) 내가 더 고마운데.
선재	음?
솔	그냥 다...다 고맙죠. 이 세상에 존재해줘서. 팬들은 다 같은 마음이니까. (웃는다)
선재OFF	나도. 나도 그래 솔아.
솔	(코 훌쩍이는)
선재	(걱정과 아쉬움에) 근데 이거 고장 났다면서, 집엔 어떻게 가요?...태워줄까요?
솔	네?? (헉. 심쿵)
선재	내 팬이라는데. 그냥 두고 갈 수도 없고.
솔	(대박! 이게 꿈인지 생시인지! 저도 모르게 고개 끄덕이려는데)
E	클랙슨 소리

솔, 선재 돌아보면. 현주 차 세워두고 창문 내리고 솔이 보며 손 흔든다.

솔	하하...친구가 데리러 와버렸네요. (아쉬워 죽겠고)
선재	... (표정)

한편, 차에서 내리던 현주가 솔이 앞에 선 선재 얼굴 알아본다.
"대애박! 웬일이니, 어머어머." 하며 구경하듯 보고.
솔, 멀찌감치 서서 구경하는 현주 보며, 이제 가야 할 시간이구나 싶다.

솔	(선재에게 꾸벅 고개 숙이며) 오늘 정말 고마웠어요... (하는데)
선재	(한쪽 무릎 꿇고 앉아 솔이 손에 우산 쥐여 준다) 이거 쓰고 가요.
솔	...! (표정)
선재	(아쉬운 미소)
솔	(아쉽고) 자, 잠깐만요! (가방 뒤적이며 뭔가 찾고)

선재   ... (가만 지켜본다)

솔   (작은 박하사탕 병 꺼내 주며) 줄 게 없어서 아쉽지만. 그래도...이거 좋아
       하잖아요. 이거라도. (해사하게 웃는다)

〈선재 회상 인서트〉
과거 솔이 노란 우산 씌워주고 박하사탕 주며 활짝 웃던 모습 스친다.

선재   (씁쓸한 듯 웃는)

씬/3   선재 밴 안 + 한강 다리 위 (N)

선재, 박하사탕 병 보는데... 아쉬운 듯한 표정.
다시 창밖 보는 선재. 출발해서 떠나는 현주 차 본다. 한숨을 내쉬자 창문
에 하얀 김이 번진다. 떠오르는 과거의 기억.

〈선재 회상 인서트〉
#1. 버스 안 (N) *2008년 솔이 사고 날
열아홉의 선재(*반팔 티에 하얀 교복 셔츠 걸친. 춘추복), 뒷자리에 앉아
앞자리에서 꾸벅꾸벅 조는 솔(*춘추복)을 보며 피식 웃고 있다. "볼 때
마다 졸고 있네." 그때, 버스가 정류장에 멈추자 선재, 내리려고 일어서
며 솔이 쪽 보면. 선재, 열린 문과 잠든 솔이 번갈아 보며 당황스런 표정.
"어? 내려야 되는데..."
선재, 솔이 어깨 흔들어 깨우려다 차마 못 깨우고 망설이던 찰나, 버스 문
이 닫히며 출발해버린다. 선재, 어쩌지, 싶은 표정인데. 그대로 도로 달리
는 버스...
선재, 다시 깨워보려 솔이 어깨로 조심스레 손 뻗는 순간, 고개를 뒤로 완
전히 젖히고 입 벌리고 자는 솔을 보며 저도 모르게 피식 웃음이 난다. 선
재, 깰 때까지 같이 가주기로 마음먹은 듯 옆자리(*오가는 통로 건너편
옆자리)에 털썩 앉는다.

(시간 경과)

솔, 무아지경으로 자고 있고.

한편 선재, 일어나려고 가방 드는데, 열려 있던 지퍼가 더 벌어지며 가방에 있던 물건들이 바닥에 쏟아져버린다. 한숨 쉬며 허리 숙여 물건 줍기 시작하는데.

그때, 버스가 주양저수지 앞 정류장에 멈춘다. 순간 번뜩 잠에서 깬 솔이 창밖 확인하더니 놀라서 문 닫히기 직전 급히 뛰어 내리고.

선재, 떨어진 물건들 가방에 주워 담고 일어서는데, 졸고 있던 솔이 안 보인다.

#2. 응급실 앞 복도 (N)

열아홉의 선재. 고개 푹 숙이고 괴로운 듯 울고 있고, 손엔 피로 얼룩진 하얀 셔츠와 줄이 끊어진 전자시계를 꼭 쥐고 있는 데서...

씬/4   현재 솔이네 아파트 복도 + 입구 (교차) (N)

눈발 흩날리고 있다. 아파트 입구 쪽 가로등 아래 눈 맞으며 서 있는 선재. 선재, 눈물 차오른 눈으로 아파트를 올려다보고 있다.

아파트 중간층 복도에서 센서등 불이 하나 들어온다. 솔이 모습은 보이지 않는데, 솔이 휠체어를 끌고 지나갈 때마다 복도 센서등이 하나씩 켜진다.

한편, 아파트 복도에선 솔이 수동휠체어를 밀며 복도를 지나고 있다.

그 불빛을 눈으로 쫓는 선재. 잠시 후, 복도 끝 현관문 열고 들어가는 솔.

선재, 그제야 안타깝게 돌아서는 모습 slow. 뚜벅뚜벅... 일각에 세워둔 밴으로 돌아가는 선재 모습 뒤로 솔이 집 앞 센서등 불빛이 탁 꺼진다.

씬/5   호텔 스위트룸 + 테라스 (N)

테이블 위에 놓인 선재 핸드폰 진동 계속 울리고 있다. 발신자 '대표님'

떠 있고. 한동안 울리다가 전화 연결 끊기면. '부재중 전화 9통' 뜬다.

보면, 테이블 위에 비어 있는 술병, 뚜껑 열린 채 넘어져 있는 약통에서 흘러나와 있는 알약 몇 알. 지갑. 그 옆에 박하사탕 병 놓여 있다.

활짝 열린 문밖으로 테라스 난간에 기대선 선재 보인다.

그때, (E) 딩동. 초인종 소리 울린다. 선재, 안 돌아본다.

(E) 딩동. 초인종 소리 다시 한번 더 울리자 선재, 돌아보는 데서... (F. O. F. I.)

씬/6   한국대병원 응급실 (D)

솔, 눈 뜬다. 천천히 주위 둘러보면 어수선한 분위기의 응급실 풍경이다.

간호사	(지나가다 솔이 보고) 일어나셨어요?
솔	(손에 링거 연결되어 있고 혼란스러운) 제가 여기 왜...
간호사	길에 쓰러져 계셨었대요. 조금 기다리시면 간단히 진료받고 검사 진행...
솔	(O. L) 혹시 지금 몇 년도예요..?
간호사	네? 2023년이죠? (이상한)
솔	('한국대병원' 글자 보고 정신 차린) 선재야...! (이불 확 걷으며 몸을 옆으로 돌리는데 움직이지 않는 다리 때문에 침대 밑으로 떨어진다)
간호사	(놀라 솔이 붙잡아주며) 괜찮으세요?!
솔	(고개 돌려보면 옆에 놓인 휠체어 보이는) !

씬/7   한국대병원 복도 (D)

솔, 휠체어 끌고 나오는데 국과수 직원들이 솔이 옆을 스쳐 지나간다.

솔, 방향 돌려 다급히 쫓아가 보면.

복도 끝. 근덕이 바닥에 주저앉아 오열하다가 실신할 듯 뒤로 넘어가고.

현수, 제이 그런 근덕을 챙기며 슬퍼하고 있다. 조금 떨어진 일각에선 인혁이 눈물을 훔치며 장형사와 대화하고 있는데. 그 모습을 본 솔, 선재 죽음이 현실로 다가와 마음 무너지고 울컥 눈물 차오른다.

그때, 병원 직원이 솔이 앞을 막아선다. "이쪽은 외부인 출입 금지라서
요." 솔, 뒤로 물러서는데, 일각에서 인혁이 고개 돌려 솔이 보는 표정.

씬/8 한국대병원 로비 + 입구 (교차) (D)

솔, 입구로 나오면 수많은 기자들과 울고 있는 이클립스 팬들 보인다.

솔OFF 다...꿈이었던 건가?

김대표 (울먹이며 인터뷰하는) 갑작스럽게 선재가 저희 곁을 떠났습니다. 유가
족분들, 이클립스 멤버들과 동료들 모두 이루 말할 수 없는 큰 충격과 슬
픔에 빠져 있고...사실 아직도 믿겨지지가 않네요..선재가... (울컥) 생전
에 여러 루머들과 악플들로 힘든 시간을 보냈습니다. 가는 길 편히 갈 수
있도록 추측성 보도는 자제해주셨으면 합니다.

기자들 유서는 따로 안 남겼나요? / 정확한 사인이 뭔가요?! (질문해대는데)

김대표, 눈물 훔치며 기자들 사이 빠져나가고.
팬들 통곡하는 소리 울려 퍼지고 무겁고 침울한 분위기.
솔, 울고 있는데... 누군가 부르는. "저...임솔 씨?" 돌아보면 장형사 서 있다.

씬/9 병원 안 카페 (D)

솔, 장형사 마주 앉아 있고.

장형사 많이 놀라고 힘드시겠지만...정확한 사고 경위를 조사 중이어서요. (비닐
팩 안에 든 솔 선재 즉석사진 건네며) 류선재 씨 유품에서 나온 사진입니
다.

솔 (혼란스러운) 이걸...어떻게...! (OFF) 꿈이 아니었어...

장형사 백인혁 씨가 사진을 보더니 임솔 씨를 바로 알아보시더라구요. 두 분...과

거에 알던 사이라고 들었습니다.

솔OFF   미래가 바뀌었잖아...!

장형사   (눈치 살피며) 혹시 어젯밤에 류선재 씨에게 심정적인 변화가 있어 보이진 않았는지, 평소와는 다른 행동은 없었는지 묻고 싶어서 이렇게 뵙자고 했습니다.

솔   ...네?!

장형사   임솔 씨가 어젯밤 류선재 씨가 사망 전에 마지막으로 만난 분이거든요.

〈솔 회상 인서트〉 * 1화 30씬
선재가 솔에게 우산 씌워주던 장면 짧게 스치듯 보여지고.

솔   (쿵!) 그게...그때가...제가 마지막이라구요? (울컥) 아니요...선재가 그럴 줄은... (눈물이 손등에 뚝뚝 떨어지자 손목에 전자시계 보인다. 숫자가 2:00:00으로 바뀌어 있다) !!

씬/10 거리 일각 (N)

솔, 빠르게 휠체어 끌고 가고 있다. 간절한 표정.

솔OFF   살릴 수 있었어...! 다시 돌아가야 돼.

씬/11 호숫가 (N)

솔, 건너편에 전광판이 보이는 위치에 도착한다.

〈솔 회상 인서트〉 * 1화 47씬
솔이 시계 버튼 누르는 순간 과거로 갔던 컷.

눈 꼭 감고 떨리는 손으로 시계 버튼 눌러보는데, 아무 일도 일어나지 않는다. 다시 꾹꾹 눌러보는데 반응 없자 풀숲 쪽으로 간다.

솔, 휠체어에서 풀썩 내려와 풀숲에 엎드리면 지나가던 사람들 놀란 표정. 과거로 갔던 바로 그 지점에서 버튼 눌러보는데. 또 실패다!

솔   (울먹이며) 왜 안 되는데...왜! (계속 눌러보다 답답한지 시계 마구 때려보기도 하는데 아무 반응 없자) 뭐야...다시 갈 수 있는 거 아니야? (절망적인)

씬/12 경찰서 (N)

장형사, 호텔 CCTV 영상 보고 있다. 엘리베이터 앞 복도 화면이다.

후배형사 (빠르게 걸어와) 여기 1차 부검 소견 나왔는데 한번 보세요.
장형사   어. 나왔어? (영상 정지시키며 부검서 받아 들고 첫 장 넘겨보는데)

정지된 호텔 CCTV 영상 속에 남자 뒷모습 실루엣이 찍혀 있는 데서... 팬하면. 경찰서 일각에 놓인 TV 화면에서 선재 관련 뉴스 보도되고 있고.

씬/13 현재 솔이네 아파트 거실 (N)

불 꺼진 거실. 일각에 가족사진 걸려 있다. (*솔이 3화에서 불 끄고 지킨 사진) 솔, 허망한 표정으로 뉴스 보고 있다.

〈뉴스 화면〉

기자   경찰은 고인이 사망한 호텔방에서 발견된 편지를 토대로 수사한 결과. 고인이 오랜 시간 지속적으로 극성 안티팬들로부터 살해 위협과 자살을 종용하는 내용의 협박 편지를 받아온 것이 밝혀져 큰 충격을 전해주었습니다...

씬/14 현재 솔이네 아파트 솔이 방 + 한국대병원 건물 뒤편 (교차)
(N)

학창 시절 물건들을 모아둔 낡은 박스에서 오래된 다이어리를 꺼내 열어보는 솔. 맨 뒷면 홀더 안에서 솔이 갖고 있던 빛바랜 즉석사진을 꺼내 본다. 다시 차오르는 눈물. 돌아보면 일각에 선재가 준 우산이 보인다. 가슴미어져 흐느껴 운다.

솔NA   어제 너를 기억했으면 좋았을걸. 그랬다면...널 붙잡고 보내주지 않았을 텐데. 널 혼자 두지 않았을 텐데.

솔이 핸드폰에서 전화 벨소리 울린다. 솔, 받을 생각도 못 하고 슬픔에 빠져 있는. 벨소리가 끊겼다가, 연달아 다시 울리기 시작하자 솔이 힘겹게 몸 일으킨다.

솔   (핸드폰 보면 저장 안 된 번호고, 받아보는) ...여보세요?
인혁(F)   나야 백인혁...
솔   ...! (놀란 표정)

한편, 술에 취한 인혁, 인적 없는 곳에서 흐트러진 모습으로 통화 중이다.

인혁   (잠긴 목소리로 낮게) 나야 백인혁...아까 병원에...선재 보러 왔어?
솔   ...응.
인혁   어제 선재 만났다며.
솔   (후회되고 안타까움에 대답 안 나오는)
인혁   선재...어땠어...혹시 많이 힘들어 보였어? 난 그 자식 죽을 맘인 줄도 모르고... (흐느껴 우는) 내가 어떻게 했는데..미안하다고 해야 되는데...이제 여기 없잖아..
솔   (인혁 감정 전해지고, 같이 슬퍼하는)

인혁	(서럽게 울다가) 그거 아냐? 선재가...너한테 얼마나 미안해했는지?
솔	(무슨 말인지, 혼란스러운) 뭐?
인혁	너 그거 모르면 안 돼... (하며 핸드폰 쥔 손 툭 떨어트리는)
솔	그게 무슨 말이야? 왜 선재가... (하는데 전화 연결 끊긴다) ...백인혁?!

다시 전화 걸어보는데 전원 꺼져 있다는 알림음만 되돌아온다.
그때, 방 안 시계가 12시 정각이 되는 순간, 솔이 손목에 찬 전자시계에서 반짝! 불이 들어오자 깜짝 놀라 핸드폰 떨어트리는데 화면에 시각 0시 00분이다.

솔OFF	12시 정각에만 불이 들어오는 건가? 그럼 혹시...!

〈솔 회상 인서트〉 *1화 47씬
깜빡거리는 시계 발견하던 컷 스치고.

솔, 다시 시계 보는데... 불빛이 깜빡거린다. 마치 재촉하듯이. 왠지 모르게 초조해진다. 불빛이 꺼지기 전에 눌러야만 할 것 같은 예감. 떨리는 손으로 버튼 누르는 순간, 시공간이 멈추고. 바닥에 물이 밀려드는 CG.
순간 밑으로 훅 빠져 들어가는 데서 블랙아웃.

씬/15 타임슬립 공간 (N)

깊은 물속으로 떨어지고 있는 솔. (*1화 48씬) 점점 깊이 떨어지는데...
멀리 희미한 작은 빛(*시계 불빛)이 솔이 쪽으로 점점 가까워진다.

선재(E)	솔아... 임솔!

씬/16 솔이 집 옥상 (N)

눈 번쩍 뜨는 솔! 까만 밤하늘이 먼저 보인다. 눈가에 눈물 맺혀 있는 솔. 주변 소음이 점점 커지는데 시끄러운 꽹과리, 북소리 울리고 있다. 보면, 조촐하게 굿판 벌어져 있고. 평상에 대자로 누워 있는 솔이 옆에서 무당이 귀신 쫓는 경 읊으며 춤추고 있다. 일각에 복순과 말자, 무릎 꿇고 기도 중인.

그때, 솔이 벌떡 일어나 앉아 고개 천천히 들며 주위 둘러본다. "온 건가?" 순간, 굿판 조용해지고, 일동 긴장한 표정으로 솔이 보는. 솔, 복순과 말자 확인하곤 다시 두 다리 보며 발을 꼼지락거려본다. 움직인다!

솔	돌아왔구나...! (감격해서 두 손에 얼굴 묻고) 돌아왔어...
일동	(정지하고 서서 솔이 행동 주시하고 있는)
솔	(애써 진정하고 고개 들며) 언제지? 또 2008년인가? (하다 무당과 눈 마주치는)
무당	(노려보며) 니 년이 꼭꼭 숨어 있다가 이제야 나왔구나! 사악한 것...
솔	네? (벙쪄서 주위 둘러보는)
복순,말자	아이고 조상님~~~ 아이고 조상님~~~ (싹싹 빌며 고개 숙이고)
무당	(깃발로 솔이 등짝 내려치며) 감히 사람 몸에 들러붙어서! 이 몸에서 썩 나와!
솔	아!! (깜짝 놀라 벌떡 일어나며 어이없는 표정)
무당	(깃발로 솔이 몸 여기저기 내려치며) 물렀거라~ 물렀거라~ 귀신아 물렀거라!
솔	왜 때리세요! (굿판 뛰어다니며 도망치자)
무당	(쫓아가서 솔이 앞을 막아서며 팥을 소쿠리째 확 뿌린다) 귀신아 물렀거라!
솔	귀신 아니라고요! (씩씩대다) 내가 이러고 있을 때가 아닌데... (뛰쳐나가려는데)
복순	(놀라 벌떡 일어나 솔이 막으며 몰아세우는) 굿판 깽판 치고 어딜 가!
솔	(답답) 무슨 굿이야 굿은!
복순	니가 기억이 통째로 사라졌네 어쨌네 귀신 씌인 것 같다고 벌벌 떨고 난리 쳤잖아! 지 입으로 굿이라도 해달라 해놓고 왜 이래?!
솔	내가? (인상 찌푸리는데 무당이랑 눈 마주치자, 기억 떠오르는 효과)

...!!!

〈솔 회상 인서트〉
#무당집 (D)
다크서클 내려온 열아홉 솔과 걱정스런 표정의 복순, 무당 앞에 앉아 있다.

열아홉솔	(애원) 저 좀 어떻게 해주세요. 네? 막...누가 제 몸을 쓴 것 같다구요~~
무당	(솔이 뚫어져라 보며) 왔었네! 누가 들어오긴 했었어~ 아주 박복하디 박복하고 파란만장하게 산 한 많은 처녀 귀신이 보여!

#다시 현실

솔	(기억 떠오른 듯) 용하긴 용하네...
말자	솔이 너 또 설마 기억 안 나고 그런 거 아니제? (내심 걱정)
솔	나요. 이제 다 나. 그간 공부하느라 머리에 과부하가 좀 왔나 봐. (하며 옥상 난간 너머로 선재 집 보는데 마침 멀리서 선재 걸어오는 모습 보인다) 선재야...! 에이. 좀 비켜봐! (복순과 말자 제치고 막 제사상 밟고 뛰어넘어 뛰쳐나가는)
무당	(춤추다 경악) 어디 천녀님 밥상을!! (뒷목 잡고)
복순	임솔!!!! (버럭 소리치는 데서)

씬/17 선재 집 앞 (N)

솔, 울먹이며 뛰어 내려온다. 모자 쓴 선재, 걸어오다 솔이 보고 멈칫.
솔, 살아 움직이는 선재 모습에 울컥하고... "선재야..." 천천히 다가가는데. 선재 모자 보는 순간, 미간 찌푸리는 솔. 갑자기 기억 떠오르는 효과.

〈솔 회상 인서트〉
열아홉 솔, 걸어가는데, 모자 푹 눌러쓴 선재가 막아서자 흠칫, 긴장한다.

선재	(가라앉은 목소리) 이제 와?
열아홉솔	(흠칫 놀라며) 누구세요?
선재	뭐?
열아홉솔	뭐야... (어이없어하며 지나쳐 걸어가는)
선재	(쫓아가 솔이 앞에 다시 서서, 간절한) 나랑 얘기 좀 해.
열아홉솔	(새침하게) 나 남자친구 있거든? 작업 걸지 말아줄래?
선재	...! (상처받은 표정. 다시 솔이 쫓아가 팔목 잡으며) 잠깐이면 돼...
열아홉솔	(팔 확 뿌리치며 보조가방으로 냅다 후려치는) 이 변태야! 싫다고 했지!

#다시 현실

솔, 헉! 사색이 된 얼굴로 뒷걸음질 치면
선재, 그런 솔을 싸늘히 무시하며 대문 쾅 닫고 들어간다.

솔	내가...미쳤구나... (넋이 나가 서 있는 모습에서)

씬/18 선재 집 거실 (N)

근덕, 뉴스 보고 있다. 헤드라인 '베이징 올림픽 D-10 수영 첫 메달 나올까' 막 박태환 인터뷰 나오기 시작하는데, 선재가 문 확 열고 들어온다. 근덕, "왔어?" 당황하며 채널 돌리려는데 되레 음량만 크게 키운다. 선재, 굳은 표정으로 휙 지나쳐 계단 올라가자, 근덕 TV 끄며 자책하는 표정.

씬/19 선재 집 선재 방 (N)

선재, 들어와 문 쾅 닫으며 회상.

〈선재 회상 인서트〉 *3화 58씬
수영장에서 선재가 솔에게 고백하고 키스하던 장면.

열받은 듯 박하사탕 병과 즉석사진 휴지통에 버리는데. (E) 노크 소리.

선재	네! (씩씩대며 대답하면)
근덕	(살그머니 들어오며) 아들~ 밥은 먹었어?
선재	(애써 감정 추스르며) 먹었어요.
근덕	(눈치 살피며) 그래. 병원에선 뭐래?
선재	(보조기 뺀 어깨 툭툭 치며) 보조기 이제 빼도 된다고. 재활 시작하면 된대.
근덕	아이고. 잘됐네~ (어색한 미소) 근데 아들...혹시 화났어?
선재	(버럭) 아니! 전혀!
근덕	(움찔) 그, 그래. 쉬어... (돌아 나가며 혼잣말) 났네. 났어.
선재	(씩씩대며 털썩 앉아 열 식히려 옷 펄럭이는 모습에서)

씬/20 솔이 집 솔이 방 (N)

솔, 한 대 때려 맞은 표정으로 앉아 있다.

솔	도대체 무슨 짓을 한 거니 솔아. (한숨 쉬다가) 여긴 얼마나 지난 거야? (폰으로 날짜 확인하면 **2008년 7월 29일**) 10일이나 지났어?! (놀라고)

잠시 골똘히 생각하다, 손목에 찬 전자시계 본다. '2:00:00' 숫자 보이는.

〈인서트〉 *3화 61씬
솔이 현재로 넘어가는 순간 시계 숫자가 3에서 2로 바뀌던 컷.

솔OFF	그래. 시간이 아니라 기회였어. 과거로 올 수 있는 기회. 그럼 이번에 있다가 돌아가면... 한 번 남는 건가? (순간 철렁해서, 탁상달력 들어 넘겨보는) 지난번엔 두 달 가까이 있었네... (달력에 9월 사고 날짜에 쳐진 동그라미 보며 불안한 표정) 이번엔 얼마나 있을 수 있을까?

생각에 잠겨 있다가 문득 떠올라, 다이어리를 열어 즉석사진을 꺼내본다.

솔   그래...미래는 바꿀 수 있어. 뭐든 해봐야지...! (비장한 표정에서)

씬/21 자감고 외경 (D)

씬/22 자감남고 건물 앞 (D)

점심시간 분위기. 남학생들 우르르 지나다니고. 선재, 남고 건물에서 나오는데. 솔이 커다란 쇼핑백 들고 총총 달려온다. 선재, 솔이 보자마자 표정 싸늘하게 굳고. 피하듯 휙 방향 돌려 걸어가는데.

솔   선재야!! (더 빨리 달려가 선재 옆에 서서 쫓아가며) 어깨 보호대 풀었
          네? 좀 괜찮아? 아프진 않고?
선재   (무시하고 걷는)
솔   (눈치 보다가, 쇼핑백 들어 보이며) 내가 너 주려고 이것저것 챙겨 왔거
          든? 자. 봐봐 (내미는데)
선재   (어이없고, 대답 없이 걷는)
솔   (무안한. 다시 품에 안으며) 그래. 무거우니까 내가 들어줄게. 이게 뭐냐
          면 너한테 도움 될 만한 책들이랑 부항이거든? 알아보니까 부항이 또 어
          깨 수술한 사람들한테 그렇게 좋대요~~ (부항 꺼내서 들어 보이며) 매
          번 받으러 병원 가기 번거로우니까 집에서 편하게 이렇게... (자기 팔뚝
          에 뽁뽁- 시범 보이는데)
선재   (듣다 짜증 난 듯 멈춰 서서 보는) 뭐 하냐?
솔   (팔뚝에 부항 하나 붙어 있고) 이게...
선재   (차갑게 O.L) 너 갑자기 왜 이러는데?
솔   (올 것이 왔다 싶은. 팔에 달린 부항 똑 떼어내며) 화 많이 났지? 미안
          해...내가 다 설명할게! 너 모른 척하고 막 변태라고 그런 거...그거 나 아
          니야!
선재   뭐? (어이없는)

〈솔 상상 인서트〉

솔   걘! 그냥 열아홉 살 애송이야. 걔는 너 몰라서 그런 거야.

선재   그럼 지금 넌 누군데?

솔   난! 2023년 미래에서 온 솔이야. 자, (시계 보여주며) 이게 타임머신이야. 네 시계가 내 영혼을 과거로 데려왔어. 널 살리라고!

선재   (손가락을 머리에 빙빙 돌리고 있는) 이거 완전 또라이네?

#다시 현실

솔OFF   믿겠냐 이걸? (ON) 그게...내가 귀신이 씌었었어.

선재   (안 믿는) 또 그놈의 귀신?

솔   진짜야 선재야. 어제 옥상에서 굿도 했다? 자 봐. (치마 허리춤 뒤집어서 보여주면 부적 주머니 달려 있는)

선재   뭐야. (당황스러워 눈 피하면)

솔   (부적 꺼내 보여주며) 이게 귀신 쫓는 부적이래. 오죽하면 이렇게 했겠니? 내가 그동안 뭐에 씌어서 눈에 뵈는 게 없었거든. 막 아는 사람도 못 알아보고...

선재   (어이없고 O. L) 근데 귀신이 연애도 하나 봐?

솔   뭐? (갸웃)

선재   (쌩하니 다시 가는)

솔   처녀 귀신인데? 선재야! (다시 쫓아가려는데 풀린 운동화 끈 밟고 넘어지는) 아!

선재   (돌아보는데 솔이 넘어져 있는) !! (저도 모르게 다시 가려다 멈칫)

그때 나타난 태성, 솔이 팔 붙잡아 일으키는데 선재랑 잠시 눈 마주친다.

태성   (다시 솔이 쪽으로 시선 돌리며) 여친, 괜찮아?

솔   뭐, 여...친? (갸웃하는데 불현듯 기억 떠오르는 효과)

〈솔 회상 인서트〉 *3화 엔딩

태성이 사귀자고 하고 열아홉 솔이 좋다고 대답하던 장면.

솔	너...너! 너! (말문 막히는)
태성	(솔이 무릎 상처 보며) 뭐야 다쳤어? 일단 가자. (솔이 어깨 끌어안고 데려가는)
선재	(태성, 솔 가는 모습 보고 서 있는데)
인혁	(슥 프레임 인. 손바닥으로 선재 눈 가리며) 보지 마...!
선재	아, 놔! (인혁 손 확 뿌리치며 반대쪽으로 휙 가는)

씬/23 자감고 교정 일각 (D)

솔, 벤치에 앉아 핸드폰에서 '보낸 문자함' 보고 있다. 열아홉 솔이 태성에게 보낸 문자들 쭉 읽어보는.
'내가 니 여자친구가 되다니 정말 꿈만 같애♥' '배꼽시계 띵뚱♡ 점심 맛있게 머겅)//〈' '솔이 알람 뻐꾹뻐꾹^-^ 일어날 시간이얌'

솔	고3이 공부는 안 하고 무슨 연애야 연애는... (하며 보다가 수치스러운) 뭐 뻐꾹? 난리 났네. (그러다 최근 문자 **'요즘 넘넘 행복해♡'** 보며 멈칫) 행복하긴 뭐가 이렇게 행복해... (생각에 잠기는데)
태성	(불쑥 나타나 솔이 앞에 한쪽 무릎 굽히고 앉으며)
솔	? (보면)
태성	(반창고 흔들며) 자. 골라. 1번. 오빠 손은 약손. 2번. 호...호... (호호 부는 시늉)
솔	(소름) 3번! 입 다물어.
태성	(피식, 하며 반창고 까면)
솔	나도 손 있다...이리 줘. (하는데)
태성	(무시하고 솔이 무릎 상처에 반창고 붙여준다. 행동 자연스러운)
솔	됐다니까... (하는데)
태성	호... (해주고 올려다보며) 2번. 어땠어?

솔	(어이없어하며) 너너! 우리 솔이 이렇게 꼬셨지?!
태성	(일어나 솔이 옆에 앉으며) 근데 우리 할머니, 다시 돌아왔어?
솔	(뜨끔) 어, 어떻게 알았어?
태성	어제랑 너무 다르잖아! (두 손으로 솔이 양쪽 눈꺼풀 활짝 벌리며) 요기 눈에 달려 있던 하트 어디 갔지?
솔	(의심스럽게 보며) 너너 우리 솔이 좋아하니?
태성	(웃겨 죽고) 우리 솔이 좋아하지~
솔	(안 믿는) 진심 아니지?
태성	뭐라고 해줄까. (솔이 손잡고 가슴에 올리며) 이 안에 너 있다...
솔	(질색) 3번! 3번! 언제 적 멘트야...됐고! 나는 이 교제 반댈세. 절대 허락할 수 없으니까! (순간 복순 말 떠오르는)
복순(E)	기억이 통째로 사라졌네 어쨌네 귀신 씌인 것 같다고 벌벌 떨고 난리 쳤잖아!
솔	내 멋대로 이래도 돼? 곧 돌아갈 텐데?!
E	수업종 치는 소리
태성	그래. 돌아갈 시간이네? (하며 솔이 볼에 뽀뽀 쪽! 하고 물러나는데)
솔	!!! (경악. 입 떡 벌어지고) 너어!!!

한편, 일각에서 가현과 패거리1, 2 걸어오다 그 모습 보고 !!! 인상 구긴다. 태성, 솔이 앞머리 헝클며 "수업 잘 들어 여친~"하며 가면. 그 모습 보고 있는 가현. "저년이...!" 열받은 표정으로 솔이 보는 데서...

씬/24 금 비디오&DVD 가게 앞 (D)

복순, 비디오 가게 반납통 비우고 있는데,
그때, 근덕이 집에서 냄비 들고 나오다가 복순과 눈 마주치자 서로 째려보는.

근덕	(크음) 혹시, 여기 솔이 학생 몇 호 사는지 아십니까? 돌려줄 게 있어서.
복순	그 냄비! 제 껍니다. 우리 딸이 그 집에 삼계탕을 냄비째 갖다 바쳤거든

요. 근데 가져간 지가 언젠데 이제 돌려준대? (구시렁)

근덕OFF   뭐야, 비디오 가게 딸내미였어? (삐죽이곤 ON) 일이 바빠 깜빡했네요. 죄송합니다. (냄비 건네주는) 여기요. 그럼 이만...

복순   잠깐! 그 연체료, 만 오천 원만 내셨던데?

근덕   (멈칫, 돌아보며) 무, 무슨 소립니까?

복순   연체료 알려드린 뒤로 며칠이나 지나서 반납했잖아요~ 삼천 원 더 내셔야죠.

근덕   무슨 말이신지 전~혀 모르겠네요. (시치미 뚝 떼는데)

복순   어어? 잠깐! 잠깐!

복순, 가게로 후다닥 들어가 근덕 슬리퍼 가지고 뛰어나온다.

복순   이거 아저씨 꺼 맞잖아요! 왜 아닌 척이야?

근덕   (당황) 아닙니다!

복순   (툭 내려놓으며) 그럼 신어보세요. 싸이즈가 무쟈게 크더만. 우리 손님들 다 신겨봤는데 이런 왕발은 없더라구요.

근덕   아니 제가 아니라는데 왜 신어보라고 난리야!

복순   아니면 당당하게 신어보면 되죠! 왜요 딱 맞을까 봐 못 신어보시나?

근덕   하! 봐요! 신습니다! (슬리퍼 신는데 일부러 엄지발가락 구부려서 넣는)

복순   이럼 반칙이지. (근덕 발목 탁 잡으며) 발가락 펴봐요! (근덕이 버티자 발가락 붙잡고 억지로 펴려고 하는) 펴라고 쫌!

근덕   이 아줌마가! 놔요 놔! (실랑이하다 발 확 빼면)

복순   아이고! (뒤로 자빠지는) 아니 야한 영화 본 게 창피해서 이러는 거예요?

근덕   내가 본 거 아니라니까?!

복순   그럼 아들이 봤나? 아들 감싸주려고 지금 이 난리예요?

근덕   (말문 막히고) 그래요! 내가 봤습니다! 야한 영화 좀 본 게 뭐 어때서! 에이! (주머니에서 오천 원 꺼내주며) 여기, 자요 자! 됐죠?! (슬리퍼 들고 씩씩대며 뛰어가는)

복순   어머머, 거스름돈 가져 가셔야져! (소리치다가 어이없는) 참 나. 아들내미가 본 게 맞구만? 하여간 저 집 아들놈이나 내 아들놈이나!

씬/25 레스토랑 촬영장 (D)

여주인공(이하 은주)과 소개팅 남 소개팅 씬 촬영 중이고, 카메라 앵글 너머에 정장 입은 금이 서류 보며 엑스트라로 앉아 있다.

감독 엔지! 도대체 몇 번째야... (둘러보다 금이 보이는) 거기 서류! 대사 칠 줄 알아요?

금 (두근두근) 저요?

(컷 튀면)
여자 주인공 모습에서 팬하면. 맞은편 자리에 금 앉아 있다.
조금 긴장된 표정의 금, 검지 손가락으로 앞니 살짝 쓸어본다.

감독 자 한 번에 갑시다. 스탠바이..큐!

은주 치과의사라고 하셨죠? 얼마 전에 개원하셨다고 들었는데...

금 (커피 잔 돌리며) 다음에 저희 병원 놀러 오세요. 스케일링해드릴게요. (살짝 미소)

감독 잠깐! (끊으며) 좋아요. 아주 좋아. 근데 더 여유 있어 보이게 커피 한 모금 마셔볼까? 웃을 때도 좀 더 환하게 스마일~ 오케이?

금 (긴장. 끄덕이며) 스마일. 오케이.

(컷 튀면)

은주 치과의사라고 하셨죠? 얼마 전에 개원하셨다고 들었는데...

금 다음에 저희 병원 놀러 오세요. 스케일링해드릴게요. (커피 한 모금 마시고 씩 건치 미소 짓는데 앞니 빠져 있는)

스태프들 (웅성웅성) 뭐야? / 앞니 어뎠어? / 앞니가 왜 없어?

금 ?? (커피 잔 내려다보면 커피에 새하얀 가짜 앞니 둥둥 떠 있는) 헉!

감독 앞니 없는 치과의사가 어뎠어? 교체!

금 (앞니 건지며) 금방 다시 끼울 수 있습니다! 한 번만 더 기회를 주시면!

조연출   (O. L) 나오세요 빨리.

금   (아쉬워 죽는 표정)

씬/26 자감여고 솔이네 교실 (D)

8교시 마치고 야자 시작 전 분위기. (*자습하는 학생도 있고, 모여서 매점음식 먹는 학생들 보이는) 현주, 개념원리 문제집 꺼내다 솔이 자리 본다. 책가방만 있고 덩그러니 비어 있는.

현주   저거 또 어디 갔어? 또 야자 땡 치려는 거 아니야? 연애한다고 정신 빠졌지 아주. (문자 확인하는 '**내 앞니 내놔! – 개금**') 어이없네? 다 썩은 이 빠져놓고 어디서 새 이빨 내놓으래! 아...스트레스 땜에 화장실도 못 갔네. 이놈의 변비 진짜.

씬/27 자감고 수영장 입구 (D)

선재, 입구에서 수영부원들 한창 훈련하는 모습 보고 있다. 부럽고, 화나고... 마음 복잡한 선재, 차마 들어가지 못하고 씁쓸하게 돌아서는데.
물 위로 올라온 형구, 선재 나가는 뒷모습 보는 표정.

씬/28 자감고 체육관 복도 (D)

안코치, 선재에게 투명 케이스에 든 트로피와 표창장 전해주고 있다. 트로피에 '제27회 대통령배 수영 대회 MVP' 적혀 있고.

안코치   이거 주려고 오라고 했어. (민망) 대회 신기록 세운 선수한테만 주는 건데 제작이 늦어졌는지 이제야 왔네.

선재   (트로피 가만 보다가, 표창장 열어 보며 씁쓸한 표정) ...

씬/29 자감고 밴드부 연습실 앞 (D)

솔, 쇼핑백 끌어안고 서서 연습실 안 들여다보고 있다. "똑같네..."

인혁   (복도 걸어오다 솔이 보고) 김태성 보러 왔냐?

솔   (인혁 돌아보며) 아니, 너 보러 왔어.

인혁   나를 왜?! (움찔하며 인상 구기고)

솔   선재는 어딨어?

인혁   체육관에 있지. (무심코 대답했다가 아차 싶어) 뭐야, 선재 보러 왔냐?

솔   아니. 너 보러 왔다니까.

인혁   (다시 흠칫) 도대체 나를 왜!

솔   (딱하게 보며 회상)

〈솔 회상 인서트〉 *14씬
현재에서 인혁과 통화 장면 떠올리는.

솔OFF   내가 뭘 알아야 했을까...? 인혁아. 나한테 하려던 말이 뭐야?

인혁   (솔이 빤히 보고 있자 살짝 민망해하며) 뭐, 뭐야...왜 그렇게 봐?

솔   인혁아. 만약에 나한테 할 말 생기면 바로바로 해.

인혁   참 나... (삐죽이며) 할 말 없거든?

솔   먼 미래에, 그니까 한 2023년쯤엔 할 말이 생길 수도 있잖아? 그때 부담 가지지 말고 바로 연락하라고.

인혁   (어이없어하다가) 아! 당장 할 말 생각났다. 너 앞으로 선재 찾아오지 마라.

솔   그래 선재도! 너 어디 오디션 갈 일 있을 때 절대 선재 데리고 가지 마. 아예 선재 그쪽으론 발도 못 들이게 하라구. 알았지?

인혁   나랑 선재 일에 니가 뭔 상관인데?

솔   (소파 또는 의자에 인혁 끌어다 앉히며 설득하는) 인혁아? 잘 생각을 해 봐. 선재같이 잘생긴 애 달고 가면 죽기 살기로 오디션 본 너는 똑 떨어지고 따라간 선재만 붙는다? 왠 줄 아니? 굴러들어온 돌보다 숨겨진 보석을 찾고 싶은 게 제작자 마인드거든.

인혁   하긴... (끄덕이며 듣다가 급 성내는) 뭐야. 난 돌이고 선잰 보석이냐?

솔   아무튼. 소중한 친구 지키고 싶으면...후회 안 하려면! 이 내 말 꼬옥 기억해. 진심으로 생각해서 해주는 말이니까. 선잰 체육관에 있댔지? (바삐가는)

인혁   (뭔 소린가... 잠시 생각하다가 정신 차리며) 야! 너 선재 찾아가기만 해!

씬/30 자감고 체육관 앞 (D)

선재, 트로피랑 표창장 들고 나오는데. 형구와 마주치자 표정 굳는다.

형구   (반가운 척 인사하며) 선재 오랜만이다? (트로피랑 표창장 보며) 오...표창 받았나 보네? 부럽다야. 축하 파티해야 되는 거 아니냐? (간죽대는)

선재   (싸늘) 좀 바빠서.

형구   아...공부하러 가? 하긴. 수영은 글렀으니까 빨리 딴 길 찾아봐야지.

선재   (참으며) 관심 꺼라. (가려는데)

형구   (막아서며) 마음이 아파서 그렇지. 그러게 내가 조심하라고 했잖냐. 내 말을 깊이 새겨들었어야지 왜 무리해서 경기 뛰다가 기어이 어깨를 그 지경으로 만드냐?

선재   (열받은 듯 노려보는)

형구   사람이 겸손해야지 잘난 척하면 벌 받아 인마. (선재 다친 어깨를 토닥)

선재   (어깨에 형구 손 내려다보고 다시 형구 노려보며) 너도 방심하지 말고 조심해. 체력도 약한데 무리해서 로핑 영법 한다고 한쪽만 그렇게 무리해서 쓰면 어깨 나가는 수가 있어. 나처럼. (싸늘히 지나쳐 가는)

형구   (자존심 상하는. 열받고)

수영부원들   (나오며) 어? 선재야! 왔어? (반기는데)

형구   (자격지심에) 야! 너 전국체전 메달 따고 나서였나? 그때 인터뷰에서 그랬지? 니네 엄마 소원이 너 국대 되는 거였다며.

선재   (엄마 얘기에 표정 굳고, 멈춰 서서 돌아보는)

형구   나한테 같잖은 조언할 시간에 니네 엄마 무덤 가서 잘못했다고 빌기나 해 새끼야!

선재   (못 참고, 확 돈다) 개자식이...! (성큼성큼 다가가 먹살 잡고 치려는데)

수영부원들   워어어어! 야! (우르르 선재 잡아 말리고)

선재   하... (간신히 화 참으며 먹살 확 놓으며 노려보는)

형구   (뒤로 휘청했다가) 왜 뇌? 한 대 쳐봐 새꺄! 쳐보라고! 쳐! (얼굴 들이미는데)

그 순간, 불쑥 달려온 솔이 형구 이마에 냅다 박치기를 날린다.
빡! 소리와 함께 형구, 뒤로 나자빠지고. 선재 !!! 놀란 표정.
수영부원들, 지나가던 남학생들 모두 헉! 놀라 수군대고.
솔, 살짝 핑 도는지 휘청했다가 중심 잡아 바로 서며 이마 쓸어내리는.

솔   (버럭) 어디 엄마를 건드려?! 할 말이 있고 못 할 말이 있지! 니가 사람이야? 보자보자 하니까...너 내가 수영복 훔칠 때 딱 알아봤어 아주. 그때 봐주질 말았어야 돼 이런 놈은!

형구   (이마 문지르며) 혹 났어! 야! 너 죽고 싶냐?

수영부원들   야아!! (우르르 달려들어 형구 붙잡는)

솔   한 대 더 맞아야 정신 차릴래?? 너어! 한 번만 더 선재한테 시비 걸다 걸리면 호온난다!

남고학주   뭔 소란이야? (다가오다가 솔이 보고) 어? 너! 담배!

솔   (남고학주 보고 헉! 떨어진 쇼핑백 주워 들고 다다다 도망가는)

선재   (뛰어가는 솔이 보고 있는 표정에서)

씬/31 자감고 교정 일각 (D)

솔   (뛰어오다 멈춰 서서 숨 고르며) 제대로 얘기도 못 했네... (하는데 뒤로 휘청) 헉!

보면, 가현과 가현 패거리들이 솔이 양팔 붙잡고 뒤로 질질 끌고 간다.

씬/32 자감고 뒷골목 (D)

솔, 쇼핑백 끌어안은 채 가현에게 머리채 잡혀 있고. 옆에 가현 친구 둘 서 있다. (*한 명은 손거울 보며 서클렌즈 끼고 있고, 한 명은 라이터로 꼬리빗 태우고 있는)

솔OFF 솔아. 그니까 왜 그런 날라리 같은 놈을 사겨서 이런 수모를 당하게 하니 이! (콧바람 뿜으며 화 누르고, 살살 달래보는 ON) 예쁜아? 이것 좀 놓 고 얘기할까?

가현 너 내가 경고했지? 좋은 말로 해선 못 알아듣나 봐?

솔 언제 좋은 말로 했니~ 나쁜 말만 잔뜩 했지~

가현패거리 뭐래. / 웃기는 년이네...

솔 (타이르듯) 김태성 많이 좋아하는구나? 오늘 당장 헤어질게. 됐지? 그러 니까 이것 좀 놔줄래? 놓고 우리 대화로 하자. 대화로. 응?

가현 그 말을 어떻게 믿어? 언젠 절대 못 헤어진다고 질질 짜더니?

솔 (부글부글) 그래...너 그동안 우리 솔이 많이 괴롭혔더라. 마지막 기회야. 셋 셀 때까지 놓으면 언니가 봐줄게.

가현 뭐래니? (코웃음)

솔 (이 악물고) 하느아..두울...세엣! 이러언! (머리채 똑같이 잡고 흔들며)

가현 꺅!!

솔 어디 남자 하나 땜에 애를 괴롭혀? 괴롭히긴! 얼굴은 이쁘장하게 생겨가 지고!

가현일동 이게! (우르르 솔에게 달려들고)

솔과 가현 일동 셋이 뒤엉켜서 웃긴 꼴로 머리채 잡고 씨름하고 있는데. 골목 밖으로 컬러 선글라스 낀 남자 지나가다 멈춰 선다.

김대표 (선글라스 내리고 골목 들여다보며) 니들 혹시 싸우니?! (소리치는)

가현일동 (동시에 손 놓고 머리 정리하며 안 싸운 척) 하하하. 아니에요! / 장난친 거예요! / 노는 거예요 노는 거. (둘러대는데)

솔	(떨어진 쇼핑백 주워 들다 김대표 보는) ...어?
김대표	진짜지? 사이좋게 놀아! (하며 다시 선글라스 끼고 지나가는데)
솔	어디서...봤는데? (갸웃하는데 이클립스 멤버와 찍은 김대표 사진 번뜩 떠오르자 철렁) 김대표?! 김대표가 여기 왜 있어?! (급히 뛰어가려는데)
가현일동	야! 어딜 가? (막고)
솔	(버럭) 나와! 헤어지면 될 거 아니야! 비켜 이것들아! (힘으로 밀고 뛰어가는)
가현일동	(우르르 뒤로 밀려 넘어지는)

씬/33 자감고 앞 거리 + 버스정류장 (D)

솔, 머리 산발인 채 뛰어나오는데. 버스정류장 앞에서 김대표가 선재와 인혁에게 명함 주고 있다. 선재, 받은 명함을 교복 안 주머니에 넣는 모습 보이고. 솔, 심장 철렁 내려앉는다.

인혁	(달려오는 솔이 보고) 쟨 왜 또 쫓아와? (버스 도착하자 선재 막 밀며 올라타는)
솔	선재야!!! (달려가는데 버스 놓치는) 헉헉... (숨 고르며 어떡하나 싶은데)

〈솔 회상 인서트〉
*8씬 김대표. "생전에 여러 루머들과 악플들로 힘든 시간을 보냈습니다..."
*13씬 뉴스. "고인이 오랜 시간 지속적으로 극성 안티팬들로부터 살해 위협과 자살을 종용하는 내용의 협박 편지를 받아온 것이 밝혀져 큰 충격을 전해주었습니다...."

#다시 현실
솔, 뭔가 결심한 듯한 표정으로 바뀌고. 다시 뛰어가는 모습.

씬/34 선재 집 앞 (D)

솔, "안녕하세요!" 쇼핑백 끌어안고 90도로 인사하고 일어나면. 대문 앞에 선 근덕이 비디오 가게랑 솔이랑 번갈아 보며 떨떠름한 표정.

근덕OFF 엄마랑 붕어빵이네 아주. (친절한데 선 긋는 말투 ON) 그래요. 어쩐 일이죠~?
솔   선재 집에 왔나요?
근덕   이를 어쩌나? 방금 옷 갈아입고 재활 치료받으러 갔는데.
솔   거기가 어디... (묻다가) 잠깐, 옷을 갈아입고 갔다구요?

〈솔 회상 인서트〉
선재가 교복 주머니에 명함 넣는 컷 짧게 스치는.

솔   (눈 반짝. 쇼핑백 들며) 선재한테 줄 게 있어서 그러는데 잠깐 들어가도 될까요?
근덕   선재도 없는데 굳이. 줘요. 전해줄게. (손 내밀면)
솔   온 김에 제가 직접 선재 방에 두고 가면...
근덕   (O. L) 안 되지이. 다 큰 남학생 방에. 거~ 직접 주고 싶으면 만났을 때 주든가.
솔   (눈 굴리다가 배 아픈 척) 아...배야...저 잠깐 화장실 좀...
근덕   (O. L) 언능 가서 싸요~ 집이 코앞이잖어. 아이고. 화장실 얘기하니까는 나도 급해지네. (배 문지르며) 그럼 가요! (서둘러 들어가는)
솔   (어쩌지 싶은데, 살짝 덜 닫힌 대문 안으로 마당 보이는) !!!

씬/35 선재 집 거실 (D)

솔, 살금살금 들어와 운동화 벗어 품에 안고 주위 둘러본다. TV 틀어져 있고, 영화 〈좋은 놈 나쁜 놈 이상한 놈〉 예고편 나오고 있는.

솔OFF   하다하다 내가 자택 침입까지...선재 방은 2층인가? (조심조심 계단 쪽으

로 가는데)

근덕   (화장실에서 나온다)

솔   (헉! 놀라 얼음 OFF) 어떡해! (들킬 것 같아 덜덜 떠는데)

근덕   (솔이 쪽으로 고개 돌리는 모습 slow)

솔   (TV 속 이병헌 보고 순간적으로) 이병헌 이민정 결혼한다! (순간 시간 멈추는)

근덕   (한쪽 다리 든 채로 정지)

솔   (이거다! 싶고 계단 뛰어 올라가며 소리치는) 원빈 이나영 결혼! 김태희 비 결혼!

씬/36 선재 집 선재 방 (D)

솔, 운동화 끌어안고 들어와 조심스레 방문 닫으며 휴... 숨 내쉰다.

솔   무슨 꼭 초능력자 같네... (방 둘러보다 일각에 걸린 교복 발견) 저깄다!

후다닥 달려가 쇼핑백 협탁에 내려놓고, 교복 주머니에서 명함 꺼내 든다. 명함에 JNT엔터, 김대표 이름 보며 살짝 망설여진다. 이래도 되는 걸까 싶은데.

솔   어쩌면 이걸 막아야 해서 이때로 온 걸지도 몰라. (결심한 듯 명함 찢어서 주머니에 넣는데 밖에서 발소리 들리자 문 쪽 돌아보며 당황한 표정) 어떡해! (문고리가 돌아가며 문이 열리는 순간, 눈 굴리다가) 현빈 손예진 결혼!

동시에 시간이 멈추자 침대 밑에 들어가 숨는 솔. 다시 시간 흐르면...

근덕   (문 열고 들어와 선풍기 내려놓으며 방 안을 한번 슥 둘러보는)

솔   (긴장. 두근두근)

근덕   공기가 쎄한데... (갸웃하며 다시 나간다)

솔   들킬 뻔했네... (안도의 숨 내쉬고) 나가자.. (침대 밑에서 기어 나오는)

씬/37 재활치료실 (D)

선재, 재활받고 있다. 치료사 도움으로 밴드 잡고 올리는 단순한 동작 하
는데... 팔이 완전히 다 안 올라간다. 어깨에 전해지는 통증에 인상 쓰는.
선재, 안간힘 쓰며 팔 올려보는데 고통스러워 밴드 탁 놓친다.

씬/38 한강 다리 위 (N)

선재, 터덜터덜 걸어가다 다리 중간에 멈춰 서서 야경 보며 회상.

〈선재 회상 몽타주〉
#자감고 체육관 사무실 (D)
안코치, 선재(*어깨 보조기 찬 상태. 운동복 차림) 앉아 있다.

선재   왜 부르셨어요?
안코치   그게... (조심스레) 서울시청에서 실업팀 계약 다시 검토해보겠다고 연락
        이 왔어.
선재   (표정 굳는)
안코치   아무래도 수술받은 것 때문에 그런 것 같아. 실업팀이니까 신경 쓰이겠지.
선재   (애써 담담하게) 그럴 것 같았어요.
안코치   (안쓰러운) 너무 실망하지 말고...일단 회복에만 전념하자.

#다시 현실
굳은 표정으로 서 있던 선재. 솔이 수영장에서 했던 말 떠올리는.

솔(E)   내가...옆에 있어 줄게. 힘들 때 외롭지 않게, 무서운 생각 안 나게...
선재   웃고 있네. (속도 높여 막 뛰기 시작하는)

씬/39 선재 집 거실 (N)

근덕, 빨래 개고 있는데 땀에 젖은 선재 들어온다.

근덕 치료 잘 받고 왔어? (놀라) 뭔 땀을 그렇게 흘려?
선재 동네 좀 뛰고 왔어요. (빨래에서 바지랑 속옷 대충 주워 들고 욕실 들어
가는)

씬/40 선재 집 2층 + 선재 집 선재 방 (N)

#방문 앞
선재, 추리닝 바지만 입은 채 수건으로 젖은 머리 털며 올라오는.

#선재 방
불 꺼진 방에 들어오는 선재. 발에 뭔가 채여 주워 들고 책상으로 가 스탠
드 조명 켜고 돌아서는데... 방바닥에 솔이 드러누워 있다. 현실감 없는.

선재 (놀라지도 않고 보며) ...나도 더위를 먹었나. 헛 게 보이네.

침대 쪽으로 걸어가 털썩 앉아 수건으로 젖은 머리 터는데 발끝에 솔이
닿는다. 천천히 내려다보면 누워 있는 솔이 보인다. 뭔가 이상하다. 반대
손에 들린 운동화 그제야 눈에 들어오고, "뭐야!" 운동화 떨어뜨리고.
눈 끔벅거리며 솔을 내려다보는데... 진짜다! 현실 자각. 헉!! 기겁하며 뛰
쳐나가는.

#방문 앞

선재 쟤가 왜 내 방에 있어? (조심스레 문 열고 들여다보면 솔이 옆으로 돌아

눕는 모습 보이고 헉! 다시 방문 닫는데)

근덕	(걘 빨래 들고 올라오는) 뭐 해?
선재	아부지 내, 내 방에 뭐야? 왜 있는 거야?
근덕	뭐가? (빨래 주며) 자.
선재	(받아 들며) 몰라요?
근덕	뭘 몰라? 맞다. 아까 솔이 학생 너 찾아왔었어.
선재	왔었어? 내가 언제 올 줄 알고 돌려보내야지 왜 방까지...
근덕	(O. L) 돌려보냈지~ 뭔 소리래?
선재	보냈어? 보냈다고? (혼란)
근덕	근데 넌 왜 깨벗고 나와 있어? 방에 뭐 나왔어?
선재	!! (얼른 문 막아서며) 아니?!
근덕	뭐 있다며. (의심) 혹시 뭐 숨겨놨어? (씩 웃으며 들어가려고 하자)
선재	(팔로 문 막으며) 아니야! 그냥...모기! 모기.
근덕	(피식) 싸나이가 모기 한 마리 가지고. 아빠가 딱! 때려잡아줄게. (들어가려는)
선재	(근덕 밀어내며) 내가! 내가 잡을게!
솔(E)	커엉... (코 고는 소리)
선재	(헉!!)
근덕	방금 안에서 뭔 소리 안 났어? (수상하게 보면)
선재	커엉... (코 먹는 소리 내는)
근덕	...??
선재	(코 만지며) 커엉...아...코가 막히네?
근덕	으이그, 건조해서 그래. 선풍기 너무 세게 틀지 말어. 알았지? (내려가는)
선재	(방문 보며 황당한 표정) 뭐야...! (빨래에서 주섬주섬 옷 껴입는)

씬/41 선재 집 선재 방 (N)

솔, 곤히 자고 있고. 옆엔 쇼핑백 떨어져 있고, 부항이랑 책 흩어져 있다.

| 선재 | (쪼그리고 앉아 낮은 목소리로) 야, 일어나...야. (이 악물고) 일어나라고. |

(흔들어보려다 차마 못 만지는) 하...미치겠네. (부항이랑 책들 보며) 이게 다 뭐야...

책 제목 '불면증 극복하기' '삶의 희망을 놓지 마세요' '우울증인 나를 지키는 법' 선재, 책 제목들 보며 어이없다는 듯 솔이 보는데 이마가 살짝 빨갛다.

〈선재 회상 인서트〉 *30씬
솔이 형구에게 박치기 날리던 컷.

선재   다칠라고 겁도 없이. (솔이 무릎 보면 반창고 떨어져 달랑거리고, 상처 보이는)

(컷 튀면)
M. 김형중 '그랬나 봐'
선재, 쪼그리고 앉아 면봉에 연고를 신중하게 짜고 있는 얼굴에서 시작. 면봉으로 솔이 무릎에 연고를 살살 발라준다. 그런 뒤 소리 안 나게 하려고 온 신경을 집중해 반창고 껍질을 뜯고 무릎에 붙여주려는데 손끝이 떨린다. 숨 참아가며 손끝으로 겨우 밴드 붙이는데 성공하고, 휴... 숨 내쉬며 솔이 본다.
솔이 이마에 맺힌 땀방울 보이자 "더운가?" 선풍기 버튼 누르는데 '딸깍!' 소리에 멈칫하며 솔이 눈치 보는데... 안 깼다. 바람 방향 이리저리 맞춰주고 솔이 머리맡에 앉는 선재. 자는 솔이 가만 보는데...머리카락이 흘러내리자, 간지러워 코를 찡긋거리는 솔.
선재, 숨죽여 피식 웃으며 조심스레 머리카락을 뒤로 넘겨준다.

선재   딥슬립이네. (애틋하게 보는)

선재, 손을 내리는데 손끝이 솔이 손끝에 살짝 닿는다. 괜히 손 크기도 비교해보다가... 솔의 새끼손가락을 살짝 만져보는데. 심장이 세게 뛰기 시작한다.

열이 확 오르자 벌떡 일어나 멀찌감치 떨어져 앉는 선재. 더운지 옷 펄럭이는데, 음악 끊기고. (E) 모기 소리. 선재, 딴 데 신경 두려는 듯 눈으로 모기 찾는다. 날아다니는 모기 발견하곤 확 잡아채는데 못 잡는다. 다시 나타난 모기가 바닥에 내려앉자 선재, 손바닥으로 바닥을 탕 내려치는 순간! 눈 번쩍 뜬 솔과 눈 마주친다!

씬/42 자감고 밴드부 연습실 (N)

태성, 핸드폰 뚫어져라 보고 있다. 그때, 진동 울리자마자 후다닥 받는.

태성	여보세요?
이슬(F)	때명아~~ 보고 시퍼~~ (여자 목소리)
태성	(돌아보면 이슬이 핸드폰 들고 실실 웃고 있는) 재밌냐? (끊고)
이슬	아까부터 폰만 쳐다보고 뭐 하나?
태성	그동안 꼬박꼬박 먼저 연락하던 애가 갑자기 뚝 끊겼다?
인혁	(뒷문으로 들어오는데 둘 대화 들리는)
이슬	안 헤어졌냐? 언젠 사귀자마자 갑자기 변해서 이상하다며!
태성	어제까진 그랬는데...다시 귀여워.
이슬	(정색)
태성	애가 좀 오락가락해...이거 밀당이지?
이슬	뭐냐. 너 가현이 귀찮아서 떼내려고 아무나 사귄 거 아니었어?
태성	(대답 안 하고, 혼자 갸웃하며 생각에 잠긴)
인혁OFF	저 나쁜 놈... (태성 째려보는)
이슬	(인혁 발견하고) 왔냐?
인혁	여기가 밴드부실이지 니네 놀이터냐?
태성	넌 왜 회사 안 갔어? 연습실 가는 날 아니야?
인혁	(기분 안 좋은) 춤 연습하라길래 그냥 나왔어. 이참에 회사를 확 옮겨야 되나... (털썩 앉아 주머니에서 김대표 명함 꺼내 보며 표정)

씬/43 선재 집 선재 방 (N)

솔, 침대에 죄인처럼 고개 숙이고 앉아 있고, 선재, 책상에 앉아 솔이 노려보는.

솔 (잔뜩 주눅 들어 떨리는 목소리) 미안해...지금 당장 나갈게. (일어나면)

선재 1층에 아빠 있는데 어떻게 나가려고?

솔 창문으로 나갈게. (벌떡 일어나서 선재 쪽으로 걸어가며) 허리에 끈 같은 거 묶고 뛰어내리면..

선재 (O.L) 가까이 오지 마.

솔 (방 한가운데 멈춰 서고)

선재 (뒤로 물러나라는 듯 손짓) 거기 딱 앉아 있어. 가까이 오기만 해.

솔 (뒤로 물러나 다시 침대에 앉는)

선재 뉴스 끝나면 아빠 운동 나간다니까 그때 나가.

솔 그래... (뻘쭘하게 서 있다가 다시 침대 끝에 걸터앉는)

선재 이제 설명 좀 해보지 그래?

솔 그게... (바닥에 널린 책들, 부항 보며) 이거 전해 주려고...

선재 (O.L) 왔는데! 왜 태평하게 잠을 자고 있지?

솔 잠을 자려고 한 건 아니고...

〈솔 회상 인서트〉 *36씬 연결 장면
솔, 침대 밑에서 기어 나오다가 협탁을 건드린다. 순간, 협탁에 있던 쇼핑백이 일어나려던 솔이 이마 위로 쿵, 떨어지고... 충격받아 기절하는.

#다시 현실

선재 하하하... (어이없어하며 웃다 정색) 그걸 믿으라고?

솔 믿기지 않겠지만 사실이야. 그리고 또 믿기지 않겠지만. 나 정말 도덕적이고 지극히 정상적인 사고를 하는 사람인데! 본의 아니게 니 앞에서 별 꼴을 다 보인다...

선재 그니까 왜 내 앞에서 별꼴을 다 보이냐고.

솔   그 별꼴들...다 잊어주면 안 돼?

〈선재 회상 인서트〉＊3화 58씬
수영장에서 솔과 입 맞추던 장면 짧게 스치고.

선재   (화나는) 수영장 일까지 다 잊자고? 넌 그게 쉽냐?
솔   수영장 일...? (문득 떠오르는 기억)

〈솔 회상 인서트〉＊3화 58씬
수영장에서 "안 취했어 진짜. 나 술 은근 쎄~" 하던 장면.

솔   (헉!) 너 설마...그때부터 화났었어??
선재   (벌떡 일어나 성내는) 너한텐 그게 아무 일 아닐지 몰라도! 난 아니거든?
솔   미안해 선재야...
선재   (더 자존심 상하는) 됐어.
솔   (눈치 보며) 그날 술주정 많이 부렸어? 혹시 나...막 개 됐어? 실은 그날
         필름이 끊겨서...아무 기억이 안 나.
선재   뭐? (무슨 말인가 싶고)
솔   (죄인처럼 다시 고개 숙이는) 미안. 내가 담금주엔 좀 약해서...
선재   그러니까...취해서 아무것도 기억이 안 난다?
솔   (끄덕이면)
선재   하, (허탈해진다) 그래...차라리 다행이네.
솔   (변명해보려) 원래 담금주가...멀쩡했다가 갑자기 훅 가는...그런 경향이...
         (눈치 보다 그냥 입 다물자 싶은)
선재   (화 참으며 한숨) 조용히 있다가 나가라. (의자에 털썩, 솔이 등지고 앉아
         OFF) 기억도 못 하는 애 앞에서 혼자 북 치고 장구 치고.

         조용한 방 안. 선재, 앉아 있는데 책상에 못 버린 박하사탕 병과 즉석사진
         보인다. 혹시나 솔이 볼까 싶어 확 집어 들어 책상 서랍에 넣어 숨기는.
         한편, 솔, 어색하게 앉아서 방 이곳저곳 시선 두다가 침대 아래 놓인 선재
         가방 보인다. 열려 있는 가방 안에 트로피랑 표창장 보인다. !!!

솔, 다시 선재 뒷모습 보며... 안쓰러운 표정.

솔   (바닥에 책들 보며) 있잖아. 이 책들...그냥 잠 안 올 때 한번 읽어봐.
선재   (돌아보지 않고 대답하는) 왜. 니 생각엔 내 인생이 힘들어질 것 같애?
솔   누구에게나 그런 순간이 한 번은 와. 꼭 세상이 날 등진 것 같은 그런 순
         간이.

〈솔 회상 인서트〉 *1화 8씬
라디오에서 선재가 "고마워요. 살아 있어줘서..." 위로하던 장면.

솔   근데 전에 누가 그러더라. 오늘은 날이 너무 좋으니까 한번 살아보라고.
         비가 오면, 그 비가 그치길 기다리면서 또 살아보라고. 그러다 보면 언젠
         간 다...괜찮아지는 날이 올 거라고.
선재   (왠지 다 괜찮아질 것 같은... 그런 마음이 든다)
솔OFF   그러니까 선재야. 죽고 싶은 순간에 딱 하루만이라도 더 견뎌봐. 그래야
         내가 돌아가서 널 살릴 수 있잖아.
선재   (마음 흔들린다. 돌아보고 싶은데 참는)
솔   난 너랑 다시 잘 지내고 싶어. 싫으면...몇 달만이라도 나 안 밀어내면 안
         돼?
선재   (답답한 듯 한숨 OFF) 사람 속도 모르고.

         잠시 후, 솔이 옆으로 모기가 다시 엥- 지나가 선재 쪽으로 날아간다.
         솔, "어?!" 일어나서 살금살금 선재 등 뒤로 다가가 모기 잡으려 손 확 뻗
         는데. 인기척에 의자 확 돌려 앉는 선재.
         순간 놀란 솔이 휘청하며 중심 잃고 선재 쪽으로 무너지려 한다.

선재   (솔이 손목 탁 잡아 세우며) 내가 가까이 오지 말라고 했지.
솔   (선재와 가깝게 마주 선) 아, 그게...모기가 너 물까 봐...
선재   (솔과 눈 마주치자, 확 들뜨는 가슴. 가라앉히려 숨 크게 쉬고)
솔,선재   (조용한 방 안. 둘 사이 묘한 긴장감 흐르는)
선재   (이대로 있으면 안 되겠다 싶어 손목 놓고) 안 되겠다. (획 지나쳐 가고)

선재, 침대 위 이불 확 집어 들어 솔이 머리 위에 씌우고, 이불 끝을 당긴다. 솔, 선재 앞으로 훅 당겨지자 두근!!! 놀란 표정.
선재, 이불로 솔을 돌돌 싸매더니 번쩍 들어 올린다.

씬/44 선재 집 거실 (N)

근덕, 뉴스 보고 있는데 선재가 솔을 싸맨 이불을 어깨에 들쳐 메고 내려온다. 근덕, "이불 털게?" 하는데 선재, 대답 없이 성큼성큼 현관 밖으로 나가는.

씬/45 선재 집 앞 (N)

선재, 대문 열고 나와 이불에 싼 솔을 확 내려놓는다.

선재   (화나서) 잘 지내자고? 뭘 어떻게 잘 지낼까?
솔   (당황) 그게...
선재   난 여자랑 친구 안 해! 남녀 사이에 친구가 어딨냐?
솔   ...!
선재   내가 언제 위로 같은 거 해달래? 챙겨달란 적 있어? 솔직히 너 보면 내 좌절, 절망 다 들킨 것 같아서 쪽팔리고! 껄끄러워. 차라리 전처럼 모른 척하지 갑자기 왜 이러는 건데?!
솔   (답답함에 울컥) 내가 뭘 어떻게 해야 될까? 같잖은 위로밖에 해줄 수 있는 게 없는데. 지금 너한텐 와 닿지도 않을 저런 책들이나 사 모으는 것밖에는 할 수 있는 게 없다고...두 다리는 자유로워졌는데 입과 손은 다 묶인 것 같아서 숨이 막힐 정도로 답답해 나도!
선재   (싸늘) 그래 맞아. 내가 정말 바라는 건 니가 해줄 수가 없어.
솔   (상처)
선재   그러니까 답답한데 굳이 나랑 잘 지내보려고 애쓰지 말고! 가 이제. (보

면 솔이 양말 바람이다. 슬리퍼 툭툭 벗어주며) 자. 신고 가. (버럭) 신고
가라고 빨리! (맨발로 휙 들어가며 대문 쾅 닫는)

솔   (덩그러니 놓인 슬리퍼 보며 마음 아픈 표정)

씬/46 선재 집 선재 방 (N)

선재, 굳은 표정으로 들어와 침대 위에 이불 확 던지는데. 다시 이불 들어
옷장 안에 막 욱여넣고 문 쾅 닫으며 돌아선다. 근데 이내 옷장 문 열리며
이불 쏟아져 나오자 한숨 쉰다. 꾹꾹 눌러 넣어놓고 싶어도 쏟아져 나오
는 마음 같은. 방구석에 솔이 두고 간 운동화와 책들 보인다.

씬/47 솔이 집 솔이 방 (N)

솔, 방에 들어와 문 쾅 닫는다. 주머니에서 찢어진 명함을 원망스럽게 보
다가 휴지통에 버려버리고 침대에 쓰러지듯 눕는다. 가슴이 꽉 막힌 것
같고 심란하다. 눈물 참느라 눈가가 빨개지는.

씬/48 학원 건물 + 계단 (D) *낡은 옛 건물

현주, 화장실 급한지 뛰어 들어온다.

현주   이놈의 묵은 변은 내 몸매 같다니까! 나올 때 안 나오고 안 나올 때 나와
        요 꼭! (엘리베이터 버튼 누르는데 다른 층에 멈춰 있는) 왜 안 내려와!!

        한편, 금이(셔츠 걸치고 있는) 건물로 들어오다 현주 보는.

금   어? 현주 너 잘 만났다. 너 내 전화 왜 안 받아 어?
현주   (배에서 꾸륵거리자 안 되겠다 싶고 계단으로 뛰어 올라가는)

금	어? 피해? 야! (쫓아 올라가며) 내 앞니 어쩔 거냐고!
현주	(꾹 참고 빠르게 올라가며) 쫌! 삼촌한테 말해놨다고 했잖아요!
금	니네 삼촌 치과는 얼마나 바쁘길래 이렇게 오래 걸리냐? 차라리 새로 태어나서 유치가 나는 게 빠르겠다!
현주	토요일! 토요일! 됐죠?
금	앞니 때문에 연기 인생 아주 중요한 기회를 날렸다고! 그건 어쩔 건데 어?
현주	(고비 와서 잠깐 멈추고, 금이 팔 붙잡고) 스케일링...무료! (후다닥 가고)
금	(어이없는 표정으로 서서 소리치는) 그거 갖고 되겠냐? 미백도 해줘라!

씬/49 학원 복도 (D)

식은땀 흘리며 올라온 현주. 복도 끝에 화장실 발견하고 막 뛰어간다. 문고리 잡고 열려는데... 잠겨 있다! "뭐야... 왜 잠겨 있어!!" 절망. 순간 배에서 꾸르륵 소리 크게 울린다. 그때, 복도 끝 수학학원에서 남학생들 우르르 나온다.
순간, 그만... 일을 보고야 만. "안 돼..." 절망적인 표정. (*적나라하지 않게 연출해주세요) 현주, 들킬까 싶어 화장실 문에 딱 달라붙어 서는데. 학생들이 우르르 다가온다.

남학생들	이현주! 왔냐? / 왜 그러고 서 있어?
현주	(손 뻗으며 버럭 소리치는) 안 돼! 가까이 오지 마!

현주 외침에, 우르르 나오던 학생들 멈춰 서고. "왜 저래?" 웅성대는. 패닉이 된 현주, 벽에 기댄 채 거의 울기 직전이다. "어떡해..."
그때, 누군가 성큼성큼 걸어온다. 학생들 양쪽으로 갈라지면 그 사이를 걸어오는 사람 틸업. 금이다. 금이 셔츠 벗으며 현주에게 다가가는 모습 slow. (*〈여신강림〉 2화 엔딩 수호 장면) 민소매 차림의 금이, 현주 허리에 셔츠를 둘러 묶어주더니 어깨를 감싸 안고 유유히 화장실로 데려가는 모습 slow. 현주, 그런 금을 반한 듯 보는 표정에서...

씬/50 솔이 집 거실 (D)

솔, 나오는데 말자, 곱게 입고 나가려 하고 있다.

말자	(씩 웃으며) 인자 일어났대? 공부 한다고 늦게 잤나 보네이.
솔	(총총 달려가 말자 뒤에서 끌어안으며) 내 이름 뭐게요~ (살갑게 묻는)
말자	솔이래요~
솔	어디 나가?
말자	노인정에 마실 가제~ 고스돕 멤바들이 왜 자주 안 오냐고 하자네~
솔	할머니. 요즘 뭐 깜빡깜빡하거나 그러진 않지?
말자	너무 총명해서 탈이여. 40년 전에 시집살이한 거 자식들이 속 썩인 거 하나하나 다 기억나서 피곤혀. 하여간 까먹지두 않어. 왜, 할미 치매 걸릴까 봐 걱정돼서 그려?
솔	(더 꼭 끌어안는)
말자	인생이 어찌 봄날만 있었어. 흘러가는 세월 앞에 장사 없는 겨. 몸뚱아리도 언젠가는 고장이 나긴 나겠제. 아유 가봐야쓰겠다이. (서둘러 나가는)
솔	건망증 심해지거나 하면 꼭 말해야 돼 알았지? (하는데 전화 와서 보면 '울여보양♡' 한숨 쉬며 거절하려다) 얘 정리한다고 했었는데? (전화받는) 여보세요?
태성(F)	진짜 나랑 밀당해?
솔	뭐?
태성(F)	오늘 꼭 만나자더니 왜 니가 늦는 거지? 안 올 거면 그냥 간다?
솔	아니! 지금 가고 있으니까 딱 기다려.

씬/51 카페 (D) *그 시절 분위기 카페

태성, 핸드폰 문자 보고 있다. **'올해는 꼭 한국 들어가서 생일 챙겨주고 싶었는데...미안해. 생일 축하해 아들. 언제나 보고 싶어. - 엄마'** 태성, 문자 가만히 보다가 폴더 탁 닫는데.

그때, 슬리퍼 짝짝 끌며 더워서 겨드랑이 부채질하며 들어오는 솔이 보인다. 태성, 어이없어 피식 웃는데. 솔이 다가와서 맞은편에 앉는다.

태성   하도 늦길래 대단히 꾸미고 나오는 줄 알았는데.

솔   아이구. 괜한 기대를 줬네.

태성   (의심스럽게 보며) 솔직히 말해. 너 이중인격이지? 지킬 박사? 그 사람처럼.

솔   그래. 나 이중인격자 맞아. (자세 고쳐 잡고 앉아서) 이참에 말해줄게. 잘 들어봐. 내 안엔 순진하고 어린 나와 성숙한 자아를 가진 내가 있어.

태성   (피식) 그래애?

솔   성숙한 자아를 가진 내 입장에선 순진하고 어린 솔이가 널 만나는 게 영 맘에 안 들어. 고3이 공부도 안 하고 남자한테 빠져 있는데 걱정이 되겠어~? 안 되겠어~?

태성   (끄덕이며 맞장구쳐주는) 아~ 나한테 푹 빠져 있는 순진한 너랑, 공부를 해야 되는 성숙한 너랑 막 마음에서 싸우고 있나 보네?

솔   어머~ 똑똑하네. 그래. 그런 셈이지.

태성   (턱 괴고 씩 웃으며) 누가 이겼어?

솔   내가 이겼지.

태성   오. 축하해~

솔   그러니까 이쯤에서 그만 정리하자.

태성   (안 믿는 듯, 피식) 생일이라고 꼭 만나야 된다 할 땐 언제고 갑자기?

솔   뭐? 생일? (순간 쿵) !! (기억 떠오르는 효과) ...안 돼!

태성   뭐가 안 돼?

솔   안 돼...안 돼... (두리번대는데 직원과 눈 마주친다)

직원   (솔이 보고 윙크하며 손으로 오케이 표시. 수신호 날리는데)

솔   (입 모양으로 '안 돼요! 하지 마요!' 외치며 손으로 엑스 표시 만드는)

직원   (갸웃하다 머리 위로 커다랗게 동그라미 사인 보내는)

솔   에이...하지 말라니까! 여기요! 그만! 스탑! (직원 쪽으로 가려는데)

그때, 가게 조명 꺼지며 암전. 가게 안 사람들 모두 어리둥절.

| 직원 | (마이크로) 손님분이 깜짝 이벤트를 준비하셨거든요. 잠시 양해 부탁드립니다. |

직원   (마이크로) 손님분이 깜짝 이벤트를 준비하셨거든요. 잠시 양해 부탁드립니다.

손님들 오오오! (박수 쳐주고)

솔   젠장...! (태성 손잡고 일으키며) 나가자. 응?

태성   이벤트 한다잖아. 보고 나가지?

솔   맛있는 거 사줄게. 응? 나가자고오! (끌고 나가려는데)

그 순간, 일각에 걸린 화이트 스크린에 영상 재생되기 시작한다.
열아홉 솔이 제작한 UCC 영상이다. (각각 다른 배경에서 찍어서 재미있게 공들여 편집한) 영상 속 솔, '우유송' 개사해 부르며 앙증맞게 춤춘다.
"현빈 싫어싫어~ 공유 싫어싫어~ 동원 오빠여두 Oh NO!~~ 조인성 싫어싫어~ 소지섭 싫어싫어~ 왕자님 태성 Oh YES!~~ 멋지고 잘생긴 넌 미모도 최고~~ 간지남 태성한텐 솔이가 딱이야~~ 자감고 완전킹카 김태성 내꺼! 간지남 태성한텐 내가 딱이야~~ 태~성 좋아! 태~성 좋아! 태~성 좋아요! 다 좋아요! 태~성 좋아! 태성이 좋아~ 세상에서 제일 좋아~ 태성 없는 세상은 상상하기도 싫어싫어~ 태성이 제일 좋아 태성 만세~~!"

태성   저거...너야? (하며 보다 빵 터져서 웃으며) 와...너 골 때린다.

솔   에이씨... (머리 헝클며) 고3이 뭔 짓거리야 이 철딱서니야~~~

직원이 솔♡태성 목걸이 찬 커다란 곰인형 들고 다가와 "생일 축하드려요!"하며 박수 쳐준다. 솔, 곰인형 보곤 털썩 앉으며 넋 나가서 헐렝이 박수 대충 치는.

태성   (웃기고) 솔직히 말해. 헤어지자고 한 거 이벤트 하려고 몰카 한 거지?

솔   그러게. 그렇게 보이겠네~

태성   (놀리듯) 니가 날 이 정도로 좋아하는 줄은 몰랐네?

솔   (넋 나간) 그러게. 나도 몰랐네~

태성   왜, 막상 하고 나니까 창피해? (피식) 밥 먹으러 갈까?

솔   (한숨) 미역국은 먹었니?

태성	미역국? (피식) 우리 아빠가...오늘이 내 생일인 건 알려나?
솔	(살짝 당황) ...진짜?
태성	(다시 장난스레 불쌍한 척) 나 불쌍하지, 그치?

씬/52 기사식당 (D)

솔, 태성 앉아 있고, 조촐한 미역국 반상 차려져 있다.
태성, 앞에 놓인 미역국 보는데... 가슴이 뭉근해지는 느낌.

솔	안 먹고 왜 보고만 있어?
태성	... (괜히) 생일에 기사식당에서 미역국 사주는 여친은 니가 처음이라
솔	미역국 파는 데가 흔한 줄 아니? 어서 먹고 한 살 더 먹어라. 철 좀 들게.
태성	(미역국 한입 떠먹는데 왠지 가슴이 울컥)
솔	맛있니?
태성	(장난스레) 이럴 때 보통 반찬도 막 올려주고 그러지 않나?
솔	참...같은 열아홉인데 극과 극이다. 누군 챙겨준대도 밀어내는데.
태성	나 말고 누굴 또 챙겨.
솔	아니다... (한숨 쉬며 태성 지그시 보는)
태성	왜 그렇게 봐~ 새삼 반했어? (눈웃음)
솔	예전의 난 이 중2병 관심종자가 뭐 그렇게 좋았던 건가 싶다.
태성	마음 떠난 것처럼 말한다?
솔	뭐랄까...부재중인 건가?
태성	지금은 성숙한 자아구나. 순진하고 어린 자아가 빨리 돌아와야 될 텐데?
솔	오...은근 헛소리를 잘 알아먹는단 말이야?
태성	연상이랑 연하랑 양다리 걸치는 기분이네?
솔	(어이없는 표정)
태성	둘 중 고르자면 난. 누나.
솔	(고개 저으며) 암튼. 너 순진한 우리 솔이 돌아오면 잘해줘야 된다? 마음에 상처 주지 말구. 학생답게! 건전하게! 데이트는 도서관, 서점 그런 데서 하구.

태성	(피식) 또.
솔	위험하니까 그 오도바이는 절대 태우지 말구. 해 지기 전에 들여보내구.
태성	또.
솔	그리구 스킨십은!
태성	어디까지?
솔	뭘 어디까지야! 어린것들이...절대 안 돼! (하다가 이상한지 머리 헝클이며) 걔가 나고 내가 걔지 뭔 소릴 하고 있는 거니. 어떻게 해야 되나아.
태성	(피식 웃는데 핸드폰 진동 울려 문자 확인하는) 회사 옮기고 싶다더니 결국 갔네. (자세히 보려는 듯 핸드폰 가까이 드는) 근데 마린보이 이제 수영 안 해?
솔	(머리 쥐어뜯고 있다 멈칫) 뭐?
태성	이거 걔 아니야? 류선재. (문자 보여주는) 걘 연예인 하기엔 끼가 없던데.

보면. **'백인혁 오디션 보러 가나 봄ㅋㅋ - 이슬'** 문자 아래 사진 첨부된. JNT 엔터 건물 앞에 서 있는 인혁, 선재 사진이다. 솔, 철렁하는데.

솔	여기 어디래?!

씬/53 거리 일각 + 택시 (D)

솔, 달려와 갓길에 선다. 차 쌩쌩 지나가자 눈 질끈 감고 심호흡하다가 눈 뜨는. 손 흔들며 급히 택시 잡아 올라타며... "청일동 사거리 가주세요! 빨리요!"

씬/54 JNT 건물 계단 (N)

솔, 헉헉대며 계단 올라가는데, 마침 엔터 사무실에서 나오는 인혁과 마주친다.

솔	(헉헉 숨 고르며) 오디션...봤어?
인혁	(놀라) 너 뭐야?
솔	(울컥) 여기에 선잴 왜 데리고 와! 내가 말했지! 이런 데 발도 들이지 말게...
인혁	(O. L) 뭔 소리야? 선재 아부지 연락받고 갔거든?
솔	뭐? 갔어? (다행이다 싶고 기운 빠지는) 하...다행이다.
인혁	왜 자꾸 선재 일에 참견인데? 김태성이랑 사귀면서 우리 선재 갖고 노는 거냐?
솔	무슨 말도 안 되는... (다리에 힘 풀려서 휘청, 계단에서 구르는) 악!
인혁	(헉! 놀라) 야! 괜찮아? (뛰어 내려가는)

씬/55 류근덕 갈비 + 거리 일각 (N)

단체 손님들로 북적이고 정신없는 홀. 근덕, 손님 맞느라 분주한 모습.
선재, 앞치마 두르고 일 돕고 있는. (*선재, 전자시계 차고 있음)

손님1	여기요! 물 좀 주세요!
선재	네! (물통 꺼내려 냉장고 문 여는데 전화 와서 받으며) 여보세요?
인혁(F)	너 아직 아부지 가게야?
선재	어. 나 좀 바빠서... (끊으려는데)
인혁(F)	(O. L) 임솔한테 나랑 여기 온 거 얘기했어? 너 설마 걔랑 연락해?
선재	뭐?
인혁(F)	걔 너 보러 왔었어! 누가 쫓아오는 것 마냥 뛰어오더니 지 혼자 계단에서 구르고 쌩쑈를 하더니만. 다쳤는지 봐줬랬더니 쪽팔린지 눈 깜짝할 사이에 사라졌다니까?
선재	(계단에서 굴렀단 말에 멈칫. 표정)
손님1	여기 물 달라구요!
선재	나 바빠. 그리고 이제 나한테 걔 얘기하지 마. 끊는다. (끊고 물통 들고 가는)

씬/56 버스 안 (N)

솔, 허리 붙잡고 걸어와 빈자리에 털썩 앉는다. 창문에 머리 기대고 "지 친다..." 하며 기운 쭉 빠진 표정으로 창밖 보는데. '2008년 베이징 올림 픽...' 관련 광고판 보이자. 손목에 찬 전자시계 보는.

솔OFF 하필이면 왜 2008년일까. 도대체 왜? (생각 많아지는)

씬/57 류근덕 갈비 (N)

선재, 바쁘게 일하고 있다. 새 불판 들고 빠르게 걸어간다.

선재 판 갈아드릴게요. (하며 새 불판 집게로 드는 순간 일시정지 된 듯 동작 멈추는)
손님들 ...?? (갸웃하며 서로 눈 마주치고)
선재 (인혁 말 떠올리는)
인혁(E) 누가 쫓아오는 것 마냥 뛰어오더니 지 혼자 계단에서 구르고 쌩쇼를 하 더니만.
손님1 저기...고기 타는데요? (하는데)

선재, 집게 툭 내려놓더니, 돌아서서 앞치마를 벗으며 밖으로 나간다. 근덕이 "아들! 어디 가!" 소리치고. 손님들 황당한 표정.

씬/58 솔이 집 앞 (N)

선재, 솔이 집 앞으로 달려와 올려다보면 솔이 방 불 꺼져 있고.

씬/59 버스 안 + 버스정류장 (N)

선재, 정류장으로 달려와서 버스에서 내리는 사람들 살핀다. 솔이 모습
안 보이자 돌아가려는데 멈칫. 정차 중인 버스 뒷자리 창문에 머리 기대
고 잠든 솔이 모습 발견한다. !!
선재, "임솔!!" 큰 소리로 부르는데, 솔이 안 깼다. 안 되겠다 싶어 올라타
려는데 막 출발해버리는 버스. 사거리를 건너 멀어진다. 다급하게 손 흔
들며 택시 잡으려는 선재 모습.

씬/60 버스 안 + 주양저수지 인근 (N)

솔이 혼자 꾸벅 졸다가 깜짝 놀라 깬다.
보면, 텅 빈 버스. 창밖 보면 서울 외곽, 어두운 시골길 느낌.

솔   여기가 어디야... (일어나며) 기사님! 여기 무슨 역이에요?
버스기사 종점 다 와 가는데?! 아이고 졸다 지나쳤나 보네.
솔   진짜요? 하...미치겠네. (급히 하차벨 누르는)

씬/61 주양저수지 버스정류장 (N)

버스에서 내리는 솔. 주위 살펴본다.
어둡고 인적 없는 동네. 다리 옆으로 꽤 깊어 보이는 저수지 보인다.

솔   왜 와본 것 같지? (갸웃하며 둘러보는데 으슥하다) 일단 돌아가자.

건너편 버스정류장으로 건너가 벤치에 앉는다. 혼자 있으니 좀 무섭다.
목 쭉 빼고 버스 오나 보고 있는데... 택시 한 대가 달려온다.

〈택시 안 인서트〉

택시 기사(*영수)가, 솔이 발견하곤 살짝 속도를 줄이는데.
차 키에 달린 열쇠고리가 흔들리며 (E) 열쇠 짤랑이는 소리.

#다시 버스정류장
솔, 택시 보고 반가워 손 흔드는데... 갑자기 뒤에서 인기척이 느껴져 휙
돌아본다. 보면, 낚시복 차림의 눈 반쯤 풀린 주취자가 비틀비틀 걸어온
다. 솔, 긴장하는데. 주취자, 솔이 앞으로 지나쳐 가자, 내심 안도하는 솔.
다시 고개 돌리면 속도를 줄이던 택시가 솔이 옆을 천천히 지나친다.
택시 기사(*영수) 시선 컷으로 솔이 보고 속도 줄이다가 주취자가 보이
자 바로 속도 높여 휙 지나치는 모습이 교차로 보여지고.
솔, 택시가 가버리자 실망한 표정. 그때, 주취자 걸음 뚝 멈추더니 다시
돌아와 솔이 옆에 털썩 앉는다. 솔, 움찔 놀라며 일어나 의자 맨 끄트머리
로 옮겨 앉아 핸드폰 꼭 쥐고 있는데.

주취자   (혀 꼬여서) 학뗑이야? (말 걸다 휘청 솔이 쪽으로 넘어지려 하는)
솔   헉!!! (놀라 벌떡 일어나 저수지 다리 쪽으로 빠르게 걸어가는)
주취자   (따라 일어나고) 어어? 나 이상한 사람 아닌데 왜 도망가?
솔   (뒤돌아보면 주쥐차 갈지자로 걸으며 쫓아오고 있는) 뭐야..!
주취자   기분 나쁠라 그러네? (혀 꼬여서) 나아~ 나쁜 사람 아니야~ (낄낄대는)
솔   술을 곱게 먹던가 진짜. 가까이 오기만 해요! 신고할 거니까! (핸드폰 꺼
          내며)
주취자   어? 신고를 왜 해?! (솔이 핸드폰 뺏으려고 붙잡는)

그때, 택시 한 대가 달려온다.

〈택시 안 인서트〉
선재, 버스정류장 살펴보며 혹시 솔이 내렸나 찾으며 가고 있는데. 일각
에서 주취자랑 실랑이하고 있는 솔이 모습 보이는. !!! 놀란 표정.
"여기 세워주세요!" 다급하게 외치자 멈춰 서는 택시.

#다시 버스정류장 인근

솔이 "이거 놔요!" 핸드폰 안 뺏기려고 실랑이하는데.

한편, 택시에서 뛰어내려 솔이 쪽으로 달려가는 선재.

그때, 솔이 시선에, 빠르게 달려오는 선재가 보인다.

그 순간, 과거 사고 장면 떠오르고, 달려오는 선재 모습과 오버랩 되어 보여진다.

〈솔 회상 인서트〉 *2화 48씬 솔이 회상 씬

달려오는 선재 모습 확실히 드러나게.

솔, 도망치듯 뛰어오다 멈춰 서는데, 저 멀리 빗속에서 솔을 보고 달려오는 사람... 선재다!

#다시 현실

솔, !!!! 놀란 표정으로 서 있는데.

그 틈에 주취자, 솔이 핸드폰을 확 뺏어 가자 솔이 뒤로 자빠지면서 그대로 다리 난간 너머로 몸이 넘어간다. "어어어어!!" 안 넘어가려고 솔이 팔을 막 휘젓는 모습 slow. 주취자도 순간 놀라서 솔이 팔 붙잡아주려고 팔 뻗는데.

헉! 놀란 선재가 더 빨리 달려와 솔이 손잡으려는 순간, 솔 그대로 다리 아래로 떨어져 저수지에 풍덩... 빠져버린다.

씬/62 저수지 물속 + 물가 (N)

솔, 허우적대기 시작하는데. 점점 숨이 막혀온다.

그때, 선재 목소리가 들려온다.

선재(E)   솔아... 임솔!

풍덩... 물속으로 뛰어드는 소리 들리고. 희미한 작은 빛(*선재 전자시계 불빛)이 물살을 헤치며 점점 가까워진다. 그 순간, 과거 기억 떠오르는 효과.

〈솔 회상 인서트〉 * 15년 전 기억
#물속(*2화 48씬 회상씬 끝, 솔이 차에 치여 물에 빠진 장면에서 연결)
솔, 가라앉고 있는데 멀리서 희미한 작은 빛이 점점 다가오는 모습 위로..

솔(E) 엄마...나 사고 났을 때 구해준 사람 있잖아...그 사람 이름이라도 혹시 기
       억해?

솔, 다리가 안 움직여 발버둥도 못 치고... 머리 상처에서 흘러내린 피가
붉게 번진다. 의식 점점 희미해지는데. 점점 가까워지는 빛... 의식 잃어
가는 솔의 눈앞에 전자시계 불빛이 보인다. 눈 감기 직전 솔의 손목을 잡
아 끌어올리는 사람... 선재다!

#다시 현실
디졸브. 전자시계 불빛이 확 가까워지더니 같은 시계를 찬 솔의 손목을
잡아 끌어안는 사람, 선재다! 선재, 솔을 끌어안고 헤엄쳐 올라가는 모습
에서...

씬/63 저수지 물가 (N)

선재, 솔이를 부축해 물가로 데리고 나오면 솔, 바닥에 엎드려 콜록댄다.
선재, 솔이 등 쓸어주고 있고. 솔, 그런 선재 보는데 눈물 차오른다.

선재 괜찮아?
솔   (울음 삼키며 끄덕인다)
선재 하... (그제야 놀랐던 마음 진정되는지 숨 크게 내쉬는)

M. 넬 '기억을 걷는 시간' 노래 후반부 후렴 부분까지 흘러나온다.

선재 어떡하냐 널... (복잡한 마음으로 솔을 보다가) 다친 덴 없어? 봐봐. (가까

이 다가가 손으로 솔이 얼굴을 어루만지듯 잡고 다친 곳 없나 살피는)

솔 　(선재 얼굴 슬프게 보는)

〈솔 회상 인서트〉
#어두운 병실 (N) *2008년 사고 이후
누군가 병실 문을 살짝 열려다가 멈칫. 문밖으로 누군가 서 있는 실루엣 보이고.

솔 　(복순에게 울며 소리치는) 보기 싫다고! 구해준 거 생색내러 왔대? 고맙 단 말 들으려고? 나 하나도 안 고마우니까 가라고 해 당장! 가! 가라고!

복순 　(울먹이며 솔이 다독이려 끌어안는데)

솔 　(병실 문 향해 발악하며 소리치는) 왜 살렸어! 그냥 죽게 내버려두지 왜 날 살려서 날 이렇게 만들었어! 왜! (발악하며 병실 문을 향해 음료수병 집어 던지면)

한편, 문밖에 서 있는 남자 틸업하면. 죄지은 듯 서 있는 남자, 선재다!

#다시 현실
솔, 눈물 그렁그렁해서 선재 바라본다.

솔NA 　내가 잃어버렸던 건...기억이었을까?

선재 　(솔이 눈물 흘리자 당황) 어디 아파? 아님 놀라서 그래?...병원 갈까?

솔NA 　아니면...너였을까.

솔 　(순간 울음 왈칵 터뜨리며 선재 허리를 와락 안는다)

선재 　!!!

선재를 꼭 끌어안고 아무 말도 못 하고 그저 서럽게 우는 솔.
놀란 선재... 고개 비스듬히 숙여 솔이 우는 얼굴 살피려는데 솔이 더 꽉 안으며 선재 품에 파고든다. 선재, 왜인지 모르게 마음이 저리고. 조심스 레 손 올려 솔이 머리를 감싸 안는다. 선재 안고 엉엉 우는 솔... 울음 그칠 줄 모르고.

가로등 불빛 아래. 꼭 안고 있는 두 사람 모습에서 엔딩.

(에필로그)

씬/64 라디오 부스 (D)

선재, 스피커 버튼 누르고, 잠시 생각하는 듯한 표정.
'011...' 조심스레 숫자 누르기 시작한다. 통화 연결음 울리고.

선재	여보세요?
솔(F)	뭐야...
선재	안녕하세요. 저는 류선재라고 합니다.
솔(F)	...근데요.
선재	저 아세요?
솔(F)	모르는데요.
선재	하... (아쉬운 표정 OFF) 솔아.

Lovely ♡

Runner ♡

5화

네가 내 생각만 하라고 했지?

너 헤어질래?

내가 바라면 그럴 수 있어?

씬/1　택시 안 (N)

옷 젖어 있는 솔, 선재 말없이 앉아서 가고 있다.
선재, 이제야 물불 안 가리고 뛰어온 자기 행동 돌이켜본다. 마음이 복잡
한데.

솔　　근데 어떻게 알고 왔어?
선재　정류장에서 봤어. 니가 버스에서 잠들어서 못 내리는 거.
솔　　아...
선재　그러니까 좀 때와 장소를 가려서 졸아. 볼 때마다 아무 데서나 졸고 있어.
　　　내가 못 봤으면 어쩔 뻔했어? 수영도 못 하면서.
솔　　응. 앞으로 절대 안 졸게. 근데..어깬 괜찮아? 아직 수영하면 안 되는 거
　　　아니야?
선재　괜찮으니까 하지. 안 괜찮았으면 뛰어들었겠냐. 신고했지.
솔　　많이 좋아졌나 보네. 잘됐다.
선재　(솔이 젖은 옷 보이고, 추울까 싶어 뒷좌석 에어컨 끄곤 다시 창밖 보는)
솔　　근데 혹시 모의 경기 때 말고 그전에 나 본 적 있어? 그냥...앞집 사니까
　　　오다가다 본 적 있을까 해서...
선재　(O.L) 있어.
솔　　진짜?

선재	전에 니가 나 택배 기사로 착각했었잖아. 기억 안 날걸?
솔	그게 언젠데?
선재	...봄. 이사 온 지 얼마 안 됐을 때.
솔	그렇구나... (혼잣말처럼) 그때 알았으면 좋았을 텐데.
선재	그런가. (그때 고백했으면 어땠을까. 생각에 잠긴)
솔	그럼 우리 가게에도 온 적 있어? 내가 엄마 대신 가게도 자주 보고 했거든.
선재	(당황) 어?

〈선재 회상 인서트〉 *2화 49씬

선재가 〈원초적인 본능〉 비디오 내밀던 장면 짧게 스치는.

솔	혹시 디비디 빌리러 온 적 없어?
선재	(뜨끔하고) 하암... (갑자기 하품하며 자는 척)
솔	??? 너 자?
선재	(계속 자는 척하는)

씬/2   주택가 골목 + 솔이 집 앞 (N)

택시에서 내리는 솔, 선재. 내려서 골목 걸어가는 모습.
가로등 불빛 아래, 나란히 걷고 있는 두 사람의 그림자. 이를 보는 솔.

솔NA	우리는 많은 것들을 놓치며 살아간다.

〈솔 회상 인서트〉 *1화 24씬

솔이 콘서트장 밖에서 응원하던 장면.

솔NA	나에게 선재는...하늘에 별처럼 닿을 수 없는, 아득히 먼 존재였다.

솔이 집 앞에 멈춰 선다. 잠시 마주 보고 선 두 사람.

솔NA   떠올리고 싶지 않은 기억들로 뒤덮인 내 십대의 끝자락에...

선재, "들어가 봐." 솔이 아쉽게 건물로 들어가면, 그제야 돌아서는 선재.
솔이 다시 나와 집으로 들어가는 선재 모습을 애틋하게 보고 서 있다.

솔NA   눈길만 돌리면, 손만 뻗으면 닿을 거리에 선재가 있었다는걸.

씬/3   과거 몽타주

#1. 선재 집 마당 + 솔이 집 옥상 (D)
운동복 입은 선재 나와서 숨 크게 들이마시며 하늘 올려다보고 조깅하러
나가는. 동시에 솔이 옥상에서 숨 크게 들이마시며 하늘 보다가 빨랫줄
에 빨래 거는 모습.

솔NA   매일 나와 같은 공기를 마시고, 같은 하늘을 보고.

#2. 주택가 골목 (D)
봄날 벚꽃 핀 골목. 솔(춘추복), 선재(운동복)가 앞뒤로 몇 걸음 떨어져
걷고 있다. 솔이 MP3 꺼내는데 주머니에서 명찰이 떨어진다.
선재가 걸음 멈추고 명찰 주워 드는데 '임솔' 이름 적힌 명찰이다.

솔NA   같은 길을 걷고.

#3. 버스 안 (N)
솔, 자리에 앉아 단어장 보고 있는데 불쑥 명찰을 건네는 손.
솔, 올려다보면 선재다. 선재, 아무 말 없이 휙 지나쳐 뒷자리에 가 앉는다.

솔NA   나를, 내 이름을 알고.

#4. 주양저수지 다리 위 (N) *2화 48씬
회상 장면에서 선재 모습 드러나게.
솔이 차에 치이는 순간, 빗속에서 달려오던 선재 "솔아! 임솔!" 소리치던
모습.

솔NA   나를 구했다는 사실을...그땐 미처 알지 못했다.

씬/4   솔이 집 거실 (N)

욕실에서 나오는 솔. 거실 창밖으로 비 내리는 모습 보며 다시 기억 떠올
려본다.

솔NA   그동안 얼마나 많은 인연의 순간들을 놓치고 살아왔는지... 긴 시간을 거
        슬러 돌아와, 나의 과거를 다시 마주하고 나서야 깨달았다.

        〈솔 회상 인서트〉 *1화 엔딩
        솔이 비 맞고 서 있는데 선재가 다가와 우산 씌워주던 장면.

씬/5   솔이 집 솔이 방 (N)

솔NA   어쩌면...놓치지 말아야 할 순간들. 어딘가에서 찬란한 빛을 내며 끊임
        없이 나에게 신호를 보내고 있었는지도 모른다.

        선재와 찍은 즉석사진 보고 있는 솔. 창가로 다가간다. 창밖으로 선재 집
        바라보며 손목에 찬 시계를 쓸어본다. 시계 버튼을 누르자 2:00:00에 멈
        춰 있는 화면에서 반짝 빛이 들어온다.

솔NA   그 신호를 놓치지 않는 것. 그것이 내가 이곳에 온 이유, 너와 내가 다시
        만난 이유이지 않을까? (F. O. F. I.)

씬/6 솔이 집 옥상 (D)

옥상 문 활짝 열고 나오는 솔. 간밤에 비는 그치고 날이 맑게 개어 있다. 기지개 쭉 피면서 하늘 올려다보는데 무얼 본 건지, 입가에 환한 미소가 걸린다.

씬/7 선재 집 선재 방 (D)

솔(E)   선재야! 류선재!

선재, 자고 있는데 창밖에서 솔이 부르는 소리 들린다.
뒤척이며 살짝 눈 뜨는데 창밖에서 또 솔이 목소리 들리는.

솔(E)   선재야아아아!

선재, "뭐야..." 잠 덜 깬 상태로 일어나 창문을 열자 쨍한 햇빛이 들이친다. 눈이 부셔서 찌푸리며 내다보면, 건너편 솔이네 옥상에 솔이 보인다.

솔   (폴짝폴짝 뛰며 손 흔드는) 선재야! 잠깐 나와봐!
선재   이번엔 또 뭔데... (마른세수하거나, 잠 깨려는 듯한 행동)

씬/8 선재 집 마당 + 솔이 집 옥상 (D)

선재, 나와보는데 간밤에 내린 비로 촉촉하게 젖은 마당에 햇살 내리쬐고 있다.

솔   선재야! 하늘 봐봐! 무지개 떴어!

선재	(하늘 올려다보는데 눈이 부셔 아무것도 안 보이는) ??
솔	예쁘지? 내가 안 깨웠으면 너 이거 못 봤다? 소원 빌어 빨리!
선재	(하늘 보며 혼잣말) 뭐가 보인다는 거야.
솔	(반응 없자) 왜? 잘 안 보여? 흠...잠깐만! (뛰어가고)

선재, 시야에서 사라진 솔을 기다리며 잠시 서 있는데 내가 왜 이러고 있
나 싶다. 고개 저으며 들어가려는데. 다시 옥상 난간 쪽에 모습 드러내는
솔. 긴 호스를 위로 들고 공중에 물을 뿌리기 시작한다. 그러자 햇빛을 받
아 반짝이는 물줄기 사이로 파란 하늘에 뜬 무지개가 선명하게 보인다.
"어때! 이제 보이지?" 소리치며 활짝 웃는 솔.
그런 솔을 바라보는 선재. 심장이 또 쿵, 발밑으로 떨어진다.

〈선재 회상 인서트〉 * 2화 49씬
솔이 노란 우산 씌워주며 활짝 웃던. 처음 반했던 장면 스치는.

선재, 가슴 한구석이 저릿해진다. 포기할 수 없는 감정 깨닫는다.
물 뿌리며 웃는 솔과 무지개... 눈부시게 예쁜 장면을 눈에 담는 선재.

씬/9 솔이 집 앞 (D)

복순, 나오는데 하늘에서 떨어진 물에 맞아 홀딱 젖는다. 올려다보는데
옥상에서 떨어지는 물이다. "누가 물장난이야!" 소리치며 뛰어 올라가고.

씬/10 솔이 집 옥상 + 선재 집 마당 (D)

물 뿌리고 있던 솔이, 복순 목소리에 헉! 놀라 후다닥 호스 놓쳐버린다.
이리저리 제멋대로 움직이는 호스에서 물줄기가 사방으로 튀고. 복순,
"임솔!" 소리치며 올라오면 솔이 "끌게! 끈다고!" 팔딱팔딱 뛰어가는.
한편, 마당에서 다 보고 듣고 있던 선재. 웃음이 그야말로 빵- 터진다. 복

순과 뛰어다니는 솔이 모습. 선재, 웃고 있는 모습 교차되며 보여지는데. 복순이 빨랫줄을 손으로 확 치는 순간, 빨랫줄에 널려 있던 솔이 핑크색 꽃무늬 브래지어가 옥상 난간 밖으로 날아가버린다! 솔은 것도 모르고 호스 잠그고 있고.

바람을 타고 날아간 브래지어가 쿡쿡 웃고 있던 선재 발아래로 툭 떨어진다. 선재, 시선 아래로 내리면 브래지어다...! 얼음!

씬/11 솔이 집 건물 계단 입구 + 주택가 골목 (D)

솔, MP3 들으며 한 계단, 한 계단 내려와 1층 입구에 다다르는데.
선재가 떡하니 기다리고 서 있다!

솔　　(반가운) 선재야!

선재　　(민망해하며) 크음...자. (쇼핑백 내미는)

솔　　뭐야? 아침부터 뭘 이렇게 주고 그래... (받아 들고 씩 웃으며 쇼핑백 안 보면 핑크색 꽃무늬 브래지어다. 헉! 얼굴이 화르르. 다시 확 닫는) !!

선재　　(딴 데 보며) 니네 집 옥상에서 날아왔더라.

솔　　이, 이거 내 꺼 아니고! 우리 할머니 꺼야. 울 할머니가 핑크를 좋아해.

선재　　(민망해 괜히) 뭐, 뭐. 누가 궁금하대? 참 나... (획 앞서가는)

솔　　(창피해) 에라이... (쇼핑백 가방 안에 막 쑤셔 넣고 서 있는)

선재　　(걸어가다 멈춰 서서 돌아본다) 안 가?

솔　　가! (쪼르르 달려가 선재 옆에 서고) 안 그래도 학교 같이 가자 하려구 했는데. 너랑 같이 뭐 할 게 있어서.

선재　　(걸어가며) 그게 뭔데?

솔　　(발 맞춰 걸으며) 그런 게 있어. (씩 웃으며 선재 잠시 보다가) ...고마워 선재야.

선재　　(걸어가며) 뭐가?

솔　　나 살려준 거. 그리고...미안해. 고맙다고 진작 말했어야 했는데, 너무 늦었네.

선재　　어제 말했잖아.

솔	어젠 어제고... (하다 피식) 근데 이제 나 안 피하네? 여자랑은 친구 안 한다더니.
선재	누가 너랑 친구한대?
솔	(삐죽이며 OFF) 그럼 친구 사이라고 해명했던 열애설들 다 진짜였겠네. 연애 되게 많이 하셨구만. (ON) 그래~ 그럼 넌 내 생명의 은인 해. 난 은혜 갚는 까치 할게.
선재	제비 아니었냐?
솔	그랬나? (갸웃하는데)

그때, 오토바이 달려오며 물웅덩이 밟고 지나가자 순간, 솔이 선재를 확 끌어당겨 담벼락으로 밀어붙이고 보호하듯 꽝! 벽치기 한다. 웅덩이에서 튄 물을 등으로 막아주는 솔이다. 선재, 황당하다.

솔	하...위험할 뻔했어... (멋있게 씩 웃으며 올려다보는) 그럼 제비 할까?
선재	!! (솔이 팔에 갇힌 채 당황한 표정에서)

씬/12 버스 안 (D)

선재, 버스카드 찍으려는데 뒤따라 탄 솔이 선재를 밀치고 "두 명이요!" 하며 냉큼 카드 찍는다. 선재, 황당한 표정으로 서 있는데 솔이 빈자리 보이자 아줌마처럼 후다닥 뛰어가 가방 내려놓고 자리 맡는다.

솔	선재야! 여기 앉아. 여기!
선재	(무시하고 지나쳐 뒤쪽 2인석에 앉더니) 안 앉아? (빈 옆자리 턱짓한다)
솔	(할 수 없이 선재 옆자리에 앉으며) 저 자리가 내릴 때도 편하고 명당인데...여긴 해가 너무 들이치잖아. (호들갑스럽게 손으로 햇빛 가려주며) 나랑 자리 바꿀까?
선재	(솔이 손 치우며) 너 계속 왜 이러냐?
솔	뭐가?
선재	옷에 흙탕물 다 튄 거 알아?

솔	아~ (손으로 치마 대충 털며) 고마워서 그렇지. 이깟 흙탕물이 뭐라고. 마음 같아선 진짜 제비처럼 박씨라도 물어다 주고 싶은 심정...
선재	(O. L) 하지 마. 박씨 물어 오지 마!

씬/13 자감고 교정 일각 (D)

선재	(황당) 박씨가 아니라 아예 박을 가져왔구나?

보면, 커다란 나무 아래. 솔이 가방에서 알 모양 타임캡슐 꺼내고 있는.

솔	타임캡슐. (씩 웃으며 가방에서 목장갑, 모종삽 주섬주섬 꺼내며) 아니다, 박 맞지? 내가 이 안에 너한테 줄 선물을 넣어놨거든. 전래동화 보면 박에서 막 금은보화 나오고 그러잖아. (선재에게 모종삽 하나 건네면)
선재	(황당한 표정으로 얼결에 받아 들며) 나랑 같이 할 거라는 게 이거였어?
솔	응. (씩 웃으며 목장갑 끼더니 쪼그려 앉아 삽으로 땅 파기 시작하는)
선재	(또 뭔 일을 벌이려나 싶고, 솔이 옆에 쪼그려 앉는) 선물이라며. 그냥 주지 뭐 하러 힘들게 땅속에 묻어? 김치야?
솔	장독대 아니구 타임캡슐이라니까. 너도 좀 파 어서. (낑낑대며 땅 파면)
선재	(고개 저으며 같이 땅 파주며) 그럼 뭐 들었는데. 진짜 금은보화야?
솔	그것보다 더 귀하고 특별한 게 들어 있어. (꽤 깊이 구덩이 파지자 타임캡슐을 넣고 흙으로 덮기 시작하며) 너 나중에 열어보면 깜짝 놀랄걸?
선재	나중에 언제 꺼내려고?
솔	음...한 2023년쯤?
선재	(뭔 또 황당한 얘길 하나 싶고, 땅 파면서) 뭔 선물을 그렇게 오래 묵혀.
솔	(진지하게 장난) 이거 주식이야. 우량주라 오래 묻어놓고 있어야 해서 묻는 거야.
선재	진짜??
솔	가짜지. 사과 주식이라도 넣을 걸 그랬나... (흙 단단히 두드리는) 다 됐다...
선재	... (보는 표정)
솔	(장갑 벗으며 일어나며) 그럼 2023년 1월 1일 밤 12시. 우리 달리기 시

합했던 그 한강 다리 위에서 만나. 그날 같이 꺼내보자.

선재　　왜 하필 그날인데? (타임캡슐 묻은 커다란 나무 올려다보는)

〈솔 회상 인서트〉 *1화 47씬

전광판 뉴스. 〈(속보) 톱스타 류선재 사망. 2023년 새해 첫 비보〉

솔OFF　　그래야 네 운명을 바꿀 수 있으니까. 그러니 제발...하루만 더 살아 있어 줘.

선재　　(솔을 빤히 본다)

솔　　꼭 그때 줘야 의미가 있는 선물이거든. (주위 살피며 은밀하게 얘기하듯) 아주 어마어마~한 선물이 들어 있으니까 기대해.

선재　　(어이없지만, 귀여워 피식 웃는데)

솔　　미리 꺼내 보지 말구. 2023년 1월 1일 밤 12시. 한강 다리. 꼭 기억해. 알았지?

선재　　(솔이 말 곱씹어보며 문득) 근데...그때까지 넌 나 안 보고 살 거냐?

솔　　사람 일은 모르는 거니까... 만약 우리가 서로 안 보고 살고 있어도 그날 은 꼭 나와주라. 동창회 나가는 마음으로~ 웅? 옛 친구 만난다 생각하고.

선재　　(섭섭) 아, 누가 친구 한댔냐고! (휙 먼저 걸어가다가 멈칫 멈춰 서는)

〈선재 회상 인서트〉 *4화 55씬에서 이어지는 장면
#류근덕 갈비 (N)

선재, 손님에게 물통 주고 돌아서는데. 인혁에게 다시 전화 걸려온다.

선재　　(받으며) 야, 바쁘다고.

인혁(F)　　혹시 집 앞에서 임솔 보면 많이 다쳤나 좀 보라고. 암만 그래도 내 앞에서 굴렀는데 어떻게 모른 척하냐?

선재　　내가 왜 봐. 김태성한테 말하든가.

인혁(F)　　걔 임솔 좋아서 만나는 것도 아닌데 챙기겠냐?

선재　　뭐?

인혁(F)　　최가현이라고 귀찮게 쫓아다니는 애 있거든. 걔 떼내려고 아무나 만난 거라더라.

#다시 현실

선재   근데 너... (해맑은 솔이 표정 보고 차마 말 못 하는. 한숨 쉬며) 아니다. 가
       자. (걸어가다가 성질나는지) 하여간 보는 눈도...너 눈 어디 달렸어!
솔   ??? 요기? (하며 양 검지 손가락으로 눈 가리키며 깜빡이면)
선재   (답답) 어휴... (다시 쌩 돌아가는 데서)

씬/14 자감고 교정 일각 2 (D)

       솔, 선재 걸어 나오는데, 일각에서 여학생1 뛰어온다.

여학생1 아씨. 요즘 선도부 왜 이래? 맨날 복장 단속이야. (물티슈로 화장 지우는)
솔   (교복 내려다보고 헉! 혼잣말) 맞다 타이. 하...아침부터 운동장 뛰게 생
       겼네...
선재   (자기 목에 걸린 넥타이 빼서 솔이 목에 훅 걸어주는)
솔   (놀라) 너는 어쩌고. (다시 빼서 주려는데)
선재   나 운동부였잖아. 원래 교복 잘 안 입고 다녔어서 안 걸려. (타이 매준다)
솔   !! (두근. 표정)

       한편, 태성이 이슬과 걸어오다가 그 모습 보고 멈춰 선다.
       선재, 타이 매주고 먼저 들어가면, 솔이 넋 나간 듯 서 있고.
       태성, 심기 불편한 표정에서.

씬/15 자감고 운동장 (D)

       복장 단속 걸린 남학생들 쭉 서 있고. 그 끝에 선재도 걸려서 서 있는.

남고학주 류선재 너 이제 운동부 아니야 인마. 교복 똑바로 입고 다녀. 알았어?

	(선재 뒤쪽 보며) 넌 뭐야?
태성	쌤. 안녕하세요~ (이슬이 잡아 끌고 어슬렁어슬렁 걸어오는)
선재	(태성 보고 표정 굳는)
남고학주	웬일이냐? 맨날 담 넘어 다니면서 빠져나가던 놈들이?
이슬	(상황 파악) 에잇. (도망가려다 태성에게 붙잡히는)
태성	저희 자수하는 건데요? (씩 웃고) 정상참작 해주실 거죠?

(컷 튀면)
남학생들 운동장 뛰고 있다.

이슬	(헉헉대며 태성에게) 나까지 왜 끌고 와 새꺄.
태성	운동 좀 하라고. (지나쳐서 달려간다. 선재 옆에서 달리며 씩 웃는) 안녕.
선재	(무시)
태성	아는 척도 안 하네?
선재	아는 척할 사인가?
태성	그럼 내 여친이랑은 무슨 사인데 대신 벌을 받아?
선재	(태성 띠껍게 보는)
태성	맞다. 너 술이 앞집 살았던가?
선재	뭐가 궁금한데?
태성	궁금한 거? 흠...수영 선수들은 헤엄치는 게 더 빨라, 달리는 게 더 빨라?
선재	하, (대답할 가치도 없다는 듯 고개 저으며 속도 높여 뛰는)
태성	(속도 맞추며) 거북이들은 바다에선 빠른데 육지에선 느려 터졌잖아. 너도 그래?

선재, 비웃으며 태성 가볍게 앞지르며 제대로 속력 내서 뛰기 시작한다.
그러자 태성도 속도 높여 뛰기 시작하고, 거의 선재 따라잡으려 하는데.
선재, 속도 더 높인다. 두 남자 누가 시키지도 않은 속도 경쟁 붙는데...
태성, 헉헉대며 뒤처지는.

선재	(여유롭게 뒤돌아서 뛰며) 담배 끊어라~ (다시 돌아 속도 높여 달리는)
태성	(약 올라서 따라잡으려 죽어라 뛰는데)

이슬   (뛰면서 보면 태성, 선재만 죽어라 뛰고 있는) 쟤넨 왜 저러는 거야...

씬/16   운동장 수돗가 (D)

땀에 흠뻑 젖은 선재, 태성. 수돗가에 나란히 서서 세수 벅벅 하고 일어선
다. 태성, 손에 물기를 일부러 선재 쪽으로 튀기자, 선재 인상 구기는. 태
성, 바닥에 던져놨던 가방 집어 들며 선재 가방까지 같이 주워 든다. 선
재, 가방 뺏어 들려는데 태성, 힘으로 꽉 쥐고 안 놓는다. 무언의 신경전!
(E) 수업 종소리 울리자, 선재가 가방을 힘으로 확 뺏어 든다. 태성, 손 놓
으며 피식 웃고... 그런 태성 지나쳐 가는 선재. 태성, 그런 선재 돌아보며
맘에 안 드는 듯 인상 찌푸리는데. 수돗가 반대편에서 웃통 벗은 이슬이
세수하고 일어나며 태성과 눈 마주친다.

태성   왜 이렇게 징그럽게 봐?
이슬   (천천히 다가가 얼굴 확 가까이 들이밀더니 태성 가슴팍에 귀 대보며)
         ...확인.
태성   (소름. 이슬 확 밀어내며 발로 까는데) 미친놈아. 무슨 확인이야 확인은!
이슬   (약 올리듯 피하며) 맞네. 맞아. 너 임솔 진짜 좋아하지?
태성   (멈칫) 뭐?
이슬   니가 요즘 하는 짓을 봐라. (손가락 하나씩 접으며) 학교도 꼬박꼬박 나
         오지~ 담배도 안 피지~ 여자 애들이랑 놀재도 혼자 내빼지~ 완전 이상
         해!
태성   야, 옷이나 입어. 너무 시각적인 테러 아니냐? 안습이다 아주. (툭탁대는)

씬/17   자감남고 교실 (D)

선재, 대학 수시 관련 자료 들고 들어와 자리에 앉으면, 인혁이 묻는다.

인혁   담임이 뭐래?

선재	(자료 보며 생각에 잠긴) 체육교육과 수시 지원하라고. 특기자 전형으로.
인혁	체육교육과? 누가 누굴 가르쳐~ 거긴 공부 잘하는 애들이나 가는 거지.
선재	그래?
인혁	수능 백 일밖에 안 남았거든? 차라리 가수를 해. 그 길이 더 쉽겠다.
선재	쉬운 길이었으면 넌 왜 아직도 데뷔 못 하고 있냐?
인혁	(삐죽) 상처를 후벼 파요...너한텐 공부보단 쉬운 길 아니냐는 거지. 전에 같이 명함 받은 데 찾아갔었잖아. 거기서도 왜 너랑 같이 안 왔냐던데?
선재	가수는 아무나 하냐? (하다 생각난 듯) 근데 너 진짜 회사 옮기게?
인혁	아니. 거기도 밴드 만들 생각은 없다더라~

씬/18 주택가 외경 (N)

씬/19 선재 집 거실 + 선재 집 마당 (교차) (N)

근덕, 올림픽 수영 예선전 중계 보고 있는데 대문 소리에 헉! 놀란다. 한편, 마당에서 선재 걸어 들어오고.
근덕, 거실에서 허둥대며 TV 끄려는데 리모컨 안 보이자 당황. 테이블 타 넘고 굴러가서 TV 팡팡 때리는데. 선재가 현관문 열고 들어오는 순간, 근덕, 콘센트에서 코드 뽑으며 TV 꺼버린다.

선재	나 왔어... (하는데 TV 코드 쥐고 드러누워 있는 근덕 보며) 뭐 하세요?
근덕	어? 아... 티비가 고장이 나서. (시침 떼며 코드 주머니에 넣었다가 빼며 뻘짓하는)

씬/20 솔이 집 거실 (N)

솔, 복순, 말자, 금 과일 먹으며 TV 보고 있다. 박태환 400m 예선 경기 중이고.

복순 어머~ 잘생겼다~ 저 부모는 무슨 복을 타고났길래 저런 아들내미가 나왔을까?

금 왜~ 엄마도 복을 타고났지. 이름도 복순이잖아.

복순 박복!순이니까 인생이 이 모양이지. 엄마. 왜 딸 이름을 박복순으로 지었대?

말자 니 애비가 막걸리 처먹고 신고하러 가선 봉순을 복순으로 잘못 적은 거 아니여~

그때 박태환, 예선 통과하고 결승에 진출했다는 해설자 멘트 들려온다.

말자 옴마. 박태환이 내일 금메달 따는 거 아니여?

금 우리나라에서 수영으로 금메달? (푸하! 웃으며) 예선 통과한 것만도 잘한 거네요.

솔 (고개 저으며 OFF) 금메달이 뭐야 은메달까지 투 메달이었는데 저 똥촉...그러니 주식으로 폭망했지...잠깐...! (하다 뭔가 생각난 듯 벌떡 일어나 방으로 뛰어가는)

씬/21 선재 집 선재 방 (N)

선재, 책상에 앉아 멍하니 수능 예상 문제집 펼쳐놓고 있다가 일각에 놓인 수시 지원서 꺼내 본다. 머리 복잡한데. 그때, 책상 위 모니터 화면에 쪽지 알림 뜨는. 선재, ?? 보면. 싸이월드에 솔이가 보낸 쪽지 도착해 있다. 보고 !! 놀란 표정.
<다정한 쪽지>
보낸 이: 임솔
'선재야, 내일 시간 있어?'

씬/22 선재 집 앞 (D)

선재, 대문 열고 나오면 솔이 서 있다.

선재 (반가워 저도 모르게 씩 웃다가 눈 마주치자 정색하며) 무슨 일인데?
솔   나랑 영화 보자!
선재 뭐? 영화? (두근!)
솔   응! 내가 보여줄게.
선재 (두근. 사고 정지)
솔   (가만 서 있자, 가기 싫은 줄 오해하고) 예매해놔서 못 물러. 일단 가자.
      가~ (정신없이 선재 잡아끌며 데려가는)

씬/23 몽타주 (D)

#1. 거리 일각

선재 (좋으면서 괜히) 니 남친은 바쁘대냐? 갑자기 뭔 영화를 보재.
솔   그냥. 너한테 고마운 것도 많고 하니까... (하는데 전자 매장에 전시된 TV
      에 수영 결승 경기 중계 시작한, 헉!) 선재야 너 발밑에! (발밑 가리키고)
선재 뭐? (고개 숙이면)
솔   인사 잘한다~
선재 (황당) ???
솔   하하하! 재밌지. 가자 빨리. (선재 팔 잡아끌고 가면)

#2. 버스정류장
솔, 선재 버스정류장에 앉아 있는데. 건너편 건물 전광판에서 수영 경기
중계 중이다. 솔이 헉! 하며 선재 얼굴 찰싹 잡아 돌린다. 솔이 얼굴 가까
이 마주친 선재. 헉! 긴장하는데.

솔   (갑자기 눈알 막 굴리는) 이거 봐라? 나 눈 잘 굴리지! 신기하지?! 하하하.
선재 (황당하게 보다가 순간 귀여워 피식... 웃음 터지는)

#3. 버스 안

솔, 선재 버스 타고 가는데. 버스 기사가 라디오 주파수를 바꾼다.
"잠시 후 베이징 국가 수영 센터에서" 멘트 들리기 시작하는데.
갑자기 선재 귀에 헤드폰 씌워지며 음악 소리 들려온다. **M. 김형중 '그랬나 봐'** 선재, 돌아보면 솔이 어색하게 웃고 있다. 그 모습 예뻐 보이고, 왠지 데이트 기분 나서 설레는 표정. 나란히 앉아 버스 타고 가는 두 사람 모습에서...

씬/24 영화관 상영관 안 (D)

솔, 선재 좌석 앉아 영화 〈좋은 놈, 나쁜 놈, 이상한 놈〉 팸플릿 보고 있다.

선재 (좋고) 그냥 어젯밤에 영화 보자고 말을 하지. 비밀이래서 밤새 뭔 일 인가 했네.

솔 니가 싫다고 안 나올까 봐 그랬지.

선재 (저도 모르게) 좋다고 나오지 내가 왜? (했다가 헉!) 그게! 내가 영화를 좋아해!

솔 그래? 잘됐다. (휴, 안심하는 표정)

상영관 조명 꺼지고. 상영 전 광고 시작된다. 선재, 솔이 힐끔 보며 입 가리고 설레서 씩 웃는데. 그때 (E) 화재 경보 크게 울리며 어디선가 연기가 새어 들어온다.
솔, 선재 놀란 표정. 관객들 "왜 이래?" "불났나?" 웅성웅성하며 일어나 우르르 빠져나가기 시작한다. 선재, 솔이 챙겨 일어나고.

씬/25 영화관 로비 (D)

사람들 뛰어나오는데 안내 방송 흘러나온다.

안내방송(E) 팝콘 기계 고장으로 인한 화재 경보로 영화 상영에 큰 불편을 끼쳐드려
           대단히 죄송합니다. 매표소에서 순차적으로 티켓 교환 또는 환불 도와드
           리겠습니다....
사람들   뭐야 짜증 나... / 어쩐지 냄새가 고소하더라...
솔   (정신없는 와중에 돌아보면 선재 안 보인다) 어? 선재야... (두리번대는)

          솔, 사람들 웅성대는 소리에 돌아보면.
          극장 로비 대형 전광판에 박태환 결승 경기 영상 틀어져 있다. 로비로 나
          오던 사람들, 박태환 결승 경기 보려 멈춰 서 있고...
          솔, 헉! "어떡해...!" 하는데. 사람들 틈에 서서 경기 영상 보고 있는 선재
          모습 발견한다. 그때, 전광판 속에서 박태환 1등으로 터치패드 찍으며 수
          면 위로 올라온다.
          "박태환 금메달입니다!!!!!!" 캐스터 목소리 크게 울려 퍼진다. 화면에 박
          태환 활짝 웃는 모습 클로즈업되어 비춰지고. 사람들, "와!!!" 박수 치며
          환호하는 모습.
          선재, 군중 속에 덩그러니 서서 전광판 보며 벅찬 듯 웃는데 눈빛에 씁쓸
          함 스친다. 솔, 그런 선재 모습 보며 마음 짠한...

          (컷 튀면)
          로비 일각에 앉아 있는 두 사람. 솔이 고개 푹 숙이고 있다.
          선재, 그런 솔이 보는데, 솔이 계속 왜 그랬는지 알겠는 표정.

선재   너 나 경기 못 보게 하려고 영화 보자고 한 거지?
솔   ... (들켰다)
선재   너나 아빠나 왜들 이렇게 오바야. 경기 안 보게 해서 뭘 어쩌려고. 메달
          따면 어차피 온 나라가 난리일 텐데.
솔   그래도, 그냥 마음이...
선재   왜. 내가 부러워서 울기라도 할까 봐?
솔   (대답 못 하고 있는)
선재   (걱정하는 것 같자 마음 달래주려) 난...내가 열아홉에 수영 못 하게 될 걸

미리 알았더라도 수영했을 거야. 생각해보면 수영하는 동안 행복했거든. 그 행복은 안 해보곤 절대 가질 수 없었던 거잖아. 그래서 난 후회 안 해. 수영을 시작한 것도, 못 하게 된 지금도. (솔이 보며) 그러니까. 나 괜찮다...이 말이야.

솔   (다행이다. 살짝 미소. 어쩌면 자신보다 마음이 더 단단한 것 같은)

선재   (솔이 가만 보다가 피식 웃는. 어떻게 이럴 때마다 옆에 있어 주나 싶고, 고마운)

씬/26 학원 건물 앞 (D)

금, 연기학원에서 나오는데 현주가 쇼핑백 들고 기다리고 있는.

현주   연기학원 수업 끝났어요?

금   어. 너도 오늘 수업 있었어?

현주   아니요. 오빠 이거 주려고 왔는데요. 자요. (쇼핑백 주는) 셔츠예요.

금   난 또 세탁해서 준대놓고 하도 안 주길래 인도 빨래터까지 간 줄 알았다야.

현주   저 고3이라 무지 바쁘거든요? 빈둥빈둥 놀고먹는 오빠랑 달리?

금   고3이 벼슬이냐? 오라버니한테 말하는 꼬락서니 봐라... (하며 쇼핑백 안 보면 새 셔츠다. 바로 말투 돌변) 새 걸로 샀어? 넌 애가 참 경우가 바르다니까? 내가 신상 좋아하는 건 또 어떻게 알아가지구.

현주   (어이없어하며) 그래서, 신상 앞니로 잘 치료하셨어요?

금   어. (씩 웃으며 앞니 보여주며 이 딱딱 부딪히는) 삼촌 실력 좋으시드라.

현주   됐네요 그럼~ 저 갈게요. (하며 돌아서는데)

금   (자전거 쌩하니 지나가자) 야, 조심해. (하며 현주를 확 끌어당겨준다)

현주   (순간 두근) !!

〈현주 회상 인서트〉 *4화 49씬
금이 셔츠를 허리에 둘러주고 데려가던 장면.

금   자전거를 왜 인도에서 타...괜찮냐?

현주	(멍하니 있다 정신 차리며 괜히 버럭) 꽤, 괜찮거든요!! (휙 가면)
금	왜 저래?
현주	(뛰어가며 혼란스러운 OFF) 왜 나 저런 인간한테 심장이 반응하는 거야!

씬/27 주택가 골목 (N)

솔, 선재 걸어온다.

솔	오랜만에 극장에서 영화 보나 했는데 아쉽다.
선재	영화 좋아하나 보다?
솔	응. 예전엔 하루에 두세 편씩도 보고 그랬었지. 꿈이 영화감독이었거든.
선재	왜 과거형이야?
솔	음...일단 지금은 무사히 이 두 발로 수능시험장에 들어가는 게 목표야.
선재	(피식) 나도 졸지에 수능 보게 생겼는데.
솔	수능?
선재	수시 원서 내려고. 체교과.
솔	진짜? 우리 오빠도 체교관데...너 체육 선생님 되려고?
선재	앞서간다...아직은 상상이 잘 안 가. 수영 말고 다른 걸 하는 내 모습.
솔	무슨 소리야~ 의사 가운, 법복, 군복, 한복까지 다 잘 어울려. 완전 천의 얼굴인데? (선재가 찍은 영화, 드라마 포스터 떴다 사라지는. *체포할 결심, 재벌집 의사아들, 내 낭군과 결혼해줘, 응답하라 199)
선재	꼭 본 것처럼 말한다?
솔	암. 봤지. 봤어. 니가 나온 드라마랑 영화를 열 번씩 돌려보고 짤도 찌고...
선재	뭐가 제일 잘 어울릴 것 같은데?
솔	그중 뭐니 뭐니 해도... (드라마 한 장면 떠올리는)

〈드라마 인서트〉 *선재가 찍은 드라마 한 장면
#고층빌딩 사무실 (D)
상단 드라마 제목. **'김상무의 101가지 그림자'**
통유리창 앞에 서 있는 슈트 입은 선재 뒷모습에서 시작...

선재	김비서. 어젯밤 그 고백 말이야...
비서	(멈칫 O. L) 어제 일은 죄송합니다. 제가 좀 취해서 실수한 것 같습니다.
선재	실수? (피식, 차갑게 웃는) 실수라고.
비서	네. 여기 미팅 관련 서류입니다. (서류 건네주는데)
선재	(서류 받아 드는데 손끝이 스치자, 눈 마주치는. 치명적인 눈빛) 서류는...집어치워. (서류 휙 던져버리고, 비서 손목 끌어당겨 키스할 듯 고개 숙이는 데서)

#다시 현실
솔, !!! 정신 번쩍 차린다. 볼이 살짝 핑크빛이다.

선재	(솔이 눈앞에 손바닥 흔들며) 무슨 생각해?
솔	아니야. 수시 넣는 거면 최저등급만 맞추면 되는 거였나? 공부 시작해야 겠네. 내가 공부 도와줄까? (하며 걸어가는데)

그때, 승용차 한 대 서고. 조수석에서 복순이 내린다. 뒤따라 운전석에서 내리는 중년 남성. 이를 본 솔, !!! 놀란 표정. 선재가 "안녕하..." 인사하려는데. 솔, 선재 입 확 막고 쉿... 하며 주저앉고. 일각에 세워진 트럭 뒤로 끌고 가 숨는. 한편, 중년 남자(*이하 정렬), 복순 어깨 토닥이다가 품에 끌어안아준다. 솔, 훔쳐보다 애정 행각에 눈 질끈 감는데. 선재, 무슨 상황인가 싶은.
그때, 트럭 시동 걸린다. 출발하려는 분위기. 솔, 헉! 당황. 들키면 상당히 민망한 상황이 될 것 같은. "어쩌지?" 다급해지고. 그때, 트럭 막 출발하고, 때마침 복순과 정렬, 고개 돌리려 한다. 솔, 머리 막 굴리는데 옆에 가로수가 눈에 들어온다.

(컷 튀면)
트럭, 떠나고 나면 복순과 정렬 반대쪽으로 걸어간다. 한편, 선재... 전봇대 뒤에 숨어서 등 바짝 기대고 서 있다가 올려다보면 솔, 전봇대에 매미처럼 매달려 있다. "우리 못 봤지? 다행이다." 하는데 다리에 힘 풀려 선재 정수리를 발로 꾹 밟는 솔. 헉! 선재, 황당한 표정에서.

씬/28 놀이터 (N)

선재. 그네에 앉아 있는데 솔이 쭈쭈바 두 개 사 들고 걸어온다.
솔이 "자." 쭈쭈바 하나 건네주자, 선재 받아 드는데. 솔이 선재 정수리를
손끝으로 살짝 헝클며 털어준다.

선재   !! (가만 있다가 올려다보는)

솔   모래가 좀 있길래...미안. (옆 그네에 앉는)

선재   줘봐. (솔이 꺼 가져가선 꼭지 따고 먹기 좋게 주물러 녹여서 다시 돌려
       주는) 자.

솔   (가만 보고 있다가, 받아 들며 씩 웃는)

선재   근데 왜 그렇게 필사적으로 숨은 거야?

솔   썸남이랑 데이트 중인 것 같던데 다 큰딸이랑 마주쳐봐. 어후. 민망하지.

선재   썸남?

솔   예비 남자친구 비슷한 거.

선재   아... (끄덕이다 당황) 어?

솔   (선재 표정에) 아...내가 말 안 했나? 우리 아빠 나 어릴 때 돌아가셨어.

선재   아, 미안.

솔   몰랐는데 뭘.

선재   괜찮아?

솔   (피식) 예전엔 어떻게 다른 아저씰 만날 생각을 하냐고 난리를 쳤었
       지...근데 시간이 지나고 엄마를 이해할 나이가 되고 나니까 후회되더라.
       그러지 말걸...생각해보면 아빠 돌아가셨을 때 엄마...진짜 젊었더라고. 엄
       마도 자기 인생이 있는데 자식들만 보고 살기엔 세월이 아깝잖아. 아빠
       도 하늘에서 엄마 고생한 거 다~ 봐서 이해해줄 거야.

선재   ... (가만 들어주는데)

솔   (일각에서 아빠한테 자전거 배우는 아이 흐뭇하게 보다가) 너 자전거 잘
       타?

선재	(끄덕이며) 넌 못 타?
솔	응. 어릴 때 아빠한테 주말마다 배웠었거든? 근데 그땐 겁이 많아서 결국 못 탔어. 아빠가 나 자전거 타는 거 보는 게 소원이랬는데 그걸 못 보여줬네~
선재	지금이라도 배워봐. 하늘에서 다 보신다며.
솔	(고개 저으며) 뭘...
선재	아직도 무서워서?
솔	타봤는데 너무 좋으면 어떡해. 그러다 다시 못 타게 되면 슬플 거 아니야.
선재	별걱정을 다 한다. 난 시작도 못 해본 게 더 미련이 남고 포기가 안 되던데.
솔	그게 뭔데?
선재	비밀인데?
솔	(피식 웃으며 아빠랑 자전거 타는 아이 계속 보고 있고)
선재	... (그런 솔이 모습 보고 있는)

씬/29 선재 집 거실 (N)

근덕, PMP 안테나 쭉 빼놓고 DMB 틀어 본다. 스포츠 뉴스에 박태환 금메달 시상식 장면 나오고 있다.

근덕	(가슴에 손 올리고 눈물 그렁해서 애국가 제창하고 있는) 동해물과 백두산이 마르고 닳도록~ (목청 높여) 하느님이 보우하사! 우리나라 만세!
선재	나 왔어요.. (들어오며) 만세?
근덕	(얼른 PMP 옷 속에 숨기며) 만세! 우리 아들 만세!! (껄껄 웃으며) 이제 들어와?
선재	어. (하며 계단 올라가려다 멈칫하고 근덕 돌아본다) 근데 그냥 티브이로 보지 그래요? 작은 걸로 보면 눈 안 아파?
근덕	뭐? 내가 뭘 봤다고. 참 나.
선재	가슴에 안테나 나와 있는데?
근덕	(내려다보면 옷 단추 사이로 PMP 안테나 삐죽 나와 있고 헉! 해서 꾹 눌러 접는)

| 선재 | 그냥 내 눈치 보지 말고 편히 봐. 이러는 게 더 불편한 거 알아? |
| 근덕 | 눈치는 무슨~ 텔레비전이 갑자기 고장이 나서 안 보는 거야~ |

선재, 한숨 쉬며 TV 쪽으로 가 뽑혀 있던 코드 다시 콘센트에 꽂자 TV 켜진다.

선재	잘만 나오네!
근덕	(민망해서) 우리 아들 만세! 하하하. 한방에 고쳤네?
선재	(어른스럽게) 아부지. 나 이제 진짜 괜찮아. 괜찮으니까 마음 쓰지 마요. 이렇게까지 안 해도 돼. (일어나며) 그럼 쉬세요.
근덕	(계단 올라가는 선재 모습 보며, 그래도 마음이 쓰이는)

씬/30 솔이 집 솔이 방 (D)

솔, 책상에 앉아 탁상달력 보며 8월 11일, 오늘 날짜에 X표 치고 있는데. 금이 방문 벌컥 열고 들어온다.

| 금 | 야. 나와서 전화받아봐. 어디 파출소라던데 너 뭔 사고 쳤냐? |
| 솔 | 파출소?! (표정) |

씬/31 저수지 인근 파출소 (D)

솔, 파출소 안 둘러보면 순경 한 명 빼고는 아무도 없이 휑하다. 갸웃하는데. 순경이 솔이 지갑 건네주는.

순경	누가 저수지 물가에서 주웠다면서 가져왔어. 근데 핸드폰은 못 찾았네?
솔	그때 술 취한 아저씨가 가져간 거 같은데 못 찾아요? 주변에 씨씨티브이 없어요?
순경	씨씨티브이가 어딨어 이런 동네에~ 언 놈인지 귀신같이 알고 시체를 묻

고 갔구만.

솔   (잘 못 알아듣고) 네??

순경   (한숨 쉬며) 학생. 여기 지금 사건 터져서 난리니까 그만 가봐.

솔   전화 한 통만 쓸 수 있을까요?

순경   (알아서 쓰라는 듯 전화기 가리키며 딴 일하는)

솔, 자기 핸드폰 번호로 전화 걸어본다. (E) 통화 연결음 길게 이어지고.
솔, 안 받는 것 같아 한숨 쉬며 끊으려는데, 통화가 연결된다!

솔   어?! 여보세요? (아무 소리 안 나는) 여보세요?! 듣고 있죠? 저기요... (말
        하는데, 전화 뚝 끊기는) 여보세요? 여보세요?! (열받고) 뭐야, 어디 가져
        갈 게 없어서 인터넷도 안 되는 똥폰을 가져가?!

씬/32 저수지 인근 다리 위 + 저수지 물가 (D)

솔, 버스정류장 쪽으로 터덜터덜 걸어오는.

솔   핸드폰 잃어버린 거 알면 엄마 난리 날 텐데... (주위 소란스러워 보면)

일각에 경찰차, 국과수 차량들 서 있다.
저수지 건너편 쪽에 폴리스라인 쳐 있고. 경찰과 현장감식 요원들 조사
하고 있는 모습 보인다. 옆에서 동네 사람들이 구경하며 수군대고 있다.

솔   무슨 일이지? (하며 기웃거리는데 사람들 대화 소리 들리는)

동네사람1 저 건너편엔 길이 나 있었어? 어떻게 알고 가서 시체를 묻었대?

솔   (헉! 놀란) 시체? (소름 돋는)

동네사람2 이 동네 사람은 아니겠지?

동네사람3 설마. 저수지 드나드는 낚시꾼들이 그런 거 아니야?

솔   !!! (놀란 표정)

#저수지 건너편

한편, 저수지 건너편. 김형사(*태성 부)가 현장감식 요원과 대화 중이다.

김형사	수법 보면 그렇게 치밀하게 유기한 건 아닌 것 같은데.
감식요원	근데 요즘 비가 많이 왔잖아요. 족적도 못 건지겠어요.
김형사	가만 보면 나쁜 놈들이 운도 좋아요~ (한숨)

#다시 저수지 다리 위

솔, "뭐야..." 무서워져 정류장으로 발길 돌리는데.
(E) 열쇠 쨀랑이는 소리. 들려온다. 솔, 순간 심장이 철렁... 하며 저도 모르게 발이 멈추고. 한 장면이 스친다!

〈솔 회상 인서트〉

차 키에 달린 열쇠고리가 흔들리며 쨀랑이는 소리를 내는 컷에서 시작.
솔이 시점 장면이다. 솔, 달리는 자동차 뒷자리에 누워 있다. 천천히 시선을 올려보면 운전 중이던 남자가 고개를 돌리는 순간 솔의 기억이 끊기며 블랙아웃.

#다시 현실

솔	뭐지...이 기억은? (얼어붙은 듯 서 있는) 사고 날 같은데...왜 차를 타고 있지? (더 기억해 내보려는데 더 이상 떠오르지 않는 듯 인상 쓰는데)

한편, 사람들 사이로, 열쇠고리를 손가락으로 돌리며 돌아서는 영수 모습 보인다. 솔이 시선엔 사람들에 가려져 잘 안 보이고... 쨀랑이는 소리 점점 멀어진다.
영수, 일각에 세워진 택시 쪽으로 걸어가 차에 올라타는 데서.

씬/33 택시 안 (D)

영수, 차 키를 꽂아 시동을 건다. 택시 출발하면... 영수, 주머니에서 핸드
폰(솔이 폰) 꺼내 폴더 열어 본다. 핸드폰 화면 인서트. 솔이 사진이다!

씬/34 시장 (D)

솔, 복순 팔짱 끼고 장 보고 있다.

솔   (복순 얼굴 보며 마음 다잡는 OFF) 그래...과거에 사고가 어떻게 났든, 이
         번엔 안 당하면 되잖아. 내가 바꾸면 돼.
복순   아휴~ 더운데 찰싹 붙어서 왜 이래! 땀띠 나겠다 이것아. 좀 떨어져!
솔   싫은데? (팔짱 더 꽉 끼며) 줘. 내가 들게. (장바구니 뺏어 들고) 우리 엄
         마랑 오랜만에 장 보러 오네.
복순   너 공부하기 싫어서 따라온 거지?
솔   엄마 힘들까 봐 같이 온 거지. 딸내미 효심을 이렇게 몰라주시나?
복순   효심은 얼어 죽을...핸드폰은 찾았어?
솔   (뜨끔) 아니. 지갑만 찾아왔어.
복순   (쯧쯧) 잘한다 그래~ 수능 끝날 때까진 새로 안 사줄 거니까 그런 줄 알어.
솔   알았네요... (하며 넌지시) 근데 엄마. 34번 버스 종점 쪽에 주양저수지
         있잖아. 혹시 내가 거기 간다 그러면 절대 못 가게 해. 특히 9월에.
복순   저수지든 어디든 하여간 공부 안 하고 싸돌아다니기만 해 아주.
솔   거기 살인 사건도 나고 위험한 동네더라고.
복순   그래? 살인 사건이 났어? 어머어머.
솔   그니까 34번 버스도 절대 못 타게 하구. 말 안 들으면 기숙학원에 확 가
         둬버려.
복순   아 알었어. (과일 가게 서서 사과 고르는) 여름이라 과일들 상태가 영...
솔   (사과 고르는 복순 보며 과거 떠올리는)

〈솔 회상 인서트〉
떨어진 사과들이 계단 아래로 굴러가는 컷에서 시작.
보면, 열아홉 솔, 찢어진 비닐봉지를 꼭 쥐고 복순 등에 업혀 있고. 땀을

뻘뻘 흘린 복순이 솔을 업은 채, 계단 중간에 서서 한숨을 푹 내쉰다. 바닥까지 굴러 떨어진 사과가 계단 아래 세워둔 솔이 휠체어 바퀴에 부딪히며 멈춘다. 솔, 복순의 한숨이 느껴지자 미안하고 마음 아픈 표정.

#다시 현실

솔   (짠하고 미안한 표정)

복순   사과 이거 다섯 개만 줘요. 젤 크고 좋은 걸로 골라서.

솔   엄마 요즘 만나는 사람 없어?

복순   뭐?

솔   그냥. 엄마도 잘생긴 부자 아저씨 만나면 좋겠다 싶어서.

복순   (어이없어하며) 니 아빠 제삿날 할 질문이냐 그게?

솔   뭐 어때? 아빠도 엄마가 수절하고 살길 바라지 않을걸? 사랑하는 사람의 행복을 비는 게 찐사랑이래잖아. 내가 기억하는 아빠 찐사랑이었거든.

복순   찌긴 뭘 쪄... (만두집에서 김 모락모락) 찐만두 사 줄까? 너 좋아하잖아.

솔   만두는 무슨. 암튼 좋은 사람 있으면 연애해. 엄마 아직 젊어~ 한창때다?

복순   한창때는... (솔이 모르게 한숨 쉬다가 계산하려 지갑 꺼내는)

씬/35 슈퍼 (D)

금, 제수용 향 카운터에 올려놓고 계산하려는데 슈퍼 안 TV에서 장미란 결승 경기 중계 중이다. 금이와 슈퍼 주인, 손님들, 배달부들 하던 일 멈추고 경기 보고 있는.
그때, 선재도 마침 들어오다 TV 보고 금이 옆에 멈춰 선다.

캐스터(E) 용상 1차 시기! 대한민국의 장미란 용상 175킬로그램에 도전하겠습니다! 1단계 성공합니다. 클린 동작! 성공! 금메달 확정입니다!

금, 선재, 슈퍼 주인, 배달부, 손님들 동시에 "와!!!" 박수 치는데. TV에서 바로 이어서 장미란 2차 시기 경기 진행된다.

캐스터(E) 호흡을 가다듬고 있는 장미란. 용상 2차 시기! 183킬로그램! 8킬로그램 이나 무게를 올렸네요.

장미란. 준비 자세 취하고 있다. 긴장하고 지켜보는 사람들.

캐스터(E) 탄력을 이용해서 클린 동작!!! 성공입니다!! 183킬로그램도 성공하면서 세계 신기록까지 모두 갈아치우는 대한민국의 장미란!

2차 시기도 성공하자 일동, 소리치고 난리 난. 금, 저도 모르게 옆에 있던 선재 손을 꽉 잡아 들며 소리친다.
중계 화면. 바로 이어서 3차 시기에 도전하는 장미란.

캐스터(E) 관중들이 장미란의 3차 시기 성공을 응원하고 있습니다! 186킬로그램 을 신청한 장미란!

장미란이 바벨을 가슴까지 들면 동시에 배달부가 쌀 포대를 번쩍 들어 올린다. 일동 모두 숨죽이고 지켜보는데 배달부, 쌀 포대를 머리 위로 번 쩍 들어 올리는 모습 slow... 동시에 장미란, 바벨을 머리 위로 번쩍 들어 올린다.

캐스터(E) 성공입니다!! 금메달을 넘어! 올림픽 기록! 세계 신기록 모든 기록을 오 늘 하루에 갈아치우는 대한민국의 장미란입니다! 바벨이 아닌 세계를 들어 올렸습니다!

일동, 환호하며 축제 분위기. 슈퍼 주인, 배달부 덩실덩실 춤춰대고.
금, 선재 와락 끌어안고 방방 뛴다. 그러다 금, 선재랑 눈 마주치는데.

금 (선재 얼굴 보고 알아본 듯) 어?! 너! 너 그놈 맞지? (품에서 선재 확 떼어 놓으며) 내 동생 술 먹인 놈 맞구만! 취해서 혜롱혜롱 대는 임솔 그 지지 배 데리고 오는 거 내가 다 봤어!!!

선재	언제... (*3화 수영장에서 취했던 솔이 얼굴 짧게 떠올리곤) 아...그때요?!
금	너도 기억났냐?! (열받은 표정에서)

씬/36 슈퍼 앞 (D)

금이 평상에 앉아 팔짱 끼고, 앞에 선 선재 노려보고 있다.

금	(한껏 무게 잡고, 조교 말투로) 차렷. 열중쉬어. 차렷.
선재	(시키는 대로 하다가 차렷하고, 억울) 정말 제가 먹인 거 아닌데요.
금	거짓말까지 합니끄아. (안 믿고) 앉아. 일어서. 앉아. 엎드려.
선재	(시키는 대로 하다가 엎드려에서 멈칫) 어깨 수술을 해서 엎드려는 좀.
금	(자연스레) 엎드리지 말고 일어서. (일어나면) 임솔 남자친구가 너냐?
선재	아닙니다. 아직은.
금	뭐 아직은? (선재 위아래로 보다, 피식 비웃더니. 살짝 우쭐해서) 어쭈...임솔 요게 나 닮아가지고 인기는 있나 보네. (다시 선재에게) 그럼 남자친구는 누군데?
선재	딴 놈인데요?
금	딴 놈? 그때 우리 집 불 꺼준 놈인가? 걔는 애가 참 괜찮아 보이던데.
선재	(어이없고) 어디가요?
금	잘생기고 옷도 잘 입고 인기 많게 생겼더만~ 불 끌 때 보니까 용감하고 남자답고!
선재	보는 눈이 참...없으시네요.
금	뭐라고? 차렷. 열중쉬어. 차렷. 앉아. 일어서.

한편, 솔, 복순과 장 보고 돌아오다 금이 선재 기합 주는 장면 본다.

솔	(경악) 오빠 저 노무 시키가!! 임그음!! (소리치며 달려가서 선재 앞을 막아서는) 오빠 니가 뭔데 감히 우리 선재 군기를 잡아?! 군대에서 나랏밥 먹고 쓸데없는 것만 배워 와가지고!
금	이놈 지지배가 어디 오빠한테! (솔이 헤드록 걸면)

솔	이거 안 놔?! (금이 옆구리 붙들고 늘어지며 싸우기 시작)
선재	(이걸 뜯어말려 말어. 당황해 서 있는데)
복순	(금이랑 솔이 등짝 동시에 찰싹찰싹 때리며 말리고)
금	(무게 잡던 모습은 어디 가고, 촐싹 맞게) 아! 아파 엄마아아! 엄마 배구 선수였어? 왜 맨날 스파이크를 때려대!
복순	니들 아빠가 제삿밥 먹으러 내려왔다가 뒷목 잡고 도로 올라가겠다!
선재	(제사란 말에 표정)
복순	가서 전이나 부쳐 이것들아! (양손에 솔, 금 뒷덜미 잡고 질질 끌고 가는)
솔	(선재 돌아보며 손 흔들고, 창피해서) 엄마아~ 이거 놓구 가아~
금	(끌려가며 선재 돌아보고, 째려보며 손으로 목 긋는 제스처)
선재	(어이없어 서 있는 모습에서)

씬/37 주택가 외경 (N)

씬/38 솔이 집 거실 (N)

제사상 차려져 있고. 솔이 가족 제사 지내고 있다.
정장 입은 금이, 상에 술 올리고 절한다.

(시간 경과)
불 꺼진 거실. 제사상 밥그릇에 숟가락 꽂혀 있고.
솔이 가족들 모두 멀찌감치 앉아 기다리고 있는. 복순, 제사상에 솔이 아빠 사진 보며 생각이 많은 표정. 남모르게 한숨 쉬고.

솔OFF	아빠. 실은 나 조금 무서워. 나도, 선재도 못 지킬까 봐. 그러니까 아빠가 좀 도와줘요.

씬/39 솔이 집 옥상 (N)

구석에서 낡은 자전거를 낑낑대고 꺼내는 솔. 안장에 앉은 먼지 손으로 털어낸다.

씬/40 공원 광장 (N)

솔, 무릎과 팔꿈치에 보호대 차고 비틀비틀 자전거 타보고 있다. 몇 번을 타보려고 시도하는데, 채 못 가고 옆으로 쓰러진다. 답답한지 바닥에 철 퍼덕 앉아서 성질내다가, 다시 일어나서 타보는데.
이번엔 몇 미터 정도 나아가나 싶다가 역시나 휘청하며 옆으로 넘어지려는 순간, 자전거 뒤를 탁 잡아주는 손! 솔, 두 다리 땅 짚으며 돌아보면... 선재다!

솔   선재야...! (반가운데)
선재   잠깐 내려와봐.
솔   어? (내려오면)
선재   (안장 높이 낮춰주며) 이러니까 안정감이 없지. 안장이 너무 높으면 넘어질 때 크게 다쳐. 자. 이제 다시 타봐.
솔   (다시 타보는데 높이가 딱 맞는다) 어?
선재   편하지?
솔   응. (씩 웃는)
선재   뒤에 잡아줄 테니까 천천히 한번 타봐.
솔   (놀란) 가르쳐주려고?! (감동한 표정)
선재   (민망해서 괜히) 나한테 체육 교사 자질이 있나 없나 니가 한번 봐보든가.
솔   (농담) 나 못 탄다고 막 무섭게 혼내는 거 아니야? 막 버럭버럭 구박하고?
선재   (피식) 선수일 때 내 강점이 뭐였는 줄 알아?
솔   뭔데?
선재   (진지) 평.정.심.

(컷 튀면)

선재   (성질내고 있는) 핸들 조종하고! 바로 왼발 굴러야지! 아니 왼발! 아니 오른발!

보면 솔, 비틀비틀 자전거 타고 있고, 선재가 뒤에서 잡아주고 있다.

선재   (솔이 넘어질 뻔하자 자전거 잡아 세워주고 답답한 듯) 아니...자. 봐봐. 왼발 구르자마자 바로 오른발 구르면서 핸들로 중심 딱 잡고! 이게 동시에 안 되나?

솔   그게 되면 이 나이에 너한테 왜 배우고 있겠어? 성질은...평점심 내다 팔았나 봐.

선재   (답답한데 꾹 누르며) 그래...다시 해보자. (뒤에서 잡아주고)

솔   왼발...오른발... (스텝이 꼬이고) 어어어! (다시 비틀거리다 넘어질 뻔)

선재   (잡아주며) 넌 운동 신경 내다 팔았냐?

솔   (정색하고 내려오며) 나 그냥 안 배울래.

선재   어어. 지구력도 내다 팔았나 보네?

솔   (욱하고) 넌 이래서 어디 체육 선생 하겠어? 자질 부족이구만. 난 원래 잘한다 잘한다 해야 더 잘하거든?

선재   후... (누르며) 그래. 다시 해볼까?

(컷 튀면)

솔   (비틀비틀 타고 있고)

선재   (뒤에서 잡고 뛰어가며) 어어! 잘한다! 잘한다! (하는데 솔이 옆으로 또 넘어지자 한숨 쉬며) 잘한다~ 잘한다~ 잘 넘어졌다~

솔   (일어나더니 삐져서 획 가버리고)

(컷 튀면)

솔, 전보다는 안정적인 자세로 페달 밟고 있고, 선재가 뒤에서 잡아주고 있다.

선재   그래 그렇지! 이렇게만 해!

솔   이렇게?

선재   어. 잘한다! (하며 손 살짝 떼는)

솔   안 놨지? 놓으면 알아서 해!

선재   (손 완전히 놓으며) 안 놨다니까~

솔   (혼자 페달 밟으며 달리는데 속도 점점 빨라진다) 어어 놓은 거 아니야?

선재   (솔이 자전거 옆에서 같이 달리며) 잘 타네! (씩 웃는)

솔   (겁먹은) 헉! 놨어?

선재   앞을 봐야지! 속도 좀 높여 봐. (하며 자전거 앞질러서 뛰는)

솔, 선재 쫓아 페달 힘껏 밟아본다. 서툴지만 속도 내서 달려보는데. "와!
나 봐봐!" 신나서 소리치는 솔. 왠지 찡하고 뭉클해서 눈물 나려 한다.

솔NA   지금 이 순간...아마도 내가 놓치지 말아야 할 순간.

선재, 같이 달리면서 솔이 보며 활짝 웃는다. 그런 선재를 보며 달리는
솔. 솔, 시간을 붙잡고 싶다. 이 순간이 끝나지 않았으면... 하는 마음이다.
잠시 후, 속도가 느려져 휘청하자 자전거를 멈춰 세우는 솔. 선재도 솔이
옆에 멈춰 선다.

선재   (숨 고르며 솔 보고 씩 웃는) 성공했네. 잘했어. (머리 쓰다듬어주는)

솔   (표정 있고) ...나 또 타볼래.

선재   괜찮겠어? 내일 못 걷는 수가 있다?

솔   그러니까. 내일 당장 못 걸을 수도 있으니까. (다시 자전거 타고)

여름밤, 자전거 탄 솔과 그 옆을 달리는 선재. "시합할래?" "자전거랑? 양
심 없네?" 장난치며 노는 분위기...영락없이 푸릇푸릇한 열아홉 청춘의
모습에서...

(시간 경과)

선재, 솔이 자전거 잡고 서서 물 마시고 있고. 솔이 옆에서 선재 핸드폰으로 누군가에게 문자 하고 있다.

선재   핸드폰 못 찾아서 어떡하냐.
솔   (문자 하며) 엄마한테 등짝 안 맞은 게 어디야. 어쩔 수 없지 뭐.
선재   (마음에 걸리는 표정인데 문득) 근데 누구냐? 김태성?
솔   아니. 현주. 내 친군데 오늘 독서실 못 간다고 말하는 걸 깜빡해서.
선재   아. (괜히 머쓱한)
솔   (핸드폰 돌려주며) 40자 꽉꽉 채워서 알차게 보냈어. 고마워.
선재   근데 니 남친. 잘해주긴 해?
솔   모르겠네~ (답답한 듯) 헬렐레해서는 좋아 죽지 아주.
선재   좋아 죽긴. (구시렁대다가) 근데 대체 왜 좋아하냐?
솔   뭐...잘생기고, 옷도 잘 입고, 인기도 많으니까 좋아하겠지. 그럴 나이잖아~
금(E)   잘생기고 옷도 잘 입고 인기 많게 생겼더만~
선재   아주 남매가 쌍으로 보는 눈이 없네. (짜증 나 괜히 성질) 아, 니가 끌어!
         힘들어. (자전거 솔에게 쥐여 주고 먼저 휙 가버리면)
솔   (자전거 끌고 쫓아가며) 왜 그러는데? 응?

씬/41 선재 집 선재 방 (N)

선재, 미니홈피 메인 창 노려보고 있고. 홈페이지 보면, 김태성 프로필 사진과 함께 '투맹남'으로 등극해 있다.

선재   잘생기긴... (저도 모르게 마우스 커서 태성 사진으로 향하는데 반대 손으로 손목 움켜쥔다) 안 돼. 보지 마! (결국 딸각. 클릭해버리는데)

태성 미니홈피창 뜨는 순간, '100000번째 방문자 이벤트'에 당첨된다. 선재, 마우스 쥔 손 덜덜 떨며 절망적인 표정. 하필 **M. 버즈 '겁쟁이'** 흐른다. 얼어 있던 선재. 태성 미니홈피창 확 닫아버리는데 쪽지가 도착한다. '김태성님이 이벤트 선물로 도토리 **30개**를 보내셨습니다'

메시지: 구경 잘했냐?

선재 "아씨! 아아아!!!" 수치심에 몸부림치는 모습에서.

씬/42 PC방 (N)

태성 앉아 있고. 주위에 죄다 여학생들이다. "투멤남. 투멤남." 수군대고.
태성, 방문자 이벤트 당첨자 '류선재' 이름 보며 "귀엽네?" 하며 씩 웃는.

〈태성 회상 인서트〉 *14씬
교문 앞에서 선재가 솔에게 넥타이 걸어주던 장면 짧게 스치고.

태성, 핸드폰 꺼내 솔에게 전화 걸어보는데 '전원이 꺼져 있어...' 안내음
넘어오는.

태성	(실망) 진짜 알다가도 모르겠네? (인혁에게 전화 걸려와서 받는) 어...
인혁(F)	너 어디야!
태성	니 맘속?
인혁(F)	지랄 말고 당장 튀어 와!
태성	뭐야, 어제 연습 다 한 거 아니야?

씬/43 인혁 자취방 (N)

인혁, 통화 중이다. 옆에 장우, 동섭 연습 중이던.

인혁	겨우 코드 외워놓고 뭘 다 해! 내일 공연인데 어쩌려고! 15분 안에 와라! (확 끊는)
동섭	(안경 올리며) 야. 나 곧 가봐야 돼. 엄마가 야자 하는 줄 알고 데리러 온댔어.
인혁	하...그럼 베이스 빼고 보컬 먼저 맞춰보자.

인혁, 장우 연주 시작하면... 동섭이 노래하는데, 첫 소절부터 음정 틀린다.

인혁   (예민) 그만 그마안! (연주 멈추며) 동섭아? 그 음이 아니잖아?
동섭   (안경 올리며) 미안. 키를 너무 높게 잡았다.
인혁   아니. 키를 너무 낮게 잡았거든? 아오...저걸 보컬이라고... (동섭 째려보
       며 한숨 OFF) 우리 선재를 밴드에 끌어들여볼까.

씬/44 독서실 (D)

솔, 양손 검지와 중지로 관자놀이를 짚으며 "기억해보자...할 수 있어."

〈솔 회상 인서트〉 *솔이 기억이 가물가물해서 중간중간 끊기며 보이는.
2008년 뉴스 영상이다. 수능시험장 풍경 등 자료 화면 깔리고 그 위로
앵커 멘트.

앵커(E) *2009학년도 대학수학능력시험 성적표가 배부된... (끊기고) 언어 영역
        에서는... (끊기고) 수리 영역 난이도에 대한 논란이 거세게 일고 있습니
        다. 성적표를 받은 학생들은 역대급 불수능이었다며...*

#다시 현실
솔, !!! 눈 반짝이고. 열아홉 솔에게 메모 남기기 시작한다.
'수리 영역 → 가망 없음. 빠른 수포 바람. 다른 과목에 집중...'
팬하면. 칸막이 너머 옆자리에 현주 앉아 있다. 공부하고 있는데, 교과서
에 실린 자료 사진 프레임 속에서 영상 재생된다. *4화 49씬 금이 현주에
게 셔츠 묶어주고 데려가던 장면이고. 현주, 깜짝 놀라 책 확 덮는.

현주OFF 미쳤냐고. 왜 자꾸 생각나는 건데! 잊어! 잊으라고! (머리 책상에 박으면)
솔   (놀라 돌아보며 속삭이는) 너 왜 그래?
현주   (일어나 솔이 보며 울상) 우리 오늘 공부 쩰까?

씬/45 독서실 앞 (D)

솔, 현주 내려온다.

솔	무슨 일 있어?
현주	...기분 전환이 필요해. (하는데 뭔가 보고 놀란 표정) 어?
솔	?? (돌아보면 베이스 기타 멘 태성이 씩 웃으며 서 있는) !!!!
태성	(손 흔들며) 안녕 여친?

씬/46 동대문 밀리오레 (D)

선재, 인혁(*기타 가방 멘) 에스컬레이터 타고 올라가고 있다.

인혁	누구한테 잘 보이려고 옷을 사실까? 맨날 운동복만 입는 놈이?

선재, 인혁 내리자마자 점포 사장들이 서로 말 시키며 호객행위 시작한다.

인혁	대꾸하지 말고 눈도 마주치지 말고 맘에 드는 곳 나올 때까지 직진만 해. 그리고 사고 싶은 게 있어도 일단 그 마음을 숨겨. 안 그럼 된통 바가지 쓴다?
선재	(걸어가다 태성과 비슷한 스타일로 코디 된 마네킹 보는데 순간 마네킹 얼굴이 태성으로 보이자 멈춰 서는) 이거 주세요!
인혁	(쿡 찌르며) 야! 너 내 말 뭐 들었냐?
사장	위아래 풀로? 이야 화끈하네! 특별히 만 원 빼줄게. 들어와. (선재 데리고 가고)
인혁	으휴. 저 호구...선재야! 난 좀 둘러보고 올게

(컷 튀면)

인혁	직진...직진... (중얼거리며 코너 도는데)
쿨제이	(인혁 막아서는) 어? 동생! 너 맞지? 너 개잖아! 이름이...그래 민수. 민수.
인혁	(어이없고) 대꾸하지 말고 직진. (지나가는)
쿨제이	민수야! 일루 와봐! 형이 최선을 다할게!

씬/47 밀리오레 로비 + 로비 앞 (D)

솔, 태성, 현주 걸어오는.

태성	남자친구가 공연을 한다는데 당연히 와야지. 안 그래?
솔	오늘은 현주가 공연 보고 싶대서 온 거니까 수능 때까진 우리 솔이 공부하는데 막 불러내고 그러면 안 된다. 알았어?
태성	네. 누나. (웃겨 죽고)
현주	(그런 솔 보며 삐죽이는) 튕기기는.

한편, 선재, 새로 산 옷 입고 나오는데, 여자들이 힐끔힐끔 보며 지나간다. 선재, 나 좀 괜찮나? 싶어 유리문에 비친 모습 보며 살짝 으쓱하는데.

솔	(선재 발견하고) 선재야!!
선재	(돌아보면 솔, 태성 보고 당황. 멈칫한다)
솔	(반가워하며 휙 달려가며) 너도 공연 보러 왔어?
태성	(선재한테 가는 솔이 모습 보며 순간 철렁, 표정 굳는)
선재	어. (하는데 태성과 눈 마주치는. 하필 똑같은 셔츠다) 하..씨.
태성	(선재 훑으며) 누가 보면 우리 둘이 사귀는 줄 알겠다?

씬/48 카페 (D)

솔, 현주 마주 보고 앉아 있고.

현주	야야. 남고 수영부에 저런 애가 있었어? 웬일이야. 너 왜 앞집에 꽃돌이 산다고 말 안 했어 어? 꽁꽁 숨겨 놓고 너만 보려고 했지?
솔	그니까. 나도 이제야 알았지 뭐니.

한편, 픽업대에서 음료 기다리고 있는 태성과 선재. 직원과 사람들이 똑같은 셔츠 입은 태성과 선재 힐끔힐끔 쳐다본다.

태성	(시선 의식되고) 좀 갈아입지?
선재	내가 왜?
태성	(웃으며 허세) 무슨 자신감이지? 이럼 너 나랑 비교당해~
선재	니 입으로 그런 말 하면 안 쪽팔려? (음료 두 잔 가지고 먼저 가는)

뒤따라온 태성이 선재를 휙 앞지르더니 솔이 옆자리 차지하고 앉는다.

태성	(선재 올려다보며 씩 웃으며) 뭐 해? 앉아~
선재	하, (유치하게 왜 저러나 싶고, 현주 옆자리에 앉는)
현주OFF	이렇게 잘생긴 애들이 널렸는데 임금이 말이 되냐구. (꽃받침 하고 선재에게 ON) 나는 솔이 친구 이현쮸야. 반가워. (귀 넘기며 눈 반짝이는)
솔OFF	현쮸? 저거저거 잘생긴 사람만 보면 혀 짧아지는 건 옛날에도 똑같았구만.
선재	그래. (대충 대답하며 음료 마시려는데)
솔	어?! 잠깐. 이거 마셔. 너 단 거 안 좋아하잖아. (자기 음료랑 바꿔주고)
선재	고마워. (태성과 눈 마주치자 으쓱하며 씩 웃는)
태성	(거슬리는 표정)
솔	근데 백인혁은? 같이 온 거 아니야?
선재	옷 사느라 정신없을걸?
태성	맞다. 내 선물은 잘 받았지?
선재	!! (*태성 미니홈피 방문자 이벤트 당첨돼서 도토리 받았던 컷 짧게 회상)
솔	선물? (두 남자 번갈아 보면)
태성	팬서비스차~ 얘가 나한테 관심이 많은가 보더라고.
선재	그 선물 거절했는데, 확인 안 했나 보다?

태성	어? 뭐 묻었다. (하며 괜히 보란 듯 솔이 입술에 묻은 크림 손가락으로 닦아주면)
선재	(열받아 음료 막 들이켜더니 얼음을 아그작 아그작)
솔	?? (냅킨으로 입 벅벅 문질러 닦는)
현주	어디 커플 아닌 사람은 서러워서... (홱 돌아서 선재 보며) 근데 넌 여자친구 있어?
선재	(계속 얼음 씹으며) 아니.
현주	(화색) 그렇구나아. 그럼 좋아하는 사람은?
선재	... (태성과 눈 마주치는)
태성	... (선재랑 눈 마주치는)
현주	(눈치 보며) 대답하기 싫구나...근데 공연까지 시간 남았는데 뭐 하지? 거기나 갈래?
선재,태성	(무언의 신경전. 이글이글한 눈빛 오가는 데서)

씬/49 동대문 타가 디스코팡팡 (D)

눈빛 이글이글한 선재, 태성 얼굴에서 빠지면...
디스코팡팡 타고 있다. 선재, 안 다친 팔로만 난간 잡고 있자, 태성도 안 지려 똑같이 한쪽 팔 뗀다. 승부욕에 불타 서로를 노려보는 두 남자. 이것은 먼저 떨어지면 지는 남자들의 유치한 자존심 싸움이다.

MC	(멘트) 저기 커플룩 입은 두 남자분 오...센데요?!

타가 디스코, 움직임 들썩이며 점점 세진다. 매달려 있던 사람들 난간 놓치고 바닥으로 나뒹굴기 시작한다. 솔, 난간 꽉 붙들고 원숭이처럼 매달려 있다.
사람들 모두 안 떨어지려 버둥대고 있는데 선재, 태성 미동 없이 버티는.

MC	(자유로운 멘트) 더 세게 갑니다! 고고고!

음악 소리 더 커지고, 놀이기구 더 요란하게 튕겨대기 시작한다.

선재, 태성. 난간 꽉 붙들고 버티는데 눈에 불꽃 튄다. 그때, 한 손으로 아슬아슬하게 매달려 있던 솔이 난간 놓치자 slow. 이를 본 선재, 태성. 동시에 난간 확 놓고 솔이 잡아주려 튀어나오는데, 그때, 넘어질 뻔하던 솔이 허리 낮추고, 양팔 쫙 벌린다. 바닥에 두 발을 쿵쿵 세게 딛더니 서핑 자세로 죽어라 버틴다. 힘주며 이 악무는 표정.

놀이기구 멈추고, 보면. 선재, 태성 솔이 발목을 하나씩 붙잡고 널브러져 있다.

팬하면. 안 떨어지고 버틴 최후의 1인. 현주다. 좋아서 소리치는 데서.

씬/50 밀리오레 남성복 매장 (D)

인혁 옷 갈아입고 서 있는 모습 틸업... (화려한 부츠 컷 청바지와 망사 니트 겹쳐 입고, 인조가죽 재킷, 스카프, 페도라에 보잉 선글라스.. *투 머치한 옷차림)

쿨제이   (박수 치며) 전설의 레전드다 이건. 난리 났다.

인혁   (가죽 재킷 펄럭이며) 여름이라 좀 더울 것 같은데.

쿨제이   간지남은 계절을 타지 않아. (청바지 걷으면 부츠 신은) 형 이 안에 홍수 났는데 간지를 위해 참는 거잖아. 인혁아. 응? 형이 너 잘되라고 하는 거잖아.

인혁   (가죽 재킷 벗으려 하며) 고민해보고 다시 올게요. 제가 곧 공연이라...

쿨제이   어....어? (어깨 확 잡으며) 장난해? 입어볼 거 다 입어보고 확 씨...

인혁   (헉. 쫄아서) 어, 얼만데요?

쿨제이   (다시 화색) 사려고? 특별히 개시니까 27인데 25에 줄게. 어때. 괜찮지?

인혁   (헉) 네? 제가 혀, 현금이 부족해서...그냥 다음에 와서 살게요.

쿨제이   (붙잡으며 이 악물고) 형이 열심히 했잖아. 최선을 다했잖아. 죽을래? (다시 씩 웃으며) 현금 뽑으면 되잖아. ATM까지 데려다줄게. (어깨동무하고 끌고 가는)

인혁   (울먹이며 끌려가는데 전화가 와서 덜덜 떨며 받는) 여, 여보세요? (놀란) 뭐?!

씬/51 밀리오레 야외무대 뒤편 (N)

태성과 장우(드럼) 대기하고 서 있고.

태성 근데 인혁이랑 동섭인 왜 안 와? (하다 어딘가 보고 헉!) 저거 뭐냐?
인혁 (전 씬 옷차림 그대로. 헉헉대며 뛰어오는) 헉헉...얘들아...큰일 났어...
태성 니 옷이 더 큰일이야. 이건 무슨 패션이지? 개콘 나가냐?
인혁 아! 그게 아니라 동섭이 못 온대!
태성,장우 뭐?
인혁 마마보이 새끼. 고3이 무슨 공연이냐고 엄마한테 붙들려서 못 나온대. 어쩌냐? 하...미치겠네. 어떡하지? 그냥 나라도 부를까?
태성 무대에서 망신당할 일 있냐? 그냥 보컬 없어서 못 한다고 말해.
인혁 (O. L) 아 잠깐, 잠깐! (뭔가 생각난 듯 어디론가 전화하는)

씬/52 밀리오레 야외무대 앞 (N)

'밀리오레 서머 페스티벌' 현수막 붙었고. 무대에서 댄스팀 공연 중이다. 솔, 현주. 인파 사이에서 공연 보고 있는데. 선재 없고. 솔, "선잰 어디 갔지?" 하며 주위 두리번거리는.

씬/53 다시 밀리오레 야외무대 뒤편 (N)

인혁, 선재 끌고 온다. 선재, "왜 이러는데..." 하며 영문 모르고 끌려오는.

인혁 여기 대타!
선재 (황당) 뭐?

태성	애를 세우자고? 노래는 뭐 아무나 하냐? (무시하듯 선재 보면)
선재	하, (어이없고) 누가 한대? (인혁 손 뿌리치며) 이거 놔.
인혁	(애원) 친구야 해주라 쫌! 작년 축제 이후로 무대 한 번도 못 섰단 말이다 ~ 응?
선재	무대에서 노래해본 적도 없는데 무슨...
인혁	(O. L) 야~ 해주라~ 1등 하면 팀 전원 상품으로 핸드폰 준대~ 폰 바꿀 때 안 됐어?
선재	! (표정)

씬/54 밀리오레 야외무대 앞 (N)

무대 위에 장우, 태성, 인혁이 먼저 올라와 악기 세팅하기 시작하는.
솔, "이제 곧 시작인데 어디 간 거야.." 하며 주위 살피며 선재 찾는데.
솔이 다른 쪽으로 시선 두고 있을 때, 뒤늦게 무대에 오르는 선재.

MC	자, 다음 참가 팀은! 자감고등학교 밴드부네요. '이클립스'입니다!
솔	(이클립스란 말에 고개 무대 쪽 돌아보면 무대 위 선재 보인다) !!
현주	(피식) 야, 남고 밴드부 이름이 저거 아니지 않아? 언제 바꼈지? (하다 선재 발견하고) 어? 뭐야? 쟤 류선재 아니야?

솔, 인혁과 선재 투샷 보고, 놀란 표정.
한편, 선재, 무대 가운데 서서 어색하게 스탠딩 마이크 높이 조절한다.
MC "그럼 이클립스 무대 시작하겠습니다.." 멘트 치면. 밴드 연주 시작된
다. **M. 이브 'I'll Be There'**
무대 위 선재, 긴장 풀려고 숨 내쉬고 목 가다듬는다. 순간 솔, 무대 위에
선 선재 모습 보자 숨이 멎을 것 같다. 전주 끝나자 선재 노래 시작된다.
선재가 첫 소절 부르자마자 사람들 환호 소리 울려 퍼지고...
콘서트장 이클립스 무대에서의 선재 모습과 지금 모습이 오버랩 되는.
솔, 감격한 표정. 눈물이 그렁그렁 차오른다.
한편, 연주하던 태성, 사람들 사이에서 솔이 발견하고 씩 웃는데, 솔이 시

선이 딴 데를 향하고 있다. 솔이 시선 따라가보는데 선재를 보고 있자 표정 굳는다.

선재. 긴장이 좀 풀린 듯 무대를 즐기며 노래하기 시작하고. 무대 보는 솔이 모습, 지나가던 사람들 걸음 멈추고 무대 쪽으로 모여드는 모습, 기타 치는 인혁 모습 교차되어 보여진다. 관중들 환호 더 커지고,

그때, 노래하던 선재, 저도 모르게 점점 벅차오르고 순간, 환하게 웃는다. 그 모습을 본 솔, 눈에서 눈물이 뚝 떨어진다. 사람들 박수와 함성 소리 울려 퍼지는 데서...

씬/55 밀리오레 앞 (N)

공연 끝난 분위기. 구경하던 사람들은 모두 가고, 오가는 행인만 보이는. 선재, 핸드폰 쇼핑백 들고 나오며 솔이 어딨나 찾는데 안 보인다.

선재   벌써 갔나... (하는데 누군가 막아서고, 보면 김대표다)
김대표   저기...우리 전에 본 적 있지? 학교 앞에서.
선재   네?? (기억 안 나는)

한편, 일각에서 현주, 솔이 데리고 나오며 "류선재 노래 진짜 잘하더라~"하는데. 솔, 멀리 선재가 김대표와 얘기하고 있는 모습 보이자, 심장이 쿵! 떨어진다.

솔   김대표가 여기 왜... (불안한 표정)

〈솔 회상 인서트〉 *컷컷 느낌으로 짧게.
*4화 8씬. 김대표 "생전에 여러 루머들과 악플들로 힘든 시간을 보냈습니다..."
*4화 13씬. 뉴스 장면과 기자 멘트 떠오르고.
*1화 42씬. 파파라치 영상. 구급대원이 물에서 선재 끌어 올리던 장면.

#다시 현실

솔   (불안, 공포가 확 밀려들어 순간 어지럽고, 패닉이다) 아, 안 돼... (정신
        차리고 바로 선재 쪽으로 다급히 달려가는)
현주   쏠! 어디 가!

        솔, 달려가는데 다가오던 태성과 세게 부딪히는 바람에 넘어진다.
        태성, 놀라서 솔이 일으켜주며 "괜찮아?!" 하는데. 솔, 태성 손 확 뿌리치
        고 다시 뛰어간다. 근데 선재와 김대표 그새 어디론가 갔는지 안 보인다.
        솔, 멈춰 서서 주위 둘러보는데 어디로 간 건지 모르겠고, 이내 다시 어디
        론가 달려가는데. 그런 솔을 보는 태성 표정에서.

씬/56 주택가 골목 (N)

씬/57 선재 집 앞 (N)

        선재, 걸어오며 쇼핑백 들어본다. 핸드폰 줄 생각에 내심 기분 좋은데.
        한편, 선재 집 앞에 쪼그리고 앉아 선재 기다리던 솔, 선재 보고 벌떡 일
        어난다.

선재   (반가운) 뭐야, 나 기다렸어?
솔   왜 이제 와? 누구 만나고 왔어?
선재   (?) 너 간 줄 알고 인혁이랑...
솔   (O.L) 전에 학교 앞에서 명함 줬던 사람! 그 사람 만난 거 아니야?
선재   어떻게 알았어?
솔   뭐라는데? 너 데뷔라도 시켜준대? 하고 싶어?
선재   (어리둥절) 무슨 소리야...연락처 달라는데 주지도 않았어.
솔   ....! (마음 툭 놓이는)
선재   그게 왜 궁금한데?

솔   ...그냥. 이상한 사람 많잖아. 그런 사람들 사기꾼들도 많다 그리고...걱정
        돼서.

선재   (피식) 내가 애냐? 무슨 그런 쓸데없는 걱정을 해.

솔   (쓸데없지 않은데. 답답한)

선재   (쇼핑백 내미는) 자.

솔   (받아 들고, 쇼핑백 안 보면 핸드폰 상자 보인다) ...?

선재   (좋아할 거란 기대감에) 상품으로 주더라?

솔   (가슴 내려앉는) 너 혹시 이거 때문에 노래한 거야?

선재   (조금 쑥스럽기도, 괜히 딴 데 보며 씩 웃는다) 어.

솔   (속상하고, 화나는) 이까짓 게 뭐라고 그 사람 많은 데서 노래를 불러?
        난 너한테 뭐 하나 해준 것도 없는데 왜?

선재   (기대가 확 꺼지는) 핸드폰 없으면 불편한 것 같아서 그냥 난...

솔   (O.L) 내가 불편하든 말든! 너야말로 왜 쓸데없는 걱정을 해?

선재   왜. 난 너 걱정하면 안 돼?

솔   (불안한 마음으로) 어. 하지 마. 남 걱정하지 말고 다른 사람 위하지도 마.
        힘든 내색 한 번 안 하고 삭이고 참고, 그러다 여기저기서 마음 긁히고,
        또 참고...잠도 못 잘 정도로 혼자 끙끙 앓다가 다 놔버릴 거잖아 너! 그러
        니까 그러지 말라고!

선재   (답답한) 대체 무슨 소린데! 이거 하나 준 게 뭐라고 이러냐?

솔   난 니가...너밖에 모르는 애였으면 좋겠어. 이럴 시간에 어떻게 하면 니
        자신이 더 행복해질까, 더 잘 살까, 그것만 생각했으면 좋겠다고.

선재   내 생각만 하라고...그래 볼까?

솔   ...응.

선재   (하고 싶은 말이 많은데, 참는다) ...됐다. 내가 괜한 짓 했네.

솔   (마음 아프고, 입술을 깨문다)

선재   그건 버리든지, 알아서 해. (솔이 지나쳐 가는)

솔   (선재가 대문 쾅! 닫고 들어갈 때까지 보고 서 있는 모습에서)

씬/58 선재 집 선재 방 (N)

선재, 들어와서 책상에 가방 툭 내려놓더니 주머니에서 김대표 명함 꺼 낸다. 책상에 아무렇게나 올려두곤 털썩 앉는다. 좋아한다 말할 수도 없 고, 답답하다.

씬/59 솔이 집 솔이 방 (N)

솔, 방에 들어와 쇼핑백에서 핸드폰 상자 꺼내 뚜껑 열어보는데 핑크빛 폴더폰이다. 고맙고 미안하고, 마음이 아프다. 눈물을 꾹 참는 솔이 모습 에서. (F. O. F. I.)

씬/60 자감고 외경 (D)

씬/61 몽타주 (D)

#1. 자감고 교문 앞
뭔가에 화난 듯 걸어오는 솔. 이어폰 꼽고 MP3 재생 버튼 누른다.

#2. 자감고 교정 일각
선재, 뛰어나오다가 멀리 교문 나가는 솔이 모습 발견한다. !!
솔이 쫓아 달려가기 시작하는 선재.

#3. 자감고 앞 거리
솔. 음악 들으며 걸어가는데 MP3 음악 끊기며 녹음된 음성 흘러나온다.

솔(E)   어? 이거 내 보물 1혼데.
선재(E)   또 시작이네. 가자. 늦었어.
솔   (멈칫) 뭐야. 이게 아직도...! (주머니에서 MP3 꺼내는)
솔(E)   어? 말도 하네?! 우와. 광고를 찢고 나왔나아. 막 살아 움직이네?

선재(E) 재밌다. 재밌어 그래. 이제 됐지?

솔(E) 예쁘게도 웃네.

솔 어떻게 지우는 거야...

솔, 버튼 막 눌러보며 걸어가다가 횡단보도 가까워지자 멈칫하며 물러서는데. 그때, 선재가 빠르게 다가와 솔이 앞을 막아선다. (*3화 17씬 같은 느낌) 솔이 고개 들어 보면, 선재가 코앞에 서 있다! "선재야...?" 살짝 놀란 표정.

선재 (감정이 막 터져 나올 것 같은데 간신히 누르며) 니가 내 생각만 하라고 했지?

솔 ?? (귀에서 한쪽 이어폰을 빼고, 다른 쪽 빼려는 순간)

선재 너 헤어질래?

솔 !!

선재 내가 바라면 그럴 수 있어?

솔 (놀란 표정으로 서 있는데 이어폰에서 선재 음성 들려온다)

선재(E) 좋아해.

솔 (헉! 믿기지 않고, 입이 떡 벌어져 손으로 입을 막는) ...!!

선재 그럼 김태성이랑 헤어져.

선재(E) 내가 너...좋아한다고.

놀란 표정의 솔, 그리고 선재. 두 사람 마주 보고 선 모습에서 엔딩.

6화

그 애가 노란 우산을 씌워주면서 웃는데...숨을 못 쉬겠더라구요.

떨려서. 꼭 숨 쉬는 법을 잊어버린 사람처럼.

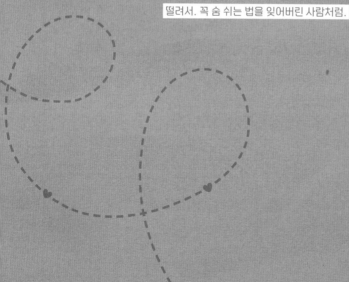

씬/1 현재 솔이네 아파트 솔이 방 + 라디오 부스 (교차) (D)

(자막) 2013년 여름
#현재 솔이네 아파트 솔이 방
휠체어에 앉은 솔. 이어폰 끼고 핸드폰으로 라디오 듣고 있다. 이클립스 '소나기' 흘러나오고 있고. 솔, 선재 노래 들으며 휠체어 밀고 거실로 나온다. 창가 쪽으로 가 커튼 젖혀 보는데.. 창밖에 비가 내리고 있다. 마침 음악 끝나면, DJ와 선재 대화 시작되는.

DJ(E)   오늘 비가 오잖아요. 그래서 오랜만에 이클립스의 '소나기' 들어봤습니다. 그거 아세요? 이 노래가 '첫사랑' 하면 떠오르는 노래 1위에 뽑혔다고 하던데.

선재(E)   아, 그래요?

DJ(E)   저 이번에 알았는데, 이 곡 선재 씨가 데뷔 전에 만든 곡이더라구요?

#라디오 부스
DJ와 편안한 옷차림의 선재 앉아 있는.

DJ   혹시 첫사랑 생각하면서 쓰신 거 아니에요?

선재   (피식 웃는)

DJ	어? 반응 보니까 맞는 것 같은데? 이번에 개봉하는 영화도 첫사랑 얘기 잖아요. 이참에 선재 씨 첫사랑 얘기 좀 해주세요. 비밀 지켜드릴게요. 청취자 여러분들 비밀 지키실 거죠?
선재	하하. (웃다가, 추억에 젖어드는 듯한 표정) ...처음 본 날, 소나기가 내렸어요.
DJ	!! (놀라서 듣는)
선재	그 애가 노란 우산을 씌워주면서 웃는데...숨을 못 쉬겠더라구요. 떨려서. 꼭 숨 쉬는 법을 잊어버린 사람처럼.

#현재 솔이네 아파트 솔이 방

DJ(E)	*어머... (리액션) 그때가 언젠데요?*
선재(E)	*그건... (뜸 들이다가) 비밀입니다.*
DJ(E)	*뭐야아. (리액션)*
솔	(장난스레 삐죽이며) 신인 땐 팬들이 첫사랑이라더니만. 근데 누굴까아. 궁금하네. (창밖에 비 내리는 모습 보는 데서) (F. O. F. I.)

씬/2   자감여고 건물 앞 (D)

방과 후 분위기 솔, 생각에 잠긴 표정으로 걸어 나온다.

〈솔 회상 인서트〉 *5화 57씬
선재한테 쏘아붙이고, 선재가 대문 쾅 닫고 들어갔던 장면.

솔, 마음 무거운데... 그때, 가현이 솔이 앞을 막아선다. 학생들, 웅성웅성.

가현	야, 너 나 좀 따라와.
솔	?! (표정)

씬/3 자감남고 계단 (D)

방과 후 분위기. 남학생들 우르르 하교하고 있고.
선재, 굳은 표정으로 내려가는데 인혁이 "선재야~~"하며 따라붙는다.

인혁 너 완전 유씨씨 스타 된 거 아냐?

선재 뭐?

인혁 밀리오레 공연 영상 풀빵에 올라왔는데 대박 났어. 전국 각지 여고에서 축제 때 와달라고 난리 났다니까? 이참에 우리 밴드부 들어올래?

선재 (관심 없다는 듯 걸으며) 곧 졸업인데 뭔 밴드야. 나 수능 봐야 돼.

인혁 특기자 전형으로 갈 거면서. 이참에 음악의 길로 들어와라. 형이 끌어줄 게. 응?

선재 쓸데없는 소리 하지 마. (하는데)

이슬 (뛰어 올라오며) 야야 너네 태성이 못 봤어?

인혁 김태성은 왜?

이슬 하...최가현이 임솔 끌고 갔대!

인혁 뭐? 걔는 아직도 김태성 쫓아다니냐? 저번에도 임솔 끌고 가더니...

선재 (열받은 듯 확 뛰어가는)

인혁 (헉) 야! 선재야!! (쫓아가고)

씬/4 자감고 건물 뒤편 (D)

껄렁한 여학생 무리들 모여 있는데, 선재가 뛰어온다.
여학생들 눈 반짝하며 선재 보는데. 선재, 솔이 안 보이자 다시 돌아 나오 는데. 인혁이 쫓아와서 막아선다.

인혁 김태성이 해결하게 두라니까? 니 여친도 아니면서 괜히 끼어들지 말고!

선재 어떻게 가만있어! 어디 끌려가서 맞고 있으면 어떡하나?! (버럭하는데)

솔(E) 이야아아압! (기합 소리)

씬/5 　자감고 소각장 앞 (D)

솔, 태성이 한쪽 팔을 잡고 엎어치기 하고 있는 모습 slow. 쿵! 바닥에 대
자로 뻗은 태성. "왜 이래?" 황당해하며 일어나려는데 솔, 태성 귀 잡고
냅다 박치기를 날린다. 태성, "아!" 이마 짚고 아파하는데. 솔, 머리 쓸어
넘기며 일어나서 옷매무새 바로잡는다.

태성	(인상 쓰며 일어나서) 뭐야? 갑자기 왜 이러는 건데?
솔	후. (앞머리 불어 넘기며) 너어 내가 우리 솔이 상처 주지 말라고 했어? 안 했어!
태성	뭐?
솔	너 나 좋아해서 만난 거 아니라며? 최가현이 귀찮아서 떼내려고 아무나 만났는데 하필 그 아무나가...나라던데?
태성	(멈칫, 표정 굳고) 누가 그래?
솔	그게 중요해? 너 그렇게까지 개차반인 줄은 몰랐는데 실망이다 정말. 하...내가 먼저 알았으니 망정이지...암튼! 이제 우린 여기서 끝이야 이것아. 알았어?
태성	(철렁) ...!
솔	아무리 철없을 나이라지만, 너어 인생 그렇게 살지 마. (가려다가 멈칫 돌아서서) 그리고! 혹시나 해서 말인데 내가 다시 찾아가서 헤어진 거 기억 안 난다 헛소리 하면서 다시 매달려도! 절대 받아주지 마라. (꾹 참고 씩씩대며 가는)
태성	(넋 나간 표정으로 가는 솔이 보고 서 있는 모습에서)

씬/6 　자감고 교문 앞 + 교정 일각 (D) *5화 엔딩 연결

선재, 뛰어나오다가 멀리 교문 나가는 솔이 모습 발견한다. !!
솔이 쫓아 달려가기 시작하는 선재.

씬/7   자감고 앞 거리 (D) *5화 엔딩 연결

솔   (MP3 들으며 걸어가는데) 차라리 잘됐어. 고3이 공부를 해야지 연애는 무슨. 연애야. (하는데 음악이 끊기며 녹음된 음성 흘러나오기 시작하는)

솔(E)   어? 이거 내 보물 1호인데.

선재(E)   또 시작이네. 가자. 늦었어.

솔   (멈칫) 뭐야. 이게 아직도...! (주머니에서 MP3 꺼내는)

솔(E)   어? 말도 하네?! 우와. 광고를 찢고 나왔나아. 막 살아 움직이네?

선재(E)   재밌다. 재밌어 그래. 이제 됐지?

솔(E)   예쁘게도 웃네.

솔   어떻게 지우는 거야...

솔, 버튼 막 눌러보며 걸어가다가 횡단보도 가까워지자 멈칫하며 물러서는데. 그때, 선재가 빠르게 다가와 솔이 앞을 막아선다. (*3화 17씬 같은 느낌) 솔이 고개 들어 보면, 선재가 코앞에 서 있다! "선재야...?" 살짝 놀란 표정.

선재   (감정이 막 터져 나올 것 같은데 간신히 누르며) 니가 내 생각만 하라고 했지?

솔   ?? (귀에서 한쪽 이어폰을 빼고, 다른 쪽 빼려는 순간)

선재   너 헤어질래?

솔   !!

선재   내가 바라면 그럴 수 있어?

솔   (놀란 표정으로 서 있는데 이어폰에서 선재 음성 들려온다)

선재(E)   좋아해.

솔   (헉! 믿기지 않고, 입이 떡 벌어져 손으로 입을 막는)...!!

선재   그럼 김태성이랑 헤어져.

선재(E)   내가 너...좋아한다고.

솔   (선재 마음 알고 넋 나간) ...왜?!

그때, 선재 뒤로 버스가 지나가며 바람이 살짝 불자, 솔이 앞머리가 날린다. 선재, 솔이 이마에 난 빨간 자국 눈에 들어오는.

선재 (열받아서) 너 설마 맞았어?!!
솔OFF 선재가 나를 왜?! 말도 안 돼...!
선재 누가 너 때린 거냐고! (하는데)
솔 (당황해 냅다 버스정류장 쪽으로 뛰어간다)

선재 "임솔!" 붙잡으려는데 이미 쌩하니 달려가 버스에 올라타는 솔.
그 모습에 선재, 벙찐 표정으로 보고 서 있는 데서.

씬/8 주택가 외경 (D)

씬/9 솔이 집 거실 (D)

홀쩍이며 울고 있는 솔 얼굴 타이트. (*괴로워서 우는 것처럼 페이크)

선재(E) 좋아해. 내가 너...좋아한다고.
솔 (선재 말 떠오르자 생각 떨치려는 듯 고개 마구 흔들며) 왜 자꾸 떠올라...왜 이러는 거야 진짜! (흑흑...하는데)
말자(E) 너야말로 왜 이러는 겨?

솔이 얼굴에서 카메라 빠지면. 말자, 솔이 거실 바닥에 신문지 펴놓고 양파 잔뜩 쌓아놓고 까고 있던 분위기.

솔 어? (손 보면, 양파 속까지 계속 까고 또 까놔서 심지만 들고 있는) !!
말자 양파한테 왜 이러는 거어! 니 아까부터 왜 근대? 뭔 일 있냐이?
솔 아니야. 아무것도. (다시 양파 까는데 눈물 죽죽 흐르는) 근데 눈이 너무 매운데?

말자	양파를 아주 손으로 조져놨으니 맵제! (입에 대파 물려주며) 물고 있어봐.
솔	(대파 물고 양파 까는데 눈물 훌쩍이며 웅얼웅얼) 그래도 매운데?
말자	눈물을 질질 싸고 앉았네. 고만 까고 슈퍼서 막걸리나 찾아와. 아까 빼먹고 왔으.

씬/10 편의점 앞 (D)

파라솔 아래 앉아 있는 태성, 이슬.
이슬, 컵라면 먹고 있고. 태성은 생각에 잠겨 있다.

〈태성 회상 인서트〉 *5씬
솔이 "이제 우린 여기서 끝이야 이것아. 알았어?"

태성, 기분이 이상하다. 낯선 감정에 혼란스러운 표정인데.

이슬	(먹으며) 안 먹고 뭔 생각하나?
태성	(진지한데 덤덤하게) ...이상해.
이슬	(?) 뭐가?
태성	여기가. (하며 가슴 가운데를 손가락으로 쿡 찌르는)
이슬	거기가?
태성	(혼자 골똘히 생각하며) 음...뭐랄까. 뭔가...막.
이슬	막?
태성	(이슬 보며) 아파.
이슬	가슴이?
태성	가슴이.
이슬	(????) 박치기를 당했으면 머리통이 아파야지 왜 가슴이 아파?
태성	그러게?
이슬	아...! 딱 알았다. 그거네! 너 임솔한테 대차게 차여서...!
태성	!! (이슬 보면)
이슬	열받은 거네. 막 욱! 하고 화가 치미는 거지. (하며 주먹으로 태성이 명치

퍽 치면)

태성　아! 야, 죽을래?

씬/11 거리 일각 + 편의점 앞 (D)

선재, 인혁 걸어가며 대화하는. 선재, 계속 열받아 있는 표정.

인혁　경솔하다, 경솔해. 니가 무슨 자격으로 헤어지라 마라야~

선재　그럼 그딴 놈이랑 계속 만나는 걸 보고만 있으라고?

인혁　(한심하게 보며) 고백도 제대로 안 해놓고 그 말부터 날리면 어떡하니! 하여간 국밥 같은 놈. 맨날 말아먹어요.

선재　하... (상황 꼬인 것 같고, 머리 헝클이는데 뭔가 보고 멈칫)

보면, 편의점 앞에 이슬과 마주 앉아 있는 태성 뒷모습 보인다. 선재, 순간 표정 굳고, 태성 뒤통수 노려보며 멈춰 선다. 인혁, 헉. 뭔 일 날까 싶어 선재 팔 잡으며 "돌아가자..." 하며 데려가려는데.
이어지는 이슬, 태성 대화 소리가 선재 귀에 꽂힌다.

이슬　그러고 있지 말고 소개팅이나 받을래? 새봄고 앤데 완전 이쁘대.

태성　뭐 소개팅?

이슬　왜? 혹시 임솔 맘에 걸리냐?

태성　(괜히 찔려서) 그럴 리가 있냐?

한편 선재, "저 개자식이..." 욱해서 옆에 놓인 플라스틱 의자 한 손으로 번쩍 들고 팰 듯이 달려드는데. 헉! 놀란 인혁이 선재 말리며 의자 뺏어 들고. 태성, 이슬 뒤에서 난리 치는 선재 못 보고 계속 대화하는.

이슬　그럼 받는다고 해?

태성　그래. 날 잡아봐라... (하는데)

선재　(인혁 뿌리치고 태성 뒤에 서서 한 대 치려고 주먹 번쩍 드는 순간) !!

이슬	그래. 차였으면 깔끔하게 잊고 더 이쁜 애 만나면 되지... (하다가 태성 뒤에 주먹 들고 선 선재 발견) ??
선재	(차였단 말에 주먹 든 채로 멈칫) ...??
태성	(살짝 고개 돌려 올려다보면 주먹 든 선재랑 눈 마주친다) 뭐야 너?
선재	(그 자세 그대로) ...너 차였냐?
태성	...나 놀리냐?
선재	(상황 파악) !!! (씩 웃으며 그대로 주먹 쥔 팔을 내리며 태성 어깨를 감싸 안는다)
태성	(소름) !!!!
이슬	(핸드폰 툭 떨어트리고) 헐.
인혁	(뒤에서 의자 든 채로, 선재 보며 고개 젓는) 하...
선재	(백허그 하듯 태성을 안고 토닥토닥) 소개팅 잘해라. (팔 확 풀고 일어나 가면)
태성	(어이없는 표정으로 보며) 미친놈 아니야?!

한편, 걸어가던 선재. "차였다고? 하..." 피식 웃는데. 생각할수록 좋아 죽고, 신나서 막 뛰어가기 시작하면. 인혁, "야! 류선재!!" 의자 내려놓고 쫓아가는.

씬/12 거리 일각 (D)

선재, 신나서 뛰어가는데 친구 보고 손 흔드는 행인 손에 하이파이브 짝! 하고 뛰어간다. 행인, 황당한 표정. 인혁이 쫓아가다 그 모습 본다. "저 미친놈..."

씬/13 주택가 골목 (D)

선재, 들떠서 달려오는데, 마침 슈퍼에서 막걸리 들고 나오는 솔이 모습 보인다. 반가워서 부르려는데 솔이 고개 숙이고 훌쩍이자 우는 줄 알고 철렁! 표정 굳는.

한편, 솔. "왜 계속 맵냐…" 훌쩍이다가 저도 모르게 양파 만진 손으로 눈을 비빈다. 눈 더 맵고… "어뜩해…잉…" 괴로워서 거의 엉엉 우는데.

선재   (가슴 아파 혼잣말) 뭐가 그렇게 슬픈데…! (결심한 듯 성큼 걸어가는)

솔   …? (고개 들어보면 선재다!)

선재   (눈물범벅인 솔이 얼굴 맘 아프게 보며) 대체 얼마나 운 거야…

솔   어? (하는데 눈이 계속 매워 손등으로 눈을 꾹 누르며 훌쩍이는) 잠깐…어흑…

선재   (속상하고 열받아 오버하는) 울지 마. 그 개자식 때문에 니가 왜 울어야 되는데?!

솔   (계속 훌쩍이며) 뭐? 뭔 소리야…이거 양파 때문에…

선재   (O. L) 양파? 김태성이 양파냐?*

솔   뭐어?

선재   (솔이 손에 든 막걸리 보며) 술은 또 뭔데, 벌써부터 힘들다고 술로 견디려고 해?! (가슴 팡팡 두드리며) 차라리 나한테 기대! 툭하면 무슨 술이야 술은!

솔   (황당) 아니 이게 그게 아니라…

선재   내놔. (막걸리 뺏으려 하는)

솔   (안 뺏기려 꽉 쥐고) 뭐야…! 이거 놔아!

선재   (힘으로 확 뺏고) 안 돼, 나 너 망가지는 꼴 못 봐!

솔   망가지긴 무슨..뭔 소리야 내놔! (뺏으려 하면)

선재   싫어! 아무리 힘들어도 이건 아니지! (막걸리 따서 막 버리려 하면)

솔   야!! (선재 등짝 찰싹) 아깝게 이걸 왜 버려! (달려들어 뺏으려 하면)

선재   놔! 너 진짜 이럴 거야? 이렇게 막 나갈 거냐고! (버럭하며 막걸리 높이 들고)

그때, 금이 걸어오다 솔과 선재 보는데, 선재랑 솔이 막걸리병 쥐고 딱 붙어서 실랑이하는 모습 목격. 마치 선재가 솔에게 소리치며 괴롭히는 것처럼 보이는. 금, "뭐야!! 저 쉐키가!!" 열받은 표정.

선재	(안 되겠다 싶어 입으로 가져가 자기가 마시려 하는데)
솔	힉!! (놀라 선재 등짝 연타로 때리며 말린다) 뭐 하는 거야! (등짝 짝! 때리는) 야! 이거 할머니 심부름이라고!! (소리치며 선재 손에 막걸리병 다시 확 뺏어 가는데)
선재	너 진짜! (하며 솔이 손목에서 막걸리병 빼앗으려는 순간)
금(E)	그 손 안 놔?!

선재, 돌아보면 후다닥 달려온 금이 일각에 놓인 구조물 밟고 점프. 번쩍 날아올라 선재에게 드롭킥을 날린다. 순간 뒤로 넘어가 대자로 자빠지는 선재. 그때, 날아오른 막걸리병이 획획 돌면서 막걸리가 아래로 콸콸 쏟아지는 인서트. 하늘에서 떨어진 막걸리가 입 벌리고 뻗은 선재 입속으로 그대로 들어가는 CG.

금	후. (앞머리에 바람 날리며) 미친놈이 감히 내 동생한테!
솔	(경악) 선재야!!!! (금이 핵 째려보며) 오빠!!! 너 미쳤어?!!

씬/14 솔이 집 거실 + 금이 방 (N)

양파장 담근 통 놓여 있고. 말자, 거실에서 부침개 부치고 있다.
금, 선풍기 앞에 앉아서 부침개 먹다가 방 보며 고개 절레절레 젓는다. 보면, 금이 방 금이 침대에서 고이 누워 자는 선재 모습 보이는.

말자	병원을 데려갔어야 되는 거 아니여?
금	병원은 무슨. 저거저거 취해서 뻗은 거라니까? 막걸리 그거 쪼끔 들어갔다고 어떻게 저렇게 되냐. 야 솔직히 쟤 좀 어디 모지라지?
솔	(금이 째려보며) 다 오빠 때문이잖아! (걱정스럽게 선재 쪽 보며 혼잣말) 선재 막걸리 안 받는 체질인데...한 모금만 마셔도 바로 뻗는단 말이야.
금	니가 그걸 어떻게 알아! 너네 혹시 또...!
솔	(O. L) 아니거든? (선재 살피며) 근데 좀 더운가? (벌떡 일어나 선풍기 코드 뽑아서 들고 금이 방에 들어가면)

금	이 오빠 쩌 죽어도 된단 뜻이냐?
솔	어. 그래도 돼! (하며 금이 방에서 코드 뽑고 선재 쪽으로 선풍기 바람 쐬어주는)
금	뭐? 이 배은망덕한 여동생이 있나.
솔	은덕부터 베풀고 그런 소릴 해라.
말자	(다 안다는 듯 혼잣말) 아이고오. 똥강아지 하는 짓 보게? (씩 웃다가 일어나며) 앞집 양반은 인자 집에 들어 왔으려나~ 아들내미 여 있다고 말해주고 와야쓰겄다~

씬/15 선재 집 앞 (N)

말자, 근덕에게 부침개 접시 주고 있다.

근덕	아유. 잘 먹겠습니다. 저희 아들이 그냥 민폐를...
말자	민폐는~ 아니여. 쌍방 간에 오해로다가 생긴 일이니께 걱정하덜 말고. 근디... 잠깐 거 머리 좀 숙여주믄 안 되나?
근덕	네?? (머리 숙이며) 머리는 왜요?
말자	실례 좀 합시다잉. (근덕 정수리를 살펴보더니) 아이고. 숱이 아주 울창혀. 빽빽한 거이 지리산이여. 햅격! (흡족) 딱! 햅격! 집안에 대머리 유전자는 없나 보네이?
근덕	아 예. 근데 왜...
말자	나중 일은 암도 모른게. (웃다가 헉!) 오메. 이거 쌍가마 아니여? (실망)

씬/16 솔이 집 솔이 방 + 거실 (N)

솔, 침대에 누워 있는데 뒤척뒤척 잠이 안 온다. 일어나서 문 빼꼼 열어보면 금이 거실 소파에서 자고 있고. 금이 앞에 선풍기 돌아가고 있다.
솔, 금이 째려보며 "선재 더울 텐데..." 걱정스런 표정. 안 되겠다 싶다.
솔, 살금살금 나가서 금이 앞에 있는 선풍기 다시 뽑아 들고 금이 방으로 가는.

씬/17 솔이 집 금이 방 (N)

솔. 선풍기 선재 쪽으로 방향 맞춰 틀어주고, 선재 머리맡에 쪼그리고 앉아 잠시 잠든 얼굴을 애틋하게 보는.

솔   어떻게 이렇게 죽은 듯이 자냐... (했다가 가슴이 철렁한다)

솔, 선재 왼쪽 가슴에 조심스레 손을 올린다. 콩닥콩닥 뛰는 심장 박동 전해지자 안도의 숨 내쉬는데. 그때, 솔이 손바닥에 전해지는 심장 박동이 점점 빨라지기 시작한다.
"어? 이상하네..." 갸웃하는 순간,
선재가 가슴에 손을 올리는데 솔이 손등 위에 겹쳐진다. 솔, !!!!
그때, 선재 고백 다시 떠오르는.

선재(E)   좋아해. 내가 너...좋아한다고.

솔, 가슴이 두근두근 뛰기 시작하는데, 선재가 뒤척이며 눈을 스르르 뜬다. 헉!! 놀란 솔이 손을 확 빼며 침대 아래에 눕는다.
잠에서 깬 선재, 온기가 남은 손을 들어본다. "뭐지...?" 갸웃하며 일어나 앉는데. 한편, 침대 아래 누워 있던 솔이 꿈틀꿈틀 움직여 침대 아래로 들어가 숨는다.

선재   (주위 둘러보며) 여기 어디야... (하는데)

〈선재 회상 인서트〉 *13씬
금이 발차기 맞고 쓰러지던 장면 짧게 스치고.

선재   (후회스러워 머리 벅벅 긁는) 하...미치겠네...

선재, 서둘러 일어나려는데 침대 아래에 솔이의 긴 머리카락이 살짝 나와 있자 심장 쿵!!! 긴장한 표정으로 천천히 고개 숙여 보는데. 어두운 침대 아래에서 커다랗게 뜬 솔이 하얀 눈동자와 눈 딱 마주친다.
선재 "헉!!" 기겁하며 소리치려는데, 이에 놀란 솔이 침대에서 급히 기어나와 손을 뻗어 선재 입을 틀어막는 순간. 솔이 위로 무너지듯 떨어지는 선재. 선재, 솔에게 입이 틀어 막힌 채 어리둥절한 표정!

솔	(선재 입에서 손 떼며 속삭이는) 미, 미안.
선재	뭐야? 니가 왜...
솔	(O. L) 그게...선풍기! 선풍기 틀어주려고 왔다가...

그때, 방문 밖에서 나는 금이 인기척에 당황한 두 사람.
솔, "어떡해!!" 하는 순간, 선재가 솔을 품에 확 안고 침대 위에 있던 이불을 끌어내려 덮는데!
방문 열리며 금이 들어온다. 선재, 이불 꼭 끌어안고 자는 척하는.

| 금 | 선풍기가 왜 또 여기 와 있어... (하다 바닥에 선재 보며) 뭐야... 자다 굴렀나. (선재 타 넘어가 침대에 털썩 눕는) |

#이불 속
이불 속, 선재 품에 숨어 있는 솔. 긴장해서인지, 떨려서인지 심장이 콩닥거리고.

#다시 금이 방
선재, 금이 잠들었나 싶어 눈 뜨는데, 금이 일어나자 다시 자는 척하는.

금	어후 갑자기 또 춥냐 이렇게. (하며 선재가 덮고 있는 이불을 잡아끄는)
선재	!!! (이불 꼭 쥐고 안 놓는)
솔	(헉! 더 웅크리며 선재 쪽에 찰싹 달라붙고)
금	이놈은 자면서도 힘을 쓰네? 어후 추워. (이불 포기하고 선풍기 끄고 다

시 눕는)

선재, 솔 안도의 숨 내쉬는데... 금이 잠들 때까지 일어날 수 없는 두 사람.
그대로 숨을 죽이고 누워 있다.
그제서야 끌어안고 있는 자세가 신경 쓰이는 두 사람. 떨리기 시작하고.
솔이 귓가에 선재 심장 소리 쿵쿵 울리자 덩달아 솔이 심장도 쿵쿵 뛰기
시작한다. 잠시 후, 금이 잠든 듯 뒤척이는 소리 사라지고, 조용해진다.

솔   (이불 내리고 빼꼼 얼굴 내밀며 속삭이는) 잠들었나?
선재   (떨려서 금이고 나발이고 모르겠다) ...몰라.

어두운 방 안 창문을 통해 들어오는 희미한 가로등 불빛...
눈 마주치는 두 사람. 입술이 닿을 듯, 가깝다! 묘한 긴장감 흐르는데.

금(E)   니들 뭐 하냐...?

보면, 침대 위에서 금이 무섭게 내려다보고 있다!
솔, 선재 그 자세 그대로 얼음처럼 굳고. 잠시 정적 흐르는데.
그때, 솔이 선재 팔 걷어내며 "하암~" 자연스레 하품하며 일어나 앉고.
선재, 눈 질끈 감고 "커엉..."코 골며 자는 척을 한다.

솔   (능청맞게) 아우. 왜 여기서 자고 있었지? 몽유병인가... (자연스레 일어
       나는데)
금   (눈을 희번덕 뜨고 솔, 선재 하는 양 지켜보다가) 이것들이!!!
솔   꺅! (놀라 후다닥 거실로 도망 나가고)
금   일루 안 와?! (침대에서 짐승처럼 네발로 기어 내려와 솔 잡으려는데)
선재   (자다 뒤척이는 척하며 금이를 팔다리로 꽈악 끌어안으며 붙잡는)
       음...음냐...
금   야! 이거 안 놔?! (선재 품에서 나오려 발버둥 치는데 못 빠져나오겠고,
       이 악물고 윽박지르는) 야! 안 자는 거 다 알아! 어디 기술을 걸어! 야!
       (나오려고 발버둥 치는데) 너 가만 안 둔다아...어? 놔! 놔라!

선재   (더 힘줘서 금이를 꽉 끌어안고 끝까지 자는 척하는 데서)

씬/18 독서실 외경 (D)

씬/19 독서실 휴게실 (D)

가방 메고 휴게실 소파에 앉아 있는 솔. 노란 장우산 끝으로 바닥에 괜히 그림을 그려대며 생각에 잠겨 있다. 한숨 푹 내쉬는데. 공부에 찌든 고3 비주얼의 현주가 걸어 나와 솔이 옆에 털썩 앉는다.

현주   왔으면 들어오지 왜 이러고 있어~ 고백이라도 받았냐?
솔   (놀라며) 어떻게 알았어?
현주   (덩달아 놀란) 어? 뭐야, 진짜야? 누구한테? 혹시 류선재?
솔   하... (들켰다)

(컷 튀면)
솔, 현주에게 얘기한 분위기.

솔   어떻게 선재가 날? 그렇게 반짝거리는 아이가 나를 왜?
현주   (정색하고 듣고 있다가) 니가 꼬셨잖아 이것아.
솔   내가? 언제?
현주   (텀블러에 박카스, 비타500 때려 부으며) 생각을 해봐. 수영장에 난입해서 끌어안고 사랑한다 그랬다며. 그리고, 툭하면 야자 쨰고 쫄래쫄래 쫓아댕겼지, 대회 응원도 갔지, 너 걔 어깨 수술했을 때 매일매일 도시락 싸다 바쳤잖아. 아주 지극정성으로 꼬신 거지 뭐야 그게.
솔   그건...내가 그럴 만한 사정이 있었지.
현주   사정은 얼어 죽을. 그럼 어젯밤엔 왜 얌전히 자는 애 방엔 기어들어 갔냐? 너 좋아하는 거 뻔히 알면서! 아주 늙은 여우가 따로 없네?
솔   (시무룩, 혼잣말) 여우는 아닌데, 열아홉보다 늙은 건 맞긴 하네.

현주	(텀블러 뚜껑 닫고 폭탄주처럼 섞으며) 내가 걔 딱 보니까 열심히 운동만 한 모태솔로 같던데. 그런 애들은 막 불도저처럼 들이대는 여자한테 약해 원래~
솔	그런가... (찔리는 표정)
현주	(섞은 피로회복제 벌컥벌컥 들이켜며) 하여간 흔들어놓는 것들이 문제야! 남이사 똥을 싸든 말든 옷은 왜 벗어주냐고오. 맘 줄 거 아니면 흔들지도 말아야지! (씩씩대다 솔이랑 눈 마주치자 아차)
솔	(??) 똥을 싸? 누가?
현주	아 딴생각 말고 공부나 해! 들어와! (일어나면)

솔, 축 처져서 일어나는데, 소파 옆에 노란 우산 그대로 세워져 있는.

씬/20 독서실 (D)

솔	(생각에 잠겨 OFF) 내가 괜히 가만있는 애 마음 흔들어놓은 건가...

그때, 누군가 솔이 뒤로 지나가더니 솔이 옆자리에 가방을 툭 놓고 앉는다. 한편, 솔이 뒷자리에 앉아 있던 현주가 "아...시끄럽게." 돌아보면 선재다. 놀란 현주, 솔이 등을 쿡 찌르며 펜으로 선재 쪽 가리킨다. 솔, ?? 고개 돌려보면, 선재가 가방에서 책 툭툭 꺼내고 있는.

솔	(놀란) 선재야...
선재	(돌아보며 놀란 척) 어?!
솔	여기 어떻게 왔어?
선재	그야 너 보러... (하다 회상)

〈선재 회상 인서트〉 *12씬 이후 상황

인혁	헤어지자마자 막 들이대면 부담스러워 한다고. 그러니까 내 말 잘 들어. (두 손으로 선재 얼굴 붙잡고 단단히 일러주는) 너무 티 내지 말고! 질척

거리지도 말고! 담백하게 다가가. 쿨하게 굴어! 알았어?

#다시 현실

선재   ...왔겠냐? (말 바꾸는) 공부하러 왔지, 독서실에.

솔   (왠지 어색하다) 어...어! 그래. 공부. 해야지.

선재   (어색하게) 어떻게 딱 옆자리냐. 참 우연이네?

솔   그러게...?

선재   (크음... 말 돌리려) 그럼 열심히 해라.

솔   (눈 마주치자 두근! 눈 피하며) 어어! 너두 열심히 해. (고개 돌리는)

선재   (아무 책 들고 휘리릭 넘기다 솔이 쪽 힐끔 돌아보며 몰래 씩 웃는데)

현주   (그 모습 보며 OFF) 저것들 연애하러 왔나... (혀 끌끌 차는)

씬/21 태성 집 태성 방 (D)

이슬, 방바닥에서 곰인형을 베개처럼 베고 누워서 DMB로 야구 중계(*한국-일본 4강전) 보고 있고. 태성은 침대에 누워 핸드폰에 솔이 번호 띄워놓고 뚫어져라 보며 생각에 잠겨 있다. 결심한 듯 솔에게 전화하려다 멈칫.

태성   아...폰 잃어버렸댔지. 하... (한숨 쉬며 핸드폰 툭 던지는데)

이슬   (DMB 보고 있다가 생각난 듯) 맞다 근데. 애들 말 들어보니까 최가현이 임솔 계속 괴롭혔나 보더라? 전에도 몇 번 끌려갔었대~

태성   !! (벌떡 일어나 앉으며) 뭐? 야 그걸 왜 오늘 말해!

이슬   (어리둥절한 표정으로 태성 보며) 오늘 들었으니까?

태성   하... (미안해져 머리 헝클이는데 이슬이 베고 있는 곰인형 그제야 보고) 이 쉐키가!

이슬   (다시 야구 경기로 시선 돌리며) 아오! 잘 좀 때려봐라 쫌! (하는 순간)

태성   (곰인형 확 뺏어 들며 발로 이슬 엉덩이 까는)

이슬   (바닥에 머리 찍고 엉덩이 붙잡고 아파하며) 악! 야! 누가 나 때리랬냐?

태성	야. 안 다친 거 아니야?
이슬	어. 안 다쳤다 미안. (했다가 뒤늦게 이해하고 발끈) 뭐라고?!
태성	(곰인형 요리조리 살피곤 일어나 인형 확 들쳐 메고 나가는)
이슬	근데 너 인형 들고 어디 가! (하다 갸웃) 내다 버리러 가나?

씬/22 독서실 (N)

선재   (영어단어책 대충 넘겨보며 OFF) 이 좁은 데서 어떻게 몇 시간씩 앉아
있는 거야...?

선재, 좀이 쑤셔서 기지개 피는 척하면서 솔이 쪽 힐끔 보는데. 솔, 머리
는 복잡하고, 옆에 앉아 있는 선재는 의식돼서 죽겠다. 슬쩍 선재 쪽 돌아
보다가 선재랑 눈이 딱 마주친다. !!!
그때, 솔이 배에서 (E) 꼬르륵 소리 크게 나자 헉! 창피해 엎드려 자는 척
하는. 선재, 그런 솔이 보며 피식. 한편, 솔. 눈 꾹 감고 있는데, 드르륵. 의
자 뒤로 빠지며 선재 나가는 발소리.
솔, 눈 뜨면 선재 자리에 없고. 칸막이에 붙은 포스트잇 보인다.
'밥 먹자. 나와.'

씬/23 적당한 식당 (N)

가게 안 TV에서 올림픽 야구 한일전 중계 중이다. 테이블에 음식 나와
있고, 솔이 밥 먹으며 선재 모의고사 성적표 보고 있다.

솔	(올 8등급인 성적표 보며 경악) 너...대학 어떻게 가려고 그래? 죄다 8등급인데?
선재	원래 몇 등급까지 있는데? 많이 낮은 거냐?
솔	......낮은 게 아니라 바닥인데?
선재	(먹으며 별거 아니란 듯) 특기자 전형이라 최저등급만 넘으면 돼. 걱정 마.

솔	최저등급이 몇인데?
선재	5등급.
솔	넌 8등급인데?
선재	(못 들은 척 TV 야구 보는) 벌써 8회인데 점수 좀 나라.
솔	(선재 눈앞에 성적표 흔들며) 죄다 8이라고! 팔팔팔팔팔!
선재	(계속 야구 보는 척 딴청) 와. 팔팔하네. 이승엽 컨디션 좋아 보이는데?
솔	아니 암만 그래도 수능이 코앞인데 이건 좀 심하지 않니?
선재	니가 도와준다며.
솔	그랬지. 근데 나도 수능 공부는 오랜만이란 말이다아. 근의 공식도 가물가물한데 이를 어쩌니... (한숨 쉬며 뜨거운 만두 한입에 넣는데 엄청 뜨겁다) 어흐...아뜨... (씹지도 못하고 뱉지도 못하고)
선재	! (놀라 자연스레 솔의 턱에 손바닥 내밀어 받쳐주며) 뱉어 얼른.
솔	(심쿵) !!
선재	빨리. 입천장 까지겠다.
솔	(얼굴 시뻘게지고. 몇 번 씹지도 않고 꼴딱 삼키는)
선재	안 뜨거워?
솔	괜찮아... (물 벌컥벌컥 들이켜는데)
선재	어? 점수 땄다!
솔	(쿨럭) 점수를 따긴 뭘 따?! 너 전혀 아, 안 딴 거 없거든?! (횡설수설)
손님들	와!!! 홈런!!! (박수 치며 일어나 소리치고) 이승엽! 이승엽!
솔	??? (돌아보면 TV에서 이승엽 홈런 날리고 홈으로 뛰어 들어오고 있는)
선재	봐! 땄잖아.
솔	(민망) 하하하...2점이나 땄네? 와아...

씬/24 주택가 골목 + 솔이 집 앞 (N)

솔, 선재 걸어오는데. 빗방울이 떨어진다.

선재	어? 비 오려나?
솔	나 우산 있어. 아침에 챙겨 나왔거든. (씩 웃다가 빈 두 손 보며 표정) 어?

어딨지? 독서실? 식당에 놓고 왔나?! (돌아가려는데)

선재   어딜 가. 가다 비 다 맞겠다. (하며 가방에서 3단 우산 꺼내 펼친다)

작은 우산을 같이 쓰고 걷고 있는 두 사람. 걸을 때마다 선재와 어깨가 부딪히자 설레는 표정의 솔.

솔OFF   누가 누굴 흔드는 건지 모르겠다아~ (살짝 떨어져 걸으려고 한 발짝 옆으로 떨어지는 순간 눈앞에 전봇대 보이는) 헉!!

선재   (부딪힐까 봐 솔이 어깨 잡고 끌어당기는)

솔   (휘청하며 선재 쪽으로 더 확 붙는) !

선재   너 머리 깨질 뻔했다.

솔OFF   아주 사정없이 흔들리고 있다 증말...! (고개 푹 숙이고 걷는)

그때, 집 안에서 사람들이 "와!!!!" 소리치는데 골목에 울려 퍼지고.

선재   어? 야구 이겼나 보네?

솔   (안다는 듯 끄덕이며) 그랬겠지...

선재   와...진짜 결승까지 갈 줄 몰랐네?

솔   (다른 생각으로 마음 편치 않은)

선재   너 무슨 생각해?

솔   어? 아니야. 아무것도.

선재OFF   김태성 때문에 아직 힘든가... (마음 쓰이고 ON) 우리...결승전 거리응원 갈까?

솔   거리응원? (하는데 현주 말 떠오르는)

현주(E)   하여간 흔들어놓는 것들이 문제야!

솔   수능 얼마나 남았다고 공부해야지 무슨...

선재   어떻게 맨날 그 좁아터진 독서실에서 공부만 하나? 가끔은 기분 전환도 하고, 콧바람도 쐬고 해야. (솔이 눈치 슬쩍 보며) 딱 하룬데, 안 돼?

솔   너 아까 보고 있던 영어단어책. 그거 다 외우면.

선재   그걸 다? 와...가지 말란 소리네.

솔   그르니까. 공부나 열심히 해.

선재	내가 다 외우면 어쩔 건데?
솔	...!
선재	니가 분명 다 외우면 간다고 했다~ 하루 만에 다 외운다 내가. (씩 웃는데)

그때, 비디오 가게 처마 아래에서 곰인형 들고 서 있던 태성과 마주친다.
태성, 선재 눈 마주치자 동시에 표정 확 굳는.

솔	(태성 보고 인상 쓰며) 가지가지 하고 있다 증말...! 쟨 또 뭐니?
태성	비도 그쳤는데 우산은 왜 같이 쓰고 와? 딱 붙어서? (둘을 번갈아 보는)
선재	(인상 확 구기며 저걸 확... 입모양으로 구시렁대며 우산 확! 접는데)
태성	둘이 어디 갔다 와?
선재	(어이없는) 남이사.
솔	너야말로 어쩐 일인데?
태성	우리 얘기 좀 하자.
솔	난 할 얘기 없는데?
태성	나는 있어. 넌 듣기만 해.
선재	(살짝 솔이 막아서며) 싫다잖아.
태성	좀 빠져주지?
선재	먼저 끼어들었잖아?
태성	아~ 깜빡이를 켰어야 되나? (싸늘하게 보는)
솔	(두 남자 번갈아 보는데 왠지 싸울 것 같고) 아, 알았어. 뭔 얘긴지 들어나 보자. (태성 쪽으로 가는데)
선재	(솔이 붙잡고) 잠깐만.
솔	(멈칫) 어?
인혁(E)	쿨하게 굴어!
선재	얘기 잘하고 들어가라고. 내일 보자! (어색한 손 인사 날리며 쿨한 척 돌아서는)
태성	빠이~~~ (선재 보고 씩 웃으며 인사하면)
선재	후... (주먹 꾹 쥐고 화 누르며 걸어가는 데서)

씬/25 놀이터 (선재 상상) (N)

솔, 태성 서 있고. 태성 눈물 흘리며 솔에게 매달리고 있는. (*인소 대사 패러디)

솔   (처연하게) 이제 그만 나 잊어.*
태성   그게 뭔데.*
솔   나 잊으라고.*
태성   그거 어떻게 하는 건데.*
솔   흡... (울컥 울음 터지고) 미친놈...
태성   김태성 이 미친놈은요! (무릎 꿇으며) 죄인입니다. 한 여자를 죽도록 사랑한 죄인..**
솔   태성아...! (달려가 와락 안으며) 만약 사랑도 죄가 된다면! 난...무기징역이야.**
태성   하...미치겠네. (솔을 꽉 안으며) 임솔!!! 니가 내 별이다...☆**

씬/26 선재 집 선재 방 (N)

선재, 헉! 불안한 표정인데. 괜한 상상을 했다는 듯 "설마..." 하며 신경 끄려 가방 툭 내려놓다가 갑자기 후다닥 방문 열고 뛰쳐나가는 모습.

씬/27 놀이터 (N)

솔, 팔짱 끼고 서서 태성 노려보고 있는.

솔   할 얘기가 뭔데? 나 시간 많은 사람 아니니까 후딱 얘기하렴.
태성   최가현이 너 괴롭히고 그랬다며. 몰랐어.
솔   하. (콧방귀 뀌는)
태성   상처...많이 받았어? (솔이 눈 가까이 들여다보며 걱정 가득) 많이 울었지.

솔	(물러나며) 아니! 전혀 안 울었는데?
태성	(당황) 안 울었어? 왜?
솔	너...진짜 뭐 돼? 내가 이용당한 것도 모자라서 울기까지 해야 돼?
태성	(끄덕이며) 그건 아니지. 근데 이상하게... (심각해지는) 왜 서운하지?
솔	(어이없는) 니가 왜 서운해?!
태성	그러니까. 암튼...미안해. 사실 이 말 하려고 온 거야. 진짜 미안하다.
솔	(진심 같다) ...아주 개차반은 아닌가 보네. (삐죽이는)
태성	그리고 나 너 이용한 거 아니다~
솔	참 나. 그럼 왜 사귀자고 한 건데.
태성	니가 나 좋다며.
솔	너는~ 너 좋단 애 있으면 다 사귀니?
태성	아니?
솔	(황당) 말이야 방구야 이게?
태성	......어?! (댕— 머리에 뭔가 때려 맞은 표정)
솔	뭐!
태성	혹시...내가 너 좋아했나?
솔	(대 황당) 뭐, 이런...! (기가 막히고)
태성	(이제야 확실히 마음 자각한 듯 멍한) 그러네...내가 너 좋아했네.
솔	와...이거이거 웃기는 놈이네?!
태성	(솔이 보며) 어떡하냐. 나 너 많이 좋아한 것 같은데.
솔	염장 지르려고 이러는 거지? (이 악물고) 됐고! 인형 돌려주려는 거면 주고 빨리 가르아! (획 가져가면)
태성	(얼른 도로 뺏어오며) 아니거든?
솔	뭐야, 아님 혹시 버리려고 그래? 이리 내놔. 줘. (뺏으려고 달려들면)
태성	(실랑이하며) 놔! 그런 거 아니라고~ 애착인형이야! 요즘 맨날 안고 다니거든?
솔	뭔 헛소리니?

실랑이하다 솔이 인형 확 잡아채는 순간 인형에서 녹음된 솔이 목소리
나온다. (E) 태껑아~ 우리 사랑 뽀레버~
솔, 태성. 동시에 동작 멈추고. 정적 흐르는.

태성   (살짝 매달리듯) ...그냥 뽀레버 할까 우리?

솔   아니이! (수치스러운 표정 위로 OFF) 아무래도 내 인생의 빌런은...과거의 나다.

씬/28 선재 집 마당 + 솔이 집 앞 (N)

근덕, 마당 텃밭 돌보고 있다. 방울토마토, 고추 등에 대 세우고 있는데. 선재, 근덕 옆에 앉아 잡초 뽑는 척하며 고개 쭉 빼고 대문 밖 내다보는. 그때, 발소리에 벌떡 일어나서 보면 다른 사람 지나가고 있는.

근덕   왜 그래?

선재   (다리 뻗어 스트레칭하며 둘러대는) 다리가! 저려가지고. (크음, 앉으면)

근덕   우리 아들이 하여간 효자야...아빠 돕는다고 롱다리 꾸겨 접고 잡초를 다 뽑아주고. (웃으며 분위기 잡는) 그거 아냐? 이 식물들도 귀가 있다잖어.

선재   (대문 밖 목 쭉 빼고 보며 OFF) 왜 안 오는 거야...뭔 할 얘기가 있다고.

근덕   (잎을 살살 어루만지며) 매일매일 아구 이뻐라~ 아구 이뻐라~ 이렇게 예쁜 말을 해주면 더 잘 자란다드라고. 앞으로 아빠가 울 아들한테도 예~쁜 말만 해줄게... (인자하게 웃으며 돌아보자마자 선재 등짝 퍽 때리며 돌변) 이 쌍노무 자식아!!!

선재   (헉! 놀라서 보면, 손에 잡초가 아니라 방울토마토 줄기 뿌리째 뽑아 들고 있는)

근덕   (버럭) 니 눈에 이게 잡초야? 눈깔을 빼서 딴 데 박았나!! (버럭 씩씩대는)

그때, 선재 뒤 대문 밖으로 솔이 지나가는 모습 보인다. 선재, "어?!" 뒤늦게 발소리 듣고 벌떡 일어나 대문 쪽으로 뛰어가 보면 솔이 건물 안으로 이미 들어가버렸다. 하... 한숨.

씬/29 도로 (N)

바이크에 탄 태성, 신호 대기하며 서 있고.

〈태성 회상 인서트〉
＊2화 37씬. 손에 반창고 붙여주던 솔.
＊4화 52씬. 미역국 사주던 솔.

태성, 뒷자리에 실어놓은 곰인형 돌아본다. 마음에 걸리는 표정.
"뽀레버는 무슨." 다시 신호 바뀌자 출발하려는데...
인도에서 고양이 한 마리가 튀어나오자 피하려 방향 틀다 바이크 미끄러
져 넘어지며 사고 나는 모습에서.

씬/30 솔이 집 솔이 방 (D)

꿈꾸는 듯 괴로워하는 솔이 모습.

〈솔이 꿈 인서트〉
물속으로 점점 가라앉고 있는 솔. 숨 막혀서 괴로운데. 발버둥 치려는데
다리가 안 움직인다. 공포스럽고, 팔만 허우적대는데 그때, 물속으로 무
언가가 풍덩 빠지며 솔이 눈앞으로 가라앉는 사람... 선재다!

#다시 현실
헉! 눈 번쩍 뜨며 일어나는 솔. 눈물 맺혀 있다. 숨 몰아쉬며 진정시킨다.
협탁에 풀어놓은 전자시계를 들어 버튼을 누르자 빛이 들어오며
2:00:00 숫자가 선명히 보인다. 그러다 탁상달력으로 시선을 옮기는데 8
월 21일까지 x표 쳐진.

솔   곧 있으면 9월이네... (생각에 잠긴 표정에서)

씬/31 솔이 집 거실 (D)

솔, 가방 메고 방에서 나오는데, 차려입은 복순이 캐리어 끌고 나온다.

솔   엄마 어디 가?
복순   전에 말했잖어. 동창들이랑 제주도 놀러 간다구.
솔   제주도? (OFF) 그 아저씨랑 여행 갔던 게 오늘이었나 보네?

〈솔 회상 인서트〉
#솔이 집 거실 (과거) (N)

열아홉솔 (울며 대드는) 고3 딸 내팽개치고 제주도를 가? 전에 집에 데려다준 그
         아저씨랑 가는 거지? 그치?
복순   누구랑 가든! 고3이 벼슬이야? 니들 혼자 키우느라 뼈 빠지게 고생했는
         데 내 맘대로 여행 한 번 못 가?
열아홉솔 (울컥) 아빠 불쌍해서 그런다 왜! 죽기 직전까지 고생할 엄마 걱정만 하
         다가 눈도 편히 못 감은 아빠가 가여워서 그렇다고! (빽 소리치는)

#다시 현실

솔   (미안하고 후회되는. 복순 캐리어 들어주며) 이리 줘. 내가 들어줄게.

씬/32 주택가 골목 (D)

솔, 캐리어 끌고 가며 복순 배웅하는데. 복순, 다다다 빠르게 잔소리한다.

복순   교복 셔츠 그날그날 손으로 조물조물 빨아서 입고. 빨래통에 던져놓으면 색
      깔 빨래랑 섞이는 거 알지? 지난번처럼 물들어서 새로 사 달라 하지 말고!
솔   알았어요. 알았어~
복순   밥 먹고 그릇 물에 꼭 담가놓고. 맨날 음식 남긴 채로 그냥 넣어놔서 초파

리 끓잖어. 그리고 니 오빠한테 전해. 밤새 술 처먹다가 길바닥에서 잠들면 호적에서 확 파버릴 줄 알라고. 문단속 잘하고 덥다고 창문 활짝 열어두고 자지 말고...

솔   (O. L) 아~ 알았다니까. 엄마. 우리가 한두 살 먹은 앤 줄 알어?

복순   나이만 먹었지 니들이 알아서 하는 게 뭐 있어?

솔   오빠도 그렇고 나도 그렇고 엄마가 맨날 챙겨주니까 그렇지, 막상 엄마 없으면 더 잘해. 이제 엄마 손 탈 나이 아니라구요.

복순   (표정) ...그래. 다 컸으니까 이제 엄마 없어도 잘 살겠네.

솔   잘 살지 그럼!

복순   (섭섭) 자식 키워봐야 소용없다더니.

솔   그걸 이제 알았어? 늙고 병들면 자식보다 서방이래. 얼른 새 서방님 찾으시든가~

복순   늙고 병들면 죽어야지 뭔 서방을 찾아... (캐리어 가져가며) 이제 됐으니까 언능 가서 공부나 해. 아 어서 들어가.

솔   재밌게 놀구 와 엄마~

복순   (손짓하며 캐리어 끌고 가는)

솔, 돌아가는 척하다가 다시 돌아서서 복순을 살짝 쫓아가본다. 어디 숨어서 훔쳐보면. 일각에 주차된 차에 정렬이 복순 캐리어를 실어주고 있다. 솔, 흐뭇하게 웃으며 돌아서는데 말자와 만나는.

솔   할머니 어디 갔었어? 방금 엄마 배웅했는데.

말자   이? 벌써 갔어? (구시렁) 이눔 지지배가 놀러 감서 엄마 얼굴도 안 보고 가?

솔   엄마 나이가 몇인데 그래~ 누가 들으면 애 수학여행 보낸 줄 알겠네.

말자   내 새긴 환갑이 넘어도 애기여...들어가자~

솔   아니. 나 어디 나가는 길이었어. 음...독서실!

말자   이이 그려? 무리하지 말고 쉬엄쉬엄 해라이~

씬/33 선재 집 앞 + 금 비디오&DVD 가게 (D)

선재, 가방 메고 단어 외우며 집에서 나오는데 비디오 가게 문이 열려 있자 혹시 솔이 있을까 싶어 유리창 안 들여다본다. 그때, 가게 안에서 금이 유리창에 붙어 슥 올라와 선재랑 눈이 마주친다. 선재, 흠칫 놀라 뒤로 물러나면.

금, 내가 너 지켜보고 있다는 듯 두 눈 가리키고 목 긋는 제스처. 썩 꺼지라는 듯 손짓한다.

선재, 90도로 인사하고 지나가는.

씬/34 저수지 인근 파출소 (D)

순경, 황당한 표정으로 앉아 있고. 솔이 답답한 표정으로 서 있다.

순경	그니까, 오늘도 아니고 내일도 아니고! 9월 1일에 학생한테 뭔 일이 일어날, 수도! 있다? (솔이 끄덕이면) 무슨 일인지는 말하고 싶지만 말할 수가 없다?
솔	네...정확하십니다.
순경	(어이가 없고) 나 참...그럴지도! 모르는 일 때문에 그날 저수지에서 대기를 타라는 거야? 경찰들이 그렇게 한가한 줄 알아?
솔	안...되겠죠?
순경	그날 저수지에서 뭔 일이 날 것 같으면 저수지 근처에 얼씬도 안 하면 되잖아.
솔	그건 그런데...제가 그날까지 여기 있을 수 있을까요? (한숨)
순경	(황당하고. 작게 혼잣말) 정신이 마이 아픈 아인가... (사탕 하나 솔에게 건네주며) 이거 먹고 조심히 가고 다신 여기 오지 마. 뭔 일이 날지도 모르니까. 알았지?
솔	...네. (한숨 쉬며 사탕 받고 나가면)
순경	쯧쯧...멀쩡하게 생겨서는. (안쓰럽게 보는데 들어오는 김형사 보이는) 김형사님.
김형사	(나가는 솔이 돌아보곤) 무슨 말이야? 뭔 일이 날지도 모른다니?

순경   (고개 저으며) 그냥 헛소리예요. 어쩐 일로...

김형사   아, 지난달 야간 순찰 일지 시간대별로 좀 볼 수 있을까? (안쪽으로 가는)

씬/35 솔이 집 거실 (D)

말자, 빨래 개며 TV 뉴스 보고 있다.

앵커(E) 지난 11일 오전, 서울 외곽의 한 저수지에서 시신이 발견됐습니다. 피해자의 신원은 지난달 말 실종신고가 되었던 20대 여성으로 밝혀졌는데요. 부검 결과 경찰은 살인 사건의 가능성에 무게를 두고 수사 중이라고 전했습니다. 사체가 발견된 장소가 인적이 드물어 씨씨티브이가 없어 용의자를 추려 내는데 난항을 겪고 있다고 하는데요. 이진비 기자입니다. (화면 넘어가는)

말자   참말로 무서운 세상이여... (리모컨으로 채널 돌려 올림픽 중계 틀어놓는다. 야구 하이라이트 나오기 시작하고)

E   집 전화 벨소리 울리는

말자   (전화받으며) 여보시오. (대답 없고) 여보시오~ (대답 없자) 아따 전활 걸었음 대답을 해야지 뭐여... (끊으려는데)

영수(F) 저...제가 핸드폰을 주웠는데요.

말자   (반가운) 아이고 맞어요! 우리 손녀딸내미 핸드폰! 그짝이 주웠는갑소이.

영수(F) 이거...어떻게 전해드릴까요?

말자   나가 찾으러 가믄 되제. 어디로 가면 될까요이?

    #택시 안
    한편, 솔이 핸드폰으로 통화하고 있는 영수. 짜증 난 듯한 표정.

영수   아닙니다. 제가 지방에 있어서... (끊으려는데 이어지는 말자 말에 멈칫)

말자(F) 아니믄 거, 소포로 부쳐주실 수 있으까? 나가 주소 불러드릴 텐게.

영수   ...그럴까요? (표정에서)

씬/36 독서실 (D → N)

영어단어책 보며 외우고 있는 선재. (*단어책에 밤새 달달 외운 듯한 흔적 보이는)

선재   (문득 솔이 자리 보는데 비어 있고) 나보고는 공부하라더니 자긴 왜 안 와... (표정)

다시 단어 외우기 시작하는 선재 몽타주.
턱 괴고 외우다가, 엎드려 외우다가, 잘 안 외워지는지 눈 감고 입모양으로 중얼중얼. 좀이 쑤시는지 단어책 들고 돌아앉아 다리 쭉 피고 외우는데, 옆옆 자리에서 공부하던 현주가 돌아보며 쩨려보자 다리 접고 다시 정자세로 외우는...

〈독서실 밤 외경 인서트〉

솔, 조용히 들어오는데, 선재... 영어단어책 펴놓고 손에 펜 쥔 채 엎드려 잠들어 있다. 보면, 노트에 영어 단어 잔뜩 끼적여놓은 흔적 보이고.
솔, 그 모습 보며 저도 모르게 피식... 웃으며 자리에 앉는다. 참고서 펼치려다, "무슨 공부야..." 무슨 소용인가 싶어 한숨 쉬며 다시 덮고. MP3 꺼내 이어폰을 귀에 꽂고 음악 듣기 시작한다.
솔, 음악 들으며 물끄러미 잠든 선재 바라보는 표정에서...

(시간 경과)
선재, 자다 깨서 일어나 기지개 피면서 솔이 자리 보는데. 솔, 책상에 엎드려 눈 감고 있다. (*선재 시점에선 음악 없이 조용한 독서실)
선재, !! 반가운 표정. "언제 왔지?" 선재, 솔이 깨우려다 말고, 책상에 턱 괴고 앉아 잠든 솔이 얼굴을 가만 본다. 잠든 솔이 얼굴 비춰지면, 다시 MP3 노래 흘러나온다. 잠시, 선재가 솔이 모습 보고 있는 모습 쭉 보여지는데. 그때, 솔이 MP3에서 노래가 끝나고 녹음 파일 재생된다.

솔(E)   어? 이거 내 보물 1호인데.

선재(E)   또 시작이네. 가자. 늦었어.

한편, 솔이 머리카락이 흘러내려온다. 솔, 간지러운지 미간 찌푸리면. 선재, 조심스레 손 뻗어 솔이 머리카락 넘겨주는데. 솔이 감고 있던 눈을 스르르 뜬다.
그때, MP3에서 선재 음성 흘러나온다.

선재(E)   좋아해. 내가 너...좋아한다고.

그 순간, 눈이 마주치는 두 사람. 잠시 말없이 시선이 오가는데.
솔, 심장이 쿵쾅쿵쾅 뛰기 시작한다. 뒤늦게 정신 차린 선재, 어색하게 손 거두면. 솔, 어색한 듯 자리에서 일어나 나간다.

씬/37 독서실 휴게실 (N)

솔   미쳤나 봐...! (혼잣말하며 정수기에서 물 받아서 벌컥벌컥 마시는데)

선재(E)   뭐가?

솔   (살짝 쿨럭하며 돌아보면 따라 나온 선재가 뒤에 서 있는) !!

선재   (솔이 표정 보는)

솔   아...아니야. 아무것도.

선재   (솔이 얼굴 살피는데 붉다) 근데 너 얼굴이 왜 그렇게 빨개?

솔   어? (화르르, 두 손으로 뺨을 가린다) 더워서!

선재   (솔이 반응 보니 혹시나 싶은. 기대감 조금 차오르는) 너 혹시, 알아?

솔   ...어?

선재   (내 마음) 눈치챘냐고.

솔   뭐, 뭘?

선재   내가...

솔   (긴장. 침 꼴깍)

선재	(그냥 물어보지 않기로 한다. 말 돌리는) 나 단어 다 외운 거.
솔	어?
선재	단어 다 외우면 야구 결승전 응원하러 같이 가준다며.
솔	...?! (그 소리였나, 황당한데)
선재	못 믿겠으면 테스트라도 해볼래?
솔	아니 그런 건 아닌데.
선재	그럼 내일 같이 가는 거다? (결심한 듯, 입가 미소) 나 너한테 할 말 있거든.
솔	...!!! (표정에서)

씬/38 야구 결승전 응원 풍경 (당시 자료 화면)

씬/39 청계광장 (거리응원 장소) (D)

응원 나온 인파 사이에 현장 리포터, 취재 나와 있는.

리포터	지금 이곳은 대한민국 대표팀을 응원하기 위해 모인 수만 명의 국민들로 열기가 뜨겁습니다! 8전 8승! 매 경기마다 새로운 신화를 써내려가고 있는 우리 대표팀이 한국 남자 구기종목 사상 첫 올림픽 금메달의 위업을 이룰 수 있을지...

팬하면, 선재, 양손에 하늘색 야구 응원 풍선 들고 솔이 기다리고 있다.
그때, 인파 사이로 솔이 음료 두 잔 들고 두리번대며 선재 찾는 모습 보인다. 선재, 반가운 표정. "임솔! 여기야!" 소리치며 응원 풍선 흔드는.
솔, 선재 발견하고 사람들 틈 비집고 다가오면. 선재가 맡아놓은 자리에 앉는 두 사람.

솔	자리 어떻게 맡았어?
선재	자리 맡으려고 새벽부터 나와 있었지.

솔	(놀라) 진짜? 안 더웠어? (하는데)
선재	(그대로 고개를 훅 숙여 솔이 들고 있던 음료 빨대를 입에 물고 빨아 마신다)
솔	(선재 얼굴 갑자기 훅 가까워지자 두근) !!
선재	(마시고 일어나며) 살 것 같다... 더위 죽는 줄 알았네.
솔	(눈 마주치자 얼굴이 화르르 달아오르는 것 같고) 그러게...엄청 덥네? (눈 피하면)
선재	(솔이 손에서 음료 잔을 뺏어 들어 솔이 볼에 갖다 대준다. 무심코 나온 행동이다)
솔	(또 한 번 두근) !!
선재	이럼 좀 낫지?
솔	(말이 안 나와, 고개만 살짝 끄덕)

씬/40 솔이 집 거실 (D)

현주, 치킨 사 들고 오며 "현주 왔어요~~~" 하는데 금이 방에서 나온다.

금	(무심히 보며) 왔냐~
현주	오빠 있었네요? (저도 모르게 반가워했다가 아차 싶어 삐죽이며) 솔이는요? 어디 갔어요? (하며 신발 벗고 들어오면)
금	니가 더 잘 알지~ (관심 없는 듯 지나쳐 주방으로 가려다 쿵쿵. 핵 돌아 현주 손에 치킨 보고 돌변해서 반기는) 현주 너! 치킨이랑 같이 왔구나?
현주	(핵 가져가며) 솔이랑 야구 보면서 먹으려고 사 온 거거든요? 솔이 없으면 갈래요.
금	(현주 손목 탁 잡으며) 가지 마라.
현주	(두근) ...네?
금	가더라도...치킨은 두고 가.
현주	... (정색)

(컷 튀면)

TV 야구 결승전 틀어져 있고. 금, 현주 야구 보며 치킨이랑 낙지탕탕이 먹고 있는.

현주   웬 낙지예요?
금   아. 이거?

〈금 회상 인서트〉
#오디션장

금   (산낙지 확 움켜쥐고 통째로 입에 문다. *〈올드보이〉 장면)
감독   (금이 연기 시작하자마자) 그마안! 최민식만 몇 명째야. 식상하게...
금   (얼굴에 들러붙은 낙지 떼려는데 잘 안 떼지자, 낙지 붙인 채 고개 숙여 인사하는)

#다시 현실

현주   떨어질 만하네요~ 분장만 똑같이 한다고 같은 감동을 줄 것 같아요? 연기에 진정성이 있어야죠!
금   그러게...오디션 볼 때마다 떨어지니까 그렇게라도 튀어보려고 했던 건데...니 말이 맞네. (쓸쓸한 듯 한숨)
현주OFF 왜 저렇게 짠해? 지켜주고 싶게. (짠한 표정 짓다가 헉!) 정신 차려! 이런 거에 넘어가면 안 돼. (마음 다잡는데)
금   (야구 보며) 어? 쳐야지! 좋아! 아... (아쉬워하다 현주 힐끔 보곤) 왜 안 먹냐? (하며 닭다리 집어서 호일로 다리 끝 돌돌 말아 먹기 좋게 해서 건네주는) 자 먹어.
현주OFF 의외로 자상하네? 설레게. (볼 핑크빛으로 물들려다 헉!) 정신 차려! 절대 넘어가면 안 돼. (마음 다시 다잡고 닭다리 확 뜯어 먹는데)
금   현주야. 이거 봐라. (하며 닭다리 들고 한입에 쏘옥 넣었다 빼며 발골쇼 보여주는. 아주 깨끗한 뼈만 나온다)
현주   !!! (눈 휘둥그레) 와...깨끗해...
금   (성경 읊조리는 톤으로) 누군가가 치킨 뼈를 봤을 때, 네가 후라이드를 먹었는지 양념을 먹었는지 모르게 하라...

현주OFF   저딴 말에 왜 홀리는 거지? 내가 세상에서 제일 질색하는 인간상! 임금 인데?!

금   (다시 야구 보며) 그래! 이번엔 쳐! 시원하게 쳐! 아씨@#@# (욕 삐 처리)

현주OFF   욕하는 것도 멋있어...아니야! 넘어가면 안 돼!

그 순간, TV에서 이승엽이 공 힘껏 쳐 올린다. 야구공 하늘 위로 날아가는 중계 영상이랑 현주 표정 교차된다.

캐스터(E)   넘어가나요! 넘어가나요~~~~

현주OFF   절대 넘어가면 안 돼... (정신 다잡는데)

캐스터(E)   넘어가쓰요!!! 이승엽 홈런!!!

금   와!!!! (막 흥분해서 소리치다 현주 머리 헤드록 걸 듯 끌어안는)

현주   ...넘어갔다. (믿을 수 없어 넋 나가 있는데)

금   (핸드폰 전화 오는. 반가운 표정으로 받으며) 웅. 여보야~ 자기야~

현주   (!!!) 여보자기??? (돌아보면)

금   (통화하는) 집에서 야구 보고 있지. 우리 채원공듀 바쁘다며. 웅웅. 내일 봐아. (핸드폰에 뽀뽀 쪽- 하고 끊는데 쎄해서 돌아보면 사색이 된 현주랑 눈 마주치는) 왜?

현주   (철렁) 오빠 여자친구 있었어요?

금   (??) 어? 어...

현주   왜...요?

금   참 나. 난 여친 있으면 안 되냐?

현주   !!! (울컥) 안 되죠!!! 그걸 왜 이제 말해요!!! (충격에 닭다리 손에 든 채로 벌떡 일어나 막 뛰어나간다)

금   야! 갑자기 어디 가아! 내가 이거 다 먹는다?! (황당한 표정)

씬/41 솔이 집 앞 (D)

현주   (닭다리 손에 쥐고 뿌앵- 울면서 뛰어나오며) 나 임금 좋아하나 봐 망했어어!

씬/42 청계광장(거리응원 장소) (D)

이승엽 2점 홈런에 사람들, 죄다 일어나 환호하며 온 광장이 들썩이는데.
주위 남자들 방방 뛰며 솔이 쪽으로 붙는 바람에 솔 휘청 넘어질 뻔.

선재   (솔이 잡아주며 남자들에게 까칠) 거 조심 좀 하죠?
남자1   죄송합니다.
솔   (목이 탄다. 음료수 벌컥벌컥 마시다가 사레 들려 켁켁)

선재, 남자들 한껏 경계하며 양팔로 솔이 주변 바리게이트 쳐주고.
1회 말. 1점 내며 점수 쫓아오는 쿠바. 사람들 탄식하는 소리 울려 퍼지
고. 이후, 몽타주 느낌으로 솔, 선재 응원하는 모습들 보여지고.

(시간 경과)
어느덧 7회 초. 이용규 안타로 3 대 1로 앞서 나가자 사람들 일어나서 방
방 뛴다. 솔, 선재. 박수 치다 들뜬 분위기에 휩쓸려 와락 포옹하며 좋아
한다.

씬/43 대학병원 병실, 1인실 (N)

태성, 목깁스랑 팔깁스 하고 있다. 침대 옆에 곰인형 놓여 있고.
이슬, 병문안 와서 치킨 먹으며 TV 보고 있다. 야구 결승전 광고 타임인.

이슬   니네 아부지는 얼마나 바쁘길래 아들이 입원을 했는데 들여다보지도 않냐?
태성   공사가 다망하시다~
이슬   뭐? 다 망해? 니네 집 망했냐? 그걸 왜 이제 말해 인마! (울컥)
태성   (쯧쯧 고개 저으며) 이슬아...그냥 조용히 먹고 집에 좀 가라 제발. 응?

이슬	니네 집이 망했는데 닭이 들어가겠냐?
태성	안 망했다고! (하는데 리포터 멘트 들리자 TV로 시선 돌리는데.)
리포터(E)	3 대 2로 대한민국이 1점 앞서고 있는 가운데, 거리엔 응원을 나온 시민들의 열기로 후끈 달아올라 있다고 하는데요.

TV 보면. 거리응원 하는 사람들 방방 뛰고 있는데, 그 사이에 솔, 선재 와락 꺼안고 뛰는 장면이 자료 화면으로 보여진다.
콜라 마시던 태성, 놀라 쿨럭이다가 눈 깜짝이면 다른 장면으로 지나가 있다. 심장 쿵 내려앉아 넋 놓고 있는 태성.

이슬	방금 임솔이랑 류선재 아니었냐? 와... (눈치 없이 떠드는) 확실히 공부 좀 하는 애라 그런지 똑똑하네. 바로 정신 차리고 제대로 된 애 만나는 것 보면. 그치?
태성	(열받고) 야. 나가. 집에 가서 처먹어. (이슬 막 밀어내고)

씬/44 대학병원 복도 (N)

태성, 이슬 쫓아내듯 데리고 나오는데... 그때, 환자복 입은 복순이 링거스탠드 끌고 복도에서 나오는 모습 본다.
태성 "어...?!" 복순 알아본 표정에서.

씬/45 청계광장(거리응원 장소) (N)

9회 말. 점수는 대한민국 3점, 쿠바 2점. 쿠바가 1아웃, 만루 나가 있는 상황이다. 전광판 경기 장면과 교차되어 보여진다.
모두가 숨죽이고 지켜보는 가운데, 심판이 강민호 퇴장시키자, 사람들 일어나서 풍선이며 수건 집어 던지며 야유하고 고함치는 소리 울려 퍼지고. 류현진까지 교체되며 상황 더 안 좋게 흘러가는 분위기.

옆사람1	지하철에 사람 몰리기 전에 일어날까?
옆사람2	그래~ 은메달이 어디냐~
선재	누가 은메달이래? 야구는 끝날 때까지 끝난 게 아니거든요?!
솔	(열 내는 선재 보며 피식)

(컷 튀면)

교체되어 등판한 정대현 투수. 화면 속 경기장, 청계광장 모두 긴장된 분위기. 그때, 투수가 타자를 병살타로 잡는다. 야구장 떠나가라 함성 소리 울려 퍼지고. 3 대 2로 대한민국 우승.

하늘에 불꽃 터진다. 사람들 막 뛰고, 구장에 축하 음악 흘러나온다. 환호하는 사람들 틈에서 덩달아 들뜬 솔, 선재 손 꼭 잡고 흔들며 좋아하다가 눈 마주치는 두 사람. 솔, 행복해 보이는 선재 표정 본다.

한편, 축제 분위기 속에서 고조되어 부풀어 오르는 선재 마음. 더 이상 솔에 대한 마음 숨기고 싶지 않다!

선재	나 너한테 할 말 있어!
솔	(시끄러워 잘 안 들리고) 응? 뭐라고?

하늘에선 무대에서 쏘아 올린 꽃가루 흩날리며 떨어지고. 선재, 씩 웃으며 솔이 손잡고 인파 빠져나가려 하는. 솔, 얼결에 쫓아가는데.
선재, 인파에 치여 솔이 손 놓칠 뻔하는데, 사람들 밀치고 솔을 찾아낸다.
선재, 솔이 손을 다시 꽉 잡고 인파 헤치고 뛰어가는 모습.

씬/46 청계천 (N)

물가에 조명 예쁘게 켜진 청계천 길. 인파를 피해 솔이 데리고 내려오는 선재. 하늘엔 불꽃 터지고 있고, 청계광장에 울려 퍼지는 음악 소리 멀리서 들려온다.

솔	왜?

선재	(숨 고르고)
솔	무슨 일인데?
선재	(한숨) 좀 더 기다리려고 했는데, 이제 못 숨길 것 같아서.
솔	어...?
선재	(긴장된다) 내가 제일 싫어했던 게 뭔 줄 알아?
솔	...?!
선재	비 오는 거. 하루 종일 수영장 속에 있다가 나왔는데 축축하게 비까지 내리면 그렇게 짜증 나고 싫더라고. 근데 너 처음 본 날 비가 왔거든? 그날은 좋더라. 평생 싫어했던 게 어떻게 한순간에 좋아져. 그날뿐이었겠지 했는데 아니야. 지금도 안 싫어. 앞으로도 싫어질 것 같지가 않아. 비 오는 것도, 너도.
솔	(슬픈 표정. 눈물이 날 것 같은)
선재	솔아. 내가 너...많이 좋아해.

잠시 시간이 멈춘 듯, 마주 보고 선 두 사람.

선재	(살짝 어색해져) ...당장 대답 바라고 한 말은 아니고..
솔	(O.L) 선재야. 나는... (뭐라 대답하려는데)

그때, 선재 핸드폰에서 벨소리가 울린다. 선재, 갑자기 분위기 깨자, 얼른 폰 꺼내 꺼버리는데 곧이어 다시 울리는 벨소리. 선재, 아예 핸드폰 전원 꺼버리려 하는데. 계속 이어지는 벨소리에 왠지 모르게 불길한 예감이 드는 솔.

솔	받아봐. 급한 일인 것 같은데.
선재	(전화받아보는) 여보세요?
태성(F)	(O.L) 나 김태성인데. 지금 임솔이랑 같이 있지?
선재	니가 갑자기 왜... (전화 너머로 무슨 말 들었는지 쿵! 놀란 표정으로 솔을 보는) !! (바로 전화 끊으며 솔이 손잡고) 가자.
솔	(불안한 표정) 왜...? 무슨 일인데?
선재	...지금 너네 어머니, 병원에 계시대.

솔   (쿵) 뭐?!

씬/47 몽타주 (N)

#거리 일각

솔, 선재 뛰어오고. 선재, 갓길에 서서 택시 잡으려고 하는데 결승전 여파로 도로가 한산하다. 솔, 다리에 힘 풀려 털썩 주저앉아 있는데...
그때, 겨우 택시 잡은 선재가 달려와 솔이 일으킨다. 두 사람 올라타면 출발하는 택시.

#대학병원 로비

태성, 솔이 기다리며 앉아 있는데, 입구에서 뛰어오는 솔이 발견하고 일어나는. 솔, 태성에게 달려가 잠시 얘기 듣더니 정신없이 에스컬레이터 또는 엘리베이터 쪽으로 달려가는 모습.

#대학병원 일각

솔, 달려가는데 복도에서 의사 가운 입은 정렬과 마주친다.

솔   (멈춰 서서) 저기 혹시 박복순 환자...
정렬   혹시 너 솔이니? 못 알아볼 뻔했다. 어릴 때 몇 번 봤는데. 아저씨 기억 안나?
선재   ...! (집 앞에서 봤던 장면 기억난 듯, 솔이 표정 살피는데)
솔   (의사 가운 입은 정렬 보고 다 깨달은 표정)

씬/48 대학병원 복도 (N)

정렬(E) 위내시경 하면서 조직검사를 했는데 좀 안 좋게 나왔다. 다행인 건 조기에 발견해서 수술만 하면 괜찮아질 거야.

솔, 넋이 나가 걸어가다가 다리에 힘 풀려 의자에 털썩 앉는다.
선재, 솔 뒤따라 걸어오다 걱정스런 표정으로 멈춰 서는데.

솔   (울컥 울음 터지는) 난...몰랐어. 정말...왜 몰랐을까... (후회되고, 미안한)

〈솔 회상 인서트〉 *32씬

솔   막상 엄마 없으면 더 잘해. 이제 엄마 손 탈 나이 아니라구요.
복순   (표정) ...그래. 다 컸으니까 이제 엄마 없어도 잘 살겠네.
솔   잘 살지 그럼! 늙고 병들면 자식보다 서방이래. 얼른 새 서방님 찾으시든가~
복순   늙고 병들면 죽어야지 뭔 서방을 찾아...

#다시 현실

솔   내가...엄마 없어도 잘 산다고 그랬어. 아픈 줄도 모르고... (서럽게 울기 시작하는)
선재   (맘 아프게 보며 다가서서 다독이며 달래주는) 네 잘못 아니야. 그런 생각하지 마.
솔   (후회하며 우는 모습에서)

씬/49 대학병원 병실 (N)

복순, 침대가 불편한지 뒤척이는데 들어오는 솔이 보고 놀란 표정. !!

복순   솔아...! 어떻게... (놀란)
솔   (안 운 척, 담담한 표정으로 다가가는)
복순   으휴...말하지 말라니까는 쪼르르 얘기했나 보네. 뭔 사내놈이 입이 그렇게 싸?
솔   싸서 다행이지, 이번에도 엄마 이러고 있는 줄 모르고 넘어갈 뻔했잖아.

	(속상해) 아니 엄만 어떻게 혼자 수술받을 생각을 해?
복순	(걱정할까, 별일 아니라는 듯) 아유~ 위암 초기는 병두 아니래~ 항암치료도 안 해도 되고 암 덩어리가 쩨깐해서 그냥 종기 떼는 거랑 똑같더만 뭘 말해.
솔	(속 터지는) 암이 종기냐?
복순	(피식. 밝은 척) 그리구 정렬 오빠가 고향 동생이라구 수술도 최대한 빨리 받게 해준 거야. (속삭이는) 수술비도 깎아줬다?
솔	그래서 평생. 죽을 때까지 숨길 생각이었어? 나중에라도 말을 해줬어야지 어떻게 이걸 숨겨...
복순	너 이럴까 봐 말 안 했다 왜! (한숨) 니들 아빠 사고 났을 때...너랑 금이고 어린 것들이 아빠 눈뜰 때까지 있을 거라면서 중환자실 앞에서 몇 날 며칠을 쪽잠 자면서 맘 졸이는 거 보는데...속이 얼마나 쓰렸는 줄 알아?
솔	(울컥하는데 꾹 참는)
복순	먼저 간 니 아빠 원망을 얼마나 했는데. 그러면서 나는 그러지 말아야지...건강해져야지...귀한 내 새끼들 가슴에 나까지 대못 박는 일 말아야지...맘에 생채기 하나 내고 싶지 않은 게 엄마 맘이야. 근데 이제 어째~ 입 싼 놈 때문에 니들이 다 알게 됐네 그냥. 에휴.
솔	(가만 들어주다가, 말없이 복순 꼭 안아주는) ...미안해 엄마.
복순	(민망해 괜히) 미안하기는. 왜. 엄마 아프다니까 갑자기 철들었어?
솔	(울음 꾹 참으며) 아니? 나 철 하나도 안 들었어. 아직 애야. 그래서 엄마 없으면 안 돼. 절대 못 살아.
복순	(눈물이 그렁한데 애써 씩씩하게) 그걸 이제 알았어? 평소에 잘해 이것아. 놔아. 덥게스리. 옴마야! 깜빡 잠들어서 야구 결승전을 못 봤네. 금메달 땄나? (눈물 날 것 같아 일부러 솔이 떼어내며 리모컨으로 TV 틀면 야구 결승전 하이라이트 나오고 있는) 아이고~~ 땄네! 금메달 땄어. (박수 치며 깔깔 웃는데)

그때, 병실 문 열리며 말자 들어온다. 잠옷 바람에 가디건만 걸치고 온.
복순, 말자를 보자마자 웃음기 사라진다. "엄마...!"
말자, 애써 울음 꾹 참으며 복순에게 다가간다.

말자	으이그 복순아... (복순을 품에 끌어안는다)
복순	엄마...! (꾹 참아왔는데, 속수무책으로 울음이 왈칵 터져버리는)
말자	(속상한) 뭐시 급해서 늙은 에미보다 먼저 고장이 나 그래...
복순	엄마아...
말자	그려. 아가. 내 새끼...뭘 울어. 괜찮을 겨. 다 괜찮어. (꼭 안고 어르며 달래고)

한편, 금, 문 앞에서 울음 참으며 서 있고. 그 모습 보는 솔... 눈물이 그렁하다.

씬/50 대학병원 외경 (D)

씬/51 대학병원 로비 (D)

솔, 태성 앉아서 대화하는.

솔	전화해줘서 고마워. 너 아니었음 우리 엄마 혼자 수술받을 뻔했네.
태성	좀 어쩌?
솔	방금 수술실 들어갔어. 괜찮을 거야. 근데 넌 뭘 어쨌길래 멀쩡한 팔이 부러졌니? 혹시 누구랑 싸운 거 아니지?
태성	아니거든? 도대체 날 어떤 놈으로 생각하고 있는 건지 모르겠네?
솔	아니면 다행이고. (복도에 휠체어 타고 지나가는 환자 보이고, 마음 복잡한 표정) ...태성아.
태성	(돌아보면)
솔	나는 네 맘에 어떤 상처가 있는지, 뭐가 맺혀 있는지 잘 몰라. 근데...나중에 후회하는 일 없게 지금 이 시절을 무사히 잘...보냈으면 좋겠어.
태성	(진지한 표정으로 듣는) ...
솔	미래에 혹시나 다시 만났는데 니가 잘~ 살고 있으면 내가 얼마나 뿌듯하겠어? 내가 사람 하나 갱생시킨 거 아니야.

태성	갱생?
솔	내 첫사랑한테 해줄 수 있는 말은 이것뿐이야. 그러니까 부디 너도 네 운명을 한번 바꿔봐. 내가 진심으로 기도해줄게. 그럼 간다. (일어나서 가면)
태성	왜 저래...마지막인 것처럼. (솔 멀어지자 가슴에 손 올린다. 마음 아픈 듯)

씬/52 대학병원 병실 (N)

복순, 수술 마치고 병실로 올라온 분위기. 간호사가 진통제 연결해주고 있다.

간호사	진통제 들어가고 있거든요? 혹시 많이 아프시면 말해주세요. (나가고)
복순	(지친 목소리) 할머닌?
솔	오빠보고 모시고 들어가라고 했어. 주무시고 내일 오시라고. 걱정 말고 자 엄마.
복순	잘했네... (스르르 잠드는)

솔, 이불 덮어주는데, 누군가 노크하고... 조심스레 들어오는 사람 선재다.

씬/53 대학병원 야외 산책로 (N)

솔, 선재 벤치에 앉아 있다.

솔	(마음 무거운 표정) 뭐 하러 또 왔어...
선재	수술은? 잘 끝났어?
솔	응.
선재	잠은 좀 잤어? 얼굴이 이게...너 이러다 쓰러지겠다.
솔	괜찮아.
선재	(걱정되고) 밥 안 먹었지. 뭐 사다 줄까?

솔	나 정말 괜찮으니까...그만 가.
선재	...... (한숨) 그래. 그럼 너 들어가는 거 보고. 내일 다시 올게.
솔	(울음 참고, 결심한 듯 말하는) 아니. 오지 마.
선재	...?! (불안한 표정)
솔	선재야. (애써 담담하게) 난...네 마음 못 받아줘.
선재	(철렁하는데 애써 넘겨보려) 뭐 바라고 한 말도 아닌데. 차갑게 그러냐...
솔	너...잠깐 착각하고 있는 거야. 내가 너 헷갈리게 해서.
선재	(표정 굳는) 그런 거 아니야.
솔	괜히 오지랖 넓게 굴어서, 흔들어놔서 미안해.
선재	그런 거 아니라니까.
솔	있잖아. 너가 이러면 내가 부담스럽고, 불편해. (울음 꾹 참으며) 그러니까...그냥 나 좋아하지 말아주라.
선재	(상처받은 표정)

씬/54 대학병원 복도 (N)

솔, 덤덤하게 걸어가다가 우뚝 멈춰 선다.

〈솔 회상 인서트〉 *19씬 현주와 대화 뒤 상황

현주	(들어가다 멈칫) 근데 중요한 걸 안 물어봤네? (돌아보며) 니 마음은 어떤데?
솔	뭘...난 곧 떠날 사람인데. (표정 가라앉는)
현주	어디 가는데? (솔이 대답 없자) 지방대를 가든 멀리 유학을 가든 어쨌든. 그거랑 상관없이 진짜 니 마음이 뭐냐구.

#다시 현실
솔, 순간 쿵... 마음 자각한 표정. 눈물 차오르기 시작한다.
솔, 눈물이 툭툭 떨어진다. 마음이 찢길 듯 아파 엉엉 우는 모습에서...

씬/55 대학병원 야외 산책로 + 병원 복도 (교차) (N)

선재는 여전히 그 벤치에 혼자 덩그러니 앉아 있다. 상처받은 모습으로.
선재 모습과 복도에서 울고 있는 솔의 모습 교차되어 보여지는 데서...
(F. O. F. I.)

씬/56 솔이 집 외경 (N)

씬/57 솔이 집 거실 + 대학병원 병실 (N)

솔, 집 전화로 금이랑 통화 중이다.

금(F)	예쁜 동생아. 오빠 핸드폰 충전기 좀 가져와주라. 깜빡했어.
솔	이 시간에? 엄마 내일 퇴원 아니야? 오늘 밤만 참아.
금(F)	나 영화 오디션 봤는데 핸드폰으로 연락 준다고 했다고~~ 동생아, 응? 제발. 너 개학 날 학교도 빠지고 집에 있으면서 그것도 못 해줘?!
솔	미안한데 오빠. 나 오늘 진짜 아무 데도 못 나가거든? 그러니까 와서 갖고 가든지 근처에서 사든지 알아서 해. (끊으며 시계 보면 밤 10시쯤) 그래. 두 시간만 버티면 돼. 무사히. 아무 일 없이. (표정)

씬/58 독서실 (N)

선재(*반팔 티에 하얀 셔츠 걸친. 춘추복. 솔이 사고 날과 같은 옷 착용)
책상에 앉아 공부하다가 옆자리 보는데 솔이 자리 비어 있다. 심란한 표
정인데. 솔이 자리 옆에 노란 장우산 세워져 있다. 선재, 솔이 우산 알아
보는 표정.

씬/59 솔이 집 솔이 방 + 솔이 집 앞 (N)

솔, 방에 들어와 탁상달력 들어 본다. 8월 31일까지 모두 X표 쳐져 있고.
9월 달력으로 넘긴다. **9월 1일.** 오늘이 디데이다. 그때, 모니터에서 미니
홈피 쪽지 알림 울리고.
<다정한 쪽지>
보낸 이: 류선재
'우산, 독서실에 있더라. 혹시 독서실 나 때문에 안 나오는 거야?
부담스럽게 안 할게. 만나서 얘기 좀 해. 잠깐이면 돼.
놀이터에서 기다릴게.'
솔, 놀란 표정인데. 이내 한숨 쉬며 답장을 적는다.
'미안해. 나 오늘 못 나가. 기다리지 마.'
쪽지 보내놓고, 솔. 마음 아픈 표정인데. 잠시 후, 선재 집 대문 소리가 들
리자 일어나서 창밖을 내다본다. 보면, 노란 우산을 들고 나온 선재가 비
디오 가게 앞 우산 통에 우산을 꽂고 돌아서서 걸어가는 모습 보인다.

솔   어딜 가는 거야...답장 못 봤나?

씬/60 놀이터 (N)

선재, 골목 쪽 바라보며 솔이 기다리고 있는데, 비가 내리기 시작한다.

씬/61 솔이 집 솔이 방 (N)

솔, 보낸 쪽지함 보며 수신 확인하는데. 아직 읽지 않은 선재. 창밖에서
빗소리 들리기 시작하자 벌떡 일어나 창밖 내다보면 비가 내리고 있다.
"설마 기다리는 거 아니겠지...?" 걱정스럽지만 나갈 수 없고. 다시 앉아
생각 안 하려는 듯 아무 책 꺼내 보려다가 다시 덮어버린다. 안 되겠다 싶

어 뛰어나가는.

씬/62 솔이 집 앞 + 선재 집 앞 (N)

솔, 뛰어 내려와 비 맞으며 선재 집 앞으로 건너간다. 초인종 눌러보는데 아무도 안 나오자 어떻게 해야 되나 싶은데. 가게 앞 우산 통에 선재가 찾아놓은 노란 우산 눈에 들어온다. 다시 건너가 노란 우산 빼서 펼쳐 드는데, 모자 쓴 남자가 비 맞으며 막 뛰어와 솔이 옆을 스쳐 지나간다.

선재(E) 전에 니가 나 택배 기사로 착각했었잖아. 기억 안 날걸?

그 순간, 과거의 한 장면이 오버랩 되며 떠오른다. **M. 김형중 '그랬나 봐'**

〈솔 회상 인서트〉 *2화 49씬 솔이 시점
선재에게 노란 우산 씌워주는 장면.

솔 아저씨 이거 쓰세요. (우산 들이밀며) 아 어서요! (하며 선재 머리에 우산 씌워주며 올려다보는데 모자 쓴 남자, 선재다!)

#다시 현실

솔OFF 설마...그때부터...! (선재가 했던 말, 라디오에서 들었던 말들 떠오르는)
선재(E) 근데 너 처음 본 날 비가 왔거든? 그날은 좋더라.
선재(E) 처음 본 날, 소나기가 내렸어요. 그 애가 노란 우산을 씌워주면서 웃는데...숨을 못 쉬겠더라구요. 떨려서. 꼭 숨 쉬는 법을 잊어버린 사람처럼.

선재 마음이, 자신이 과거로 오기 전부터 이미 오래전에 시작된 마음이라는 걸 알게 된 솔. 선재가 보고 싶다...! 그대로 노란 우산을 쓰고 달려가기 시작하는 솔.

씬/63 놀이터 + 주택가 골목 (교차) (N)

선재, 비 맞고 서 있다. 솔이 오지 않자 비 맞으며 걸어 나가는데.
한편, 우산 쓰고 골목길을 달려가는 솔이 모습 교차된다.
마치 곧 두 사람 골목길에서 만날 것처럼 보여지는데...

씬/64 주택가 골목 + 택시 안 (교차) (N)

솔, 뛰어가는데 맞은편에서 택시 한 대가 천천히 달려오다 멈춰 선다. 솔, 헤드라이트 불빛에 순간 얼어서 멈춰 선다. 갑자기 택시에 헤드라이트가 꺼진다. 가로등 아래, 택시와 솔 마주 서 있는 모습.
솔, 옆으로 비켜서서 천천히 지나쳐 가려는 그 순간. (E) 열쇠 짤랑이는 소리에 솔, 걸음을 뚝 멈춘다.
한편, 택시 안. 자동차 키에 달린 열쇠고리가 흔들리고 있고. 운전석에 앉은 영수가 앞 유리창을 통해 노란 우산을 쓴 솔을 보고 있다. 앞 유리창을 통해 영수와 눈이 마주치는 솔.

〈솔 회상 인서트〉 *5화 32씬 회상 장면에서 연결
차 키에 달린 열쇠고리가 흔들리며 짤랑이는 소리를 내는 컷에서 시작.
솔이 시점 장면이다. 솔, 달리는 자동차 뒷자리에 누워 있다. 천천히 시선을 올려보면 운전 중이던 남자가 고개를 돌리는 순간, 남자 얼굴 선명히 보인다. 영수다!

#다시 현실
기억 속, 영수의 얼굴을 떠올린 솔. 두려운 표정에서...

(장면 전환)
한편, 머리에 후드를 뒤집어쓰고 비 맞으며 걸어오던 선재... 골목길을 빠져나가는 영수 택시와 교차되어 지나친다. 선재, 살짝 갸웃하며 지나가

는 영수 택시를 한번 돌아본다. 이내 다시 돌아서서 걸어가는데 무언갈 보고 걸음을 멈춘다. 보면.. 노란 우산이 펼쳐진 채로 땅바닥에 버려져 있다. 선재, 왠지 솔의 우산 같아 가슴이 철렁... 내려앉는다. 불길한 표정에서... 엔딩.

2008 / 2023

7화

우리 오늘 밤 같이 있자고.

너랑. 나랑.

씬/1   과거, 버스 안 (N) *4화 3씬 회상 장면에서 연결

(자막) 15년 전, 9월 1일 PM 9:30
열아홉의 선재(*반팔 티에 하얀 교복 셔츠 걸친. 춘추복), 뒷자리에 앉아
앞자리에서 꾸벅꾸벅 조는 열아홉 솔(*춘추복)을 보며 피식 웃고 있다.
"볼 때마다 졸고 있네." 그때, 버스가 정류장에 멈추자 선재, 내리려고 일
어서며 솔이 쪽 보면. 선재, 열린 문과 잠든 솔이 번갈아 보며 당황스런
표정. "어? 내려야 되는데..."
선재, 솔이 어깨 흔들어 깨우려다 차마 못 깨우고 망설이던 찰나, 버스 문
이 닫히며 출발해버린다. 선재, 어쩌지, 싶은 표정인데. 그대로 도로 달리
는 버스...
선재, 다시 깨워보려 솔이 어깨로 조심스레 손 뻗는 순간, 고개를 뒤로 완
전히 젖히고 입 벌리고 자는 솔을 보며 저도 모르게 피식 웃음이 난다. 선
재, 깰 때까지 같이 가주기로 마음먹은 듯 옆자리(*오가는 통로 건너편
옆자리)에 털썩 앉는다.

(시간 경과)
솔, 무아지경으로 자고 있는데. 뒷자리에 앉은 선재, 인혁과 통화 중이다.

인혁(F)   아직도 못 깨웠냐? 기왕 이렇게 된 거 깰 때까지 같이 가~ 너도 정류장

지나친 척하고 사이좋게 같이 돌아오면 되겠네! 이참에 말도 좀 시켜보고 이 답답아.

선재   (살짝 혹하는데, 솔이 보며) 계속 잘 것 같은데... (결심한 듯) 야 끊어. 깨워야겠어.

일어나려고 가방 드는데, 열려 있던 지퍼가 더 벌어지며 가방에 있던 물건들이 바닥에 쏟아져버린다. 선재, 한숨 쉬며 허리 숙여 물건 줍기 시작하는데.
그때, 버스가 주양저수지 앞 정류장에 멈춘다. 순간 번뜩 잠에서 깬 솔이 창밖 확인하더니 놀란 표정. "헉! 어떡해!" 하며 문 닫히기 직전 급히 뛰어내린다.

씬/2   과거, 주양저수지 버스정류장 (N)

솔, 다급히 버스에서 내리는데. 버스가 멀어지자 길이 조용해진다. 으슥한 풍경 둘러보며 긴장한 표정으로 반대편 정류장으로 건너가는.

씬/3   과거, 버스 안 (N)

선재, 떨어진 물건들 가방에 주워 담고 일어서는데, 솔이 안 보인다.

선재   어? 언제 내렸지? (창밖 보면 버스 이미 달리고 있자 벌떡 일어나서 하차벨 막 누르며 소리치는) 기사님! 좀 세워주세요!
버스기사   안 돼요! 곧 정류장이니까 거기서 내려~
선재   하... (걱정되고, 한숨 쉬며 머리 벅벅 긁는)

씬/4   과거, 주양저수지 버스정류장 + 택시 안 (N)

솔, 정류장 의자에 앉아 버스 오나 살핀다.

열아홉솔 막차 끊겼으려나? (걱정하는데 빗방울 툭툭 떨어지자) 엄마한테 오라고 할까...

그때, 야산 쪽 방향에서 택시 한 대가 달려오자 반가운 표정으로 벌떡 일어나 손을 흔든다. 잠시 후, 솔이 앞에 멈춰 서는 택시.
솔이 택시에 올라타려는데 뒷좌석 바닥에 노끈 뭉치들과 커터 칼이 보인다. 솔, 멈칫하고 서 있는데... "안 타요?" 돌아보는 택시 기사, 영수다!

열아홉솔 (살짝 불안한 기분에, 핸드폰 보는 척하며) 아, 엄마가 데리러 오신대요. 죄송해요.
영수 ...그래요 그럼.

솔, 택시 문 닫고 다시 돌아서는데, 등 뒤에서 택시 문 탁 열리고 뚜벅뚜벅 걸어오는 소리가 들린다. 솔, 돌아보는 순간! 영수 그림자가 확 덮치고. 블랙아웃.

씬/5   과거, 다음 버스정류장 (N)

선재, 버스에서 내리는데 비가 내리고 있자 솔이 걱정된다. "하...진작 깨울걸." 막 뛰어가고.

씬/6   과거, 주양저수지 버스정류장 (N)

선재, 달려오는데 버스정류장에 솔이 안 보인다. "벌써 갔나...?"

씬/7   과거, 택시 안 + 야산 (N)

블랙화면 위로 열쇠고리가 흔들리며 짤랑이는 소리 들리는데, 눈을 번쩍 뜨는 솔. 보면, 달리는 자동차 뒷자리에 두 손이 결박된 채 누워 있다. 순간 비명 지를 뻔하는데 간신히 참으며, 바들바들 떨기 시작한다. 두려움에 찬 눈으로 시선을 올려보면 운전 중이던 남자가 고개를 돌리는데, 남자 얼굴 선명히 보인다. 영수다! 들킬까 싶어 다시 눈을 질끈 감고 잠든 척하는 솔. 겁에 잔뜩 질린 모습...

한편, 택시가 으슥한 야산으로 들어선다. 덜컹거리며 비포장길을 달리기 시작하는.

씬/8 과거, 주양저수지 버스정류장 (N)

정류장 의자에 앉아 있는 선재. 비가 꽤 굵게 내리고 있다.

선재 (손목에 찬 전자시계 보며) 버스 끊긴 것 같은데... (문득 솔이 걱정되고, 왠지 불안한) 택시 타고 갔겠지? (핸드폰 꺼내는데 배터리가 닳아 꺼져 있자 한숨)

씬/9 과거, 택시 안 + 야산 폐가 (N)

택시, 폐가 마당 일각에 세워져 있고. 영수는 내리고 없다. 식은땀과 눈물로 얼굴 젖어 있는 솔, 덜덜 떨며 조심스레 일어나보면... 창밖으로 낡은 폐가 보인다. 손목에 결박을 풀려고 안간힘을 쓰고 발버둥을 치는데 풀리지가 않는다.

〈솔 회상 인서트〉*4씬
차 바닥에 떨어져 있는 커터 칼 보던 컷 스치고.

뒷좌석 아래로 내려온 솔, 바닥에 떨어져 있는 커터 칼을 더듬더듬 찾아

들고 손목에 결박을 풀고 도망치려 뒷문을 여는데! 영수가 서 있다. 솔,
헉! 놀라 비명 지르는.
영수, 짜증 난 듯 "벌써 깨버렸네..." 하며 솔을 잡아 끌어내리려는 순간 솔,
발버둥을 치며 빠져나와 도망치기 시작한다. 영수, 솔을 쫓아가려다가
멈춰 서고. 여유롭게 다시 택시에 올라타 시동을 건다.

씬/10 과거, 산길 + 택시 (N)

비 맞으며 도망치고 있는 솔. 울며 "누구 없어요?! 살려주세요!!" 소리치
며 달려가는데 인적 없는 산길이다. 한편, 솔이 뒤에선 영수가 탄 택시가
느긋하게 사냥감을 쫓으며 즐기는 듯 일정한 거리를 두고 천천히 쫓아가
고 있는.

씬/11 과거, 주양저수지 다리 위 (N)

선재, 가방 머리에 쓰고 "뭔 편의점도 하나 없냐..." 주위 살피며 가고 있
다. 그때. 멀리서 쫓기듯 달려오는 누군가가 보인다. 선재, 멈춰 서서 눈
가늘게 뜨고 보는데... 솔이다! 놀라 솔이 쪽으로 뛰어가고.
한편, 솔... 겁에 질린 표정으로 죽어라 달리고 있는데 멀리서 누군가 달
려오는 모습 흐릿하게 보인다. 살았다 싶고. 선재 쪽을 향해 더 힘을 내서
달려가는데.
순간, 빠르게 달려오던 택시에 치여 날아가는 솔. 그대로 저수지 아래로
빠진다. 뛰어가다 솔이 사고를 목격해 충격받아 멈춰 서는 선재. 그때, 택
시가 선재 옆을 스쳐 지나가는 모습 slow. 순간 영수와 선재, 눈 마주친다!
영수 택시가 쌩하니 지나가면 정신 차린 선재, "안 돼...!" 달려가 저수지
다리 아래 내려다보는데 솔이 안 보인다. 가방 벗어 던지고 그대로 저수
지 아래로 몸을 던지는 선재.

씬/12 과거, 물속 (N)

솔, 물속으로 가라앉고 있다. 멀리서 희미한 작은 빛이 점점 다가온다. 솔, 다리가 안 움직여 발버둥도 못 치고... 머리 상처에서 흘러내린 피가 붉게 번진다. 헤엄쳐 간 선재가 의식 잃어가는 솔을 찾아내 솔의 손목을 잡아 끌어올린다.

씬/13 과거, 저수지 물가 (N)

흠뻑 젖은 선재가 무릎 꿇고 의식을 잃은 솔을 살피고 있다. 솔이 이마에서 흐르는 피를 보며 두려움에 찬 표정. 교복 셔츠를 벗어서 솔이 이마를 꾹 누른다.

선재   (손 덜덜 떨며 지혈하다가 솔이 보며 울컥 눈물 흐르고) 미안해...미안해...

그때, 어두운 수풀 속에서 영수가 둔기를 손에 쥐고 천천히 다가가는 뒷모습...
선재, 한 손으로 주머니에서 핸드폰 꺼내 신고하려는데, 그 순간, 뒤에서 나타난 영수가 선재 뒤통수를 가격한다. 쓰러졌던 선재가 일어나 다시 공격하려는 영수를 막으려 하며 몸싸움이 오간다. 그러던 중 선재 전자시계 끊어지는 컷 스치고.
넘어진 선재 위로 영수가 올라타 목을 조르기 시작한다. 숨이 막혀 정신이 혼미한 선재, 벗어나려 안간힘 쓰는데 역부족이다. 정신을 잃기 전, 손끝에 닿는 벽돌을 집어 들고 영수 얼굴에 내려친다. 피가 흐르는 한쪽 눈을 붙잡고 고통스러워하며 소리치는 영수. 그 틈에 간신히 벗어난 선재, 뒤로 물러서고. 얼굴에서 피를 뚝뚝 흘리며 영수가 선재에게 다시 달려들려는 그 순간, (E) 순찰차 사이렌 소리가 울려 퍼진다. 그 소리에 멈칫한 영수, 도망치려는데. 선재, 영수를 쫓아 붙잡아 넘어뜨린다. 영수, 선재 뿌리치려는데 이미 물가로 내려온 경찰이 영수를 향해 플래시를 비춘다. 보면, 다리 위에 순찰차 서 있고.

〈순찰차 인서트〉

순찰차 안에서 다른 경찰이 지원 요청하고 있는 모습.

영수를 붙잡고 가쁜 숨을 토해내는 선재와 그런 선재를 살의에 찬 눈빛으로 보는 영수가 교차되어 보여지는 데서...

씬/14 과거, 응급실 앞 복도 (N) *4화 3씬 선재 회상 장면

복순과 금이 정신없이 달려와 응급실 안으로 뛰어 들어간다.
팬하면, 복도 일각. 열아홉의 선재. 고개 푹 숙이고 괴로운 듯 울고 있고,
손엔 피로 얼룩진 하얀 셔츠와 끊어진 전자시계 쥐고 있는 모습에서...

〈인서트〉

카메라 팬하면, 벽면에 걸린 날짜 표시된 병원 전자시계 보인다.
'2008. 9. 1.' (F. O. F. I.)

씬/15 솔이 집 솔이 방 (N)

9월 1일에 동그라미 쳐진 탁상달력에서 빠지면... 금이 방문 벌컥 열며
"야 임솔! 충전기 좀 갖다 달라니깐..." 하며 들어오는데 솔이 없다. "어?
뭐야... 언제 나갔어?" 어이없어하는데 책상 위에 탁상달력 눈에 들어온
다. 금, 뭐지 싶은 표정.

금   뭐야...오늘 뭔 날이야? (갸웃하는)

씬/16 주택가 골목 (N) *6화 엔딩 씬

솔, 뛰어가는데 맞은편에서 택시 한 대가 천천히 달려오다 멈춰 선다. 솔, 헤드라이트 불빛에 순간 얼어서 멈춰 선다. 갑자기 택시에 헤드라이트가 꺼진다. 가로등 아래, 택시와 솔 마주 서 있는 모습.

솔, 옆으로 비켜서서 천천히 지나쳐 가려는 그 순간. (E) 열쇠 짤랑이는 소리에 솔, 걸음을 뚝 멈춘다.

한편, 택시 안. 자동차 키에 달린 열쇠고리가 흔들리고 있고. 운전석에 앉은 영수가 앞 유리창을 통해 노란 우산을 쓴 솔을 보고 있다. 앞 유리창을 통해 영수와 눈이 마주치는 솔.

〈솔 회상 인서트〉

#1. 택시 안 (N) *5화 32씬 회상장면에서 연결

차 키에 달린 열쇠고리가 흔들리며 짤랑이는 소리를 내는 컷에서 시작. 솔이 시점 장면이다. 솔, 달리는 자동차 뒷자리에 누워 있다. 천천히 시선을 올려보면 운전 중이던 남자가 고개를 돌리는 순간, 남자 얼굴 선명히 보인다. 영수다!

(컷 튀면)

솔, 택시에서 커터 칼로 손목 결박 끊어내는 컷.

(컷 튀면)

영수가 솔을 잡아 끌어내려는데 발버둥 치며 도망치던 컷.

#2. 산길 (N)

솔, 비 맞으며 도망치던 장면

#다시 현실

솔OFF   교통사고가...아니었어. (공포에 질린 표정)

솔, 돌아서서 도망치려는 순간, 택시 문이 열리는 소리, 처벅처벅 빠르게 쫓아오는 발소리 이어지는 데서 블랙아웃.

씬/17 주택가 골목 + 솔이 집 앞 (N)

선재, 후드 뒤집어쓰고 비 맞으며 걸어가고 있다. 그때, 골목길을 빠져나 오던 영수 택시가 선재 옆을 천천히 지나친다. 선재, 왠지 모르게 쎄한 기 분에 지나가는 영수 택시를 한번 돌아본다. 택시가 시야에서 사라지자 이내 다시 돌아서서 걸어가는데... 솔이 집 앞에 펼쳐진 채로 땅바닥에 버 려져 있는 노란 우산을 보고 멈춰 선다. 솔의 우산을 바로 알아본. 선재, "이게 왜..." 불길한 표정...!
솔이 방을 올려다본다. 방 불이 켜져 있자 솔이 우산 들고 건물 안으로 들 어가는.

씬/18 솔이 집 현관 앞 (N)

우산 들고 계단 뛰어 올라온 선재, 초인종 누르려는데. 나오던 금과 마주 친다.

금   아 깜짝이야...뭐냐 너?

선재   (걱정스레) 임솔 혹시 집에 있어요?

금   없는데? 아~ 근데 이것이 오늘 아무 데도 못 나간다더니 어디 간 거야...

선재   못 나간다고 했다구요?

금   어. 절대 나가면 안 된다 오바하더니만. 며칠 전부터 오늘 혹시라도 자기 가 뭔 저수지를 가려고 하면 손발 묶어서라도 뜯어말리라고 그러더라고.

선재OFF   저수지...?! (표정)

〈선재 회상 인서트〉
#주양저수지 다리 위 (N) *4화 엔딩 이후 상황
젖은 상태의 선재, 다리 위에서 솔이 핸드폰 찾고 있는데 안 보인다.

선재	어떡하냐...핸드폰 가져간 것 같은데? (하며 돌아보는데 솔이 저수지 다리 위에서 생각에 잠긴 듯 가만 서 있자) 왜 그래?
솔	...사고 때 장면이 떠올랐거든.
선재	전에 말한 그 교통사고? 여기서 사고 났던 거였어?
솔	응. 그랬나 봐... (산길 쪽으로 고개 돌려 가만 보고 서 있는)
선재	(그런 솔을 보는 표정)

#다시 현실

선재	혹시 솔이가 전에 교통사고 당했던 그 저수지요?
금	교통사고? 뭔 소리야. 개 몸에 흉터 하나 없는데.
선재	...사고 난 적이 없어요?
금	왜. 지가 거기서 사고 났대? (갸웃) 저수지에서 사고 나는 꿈이라도 꿨나...?

〈선재 회상 인서트〉 * 2화 45씬 솔이 대사 장면만 짧게 보여지는.

솔	그래. 꿈. 안 좋은 꿈을 꿨어. 네가 경기장에서 많이 다치는 꿈을 꿨는데 진짜같이 생생했어. 그래서 정말 그 일이 일어날 것 같고, 불안하고, 걱정돼서...

#다시 현실
선재, 혹시나 저수지 쪽 갔나 싶고. 다시 계단 뛰어 내려간다.

씬/19 택시 안 + 산길 (N)

비포장도로를 달리는 영수. 뻑뻑하게 움직이는 와이퍼 소리와 열쇠 짤랑이는 소리가 어우러져 묘하게 섬뜩한 분위기. 뒷좌석 보면, 솔이 양손 결박된 채 기절해 있다가 차가 덜컹하는 순간 정신이 들어 번쩍 눈을 뜬다. 순간 비명 지를 뻔하는데 간신히 삼키는 솔. 솔, 눈만 굴려 택시 안, 영수 뒷모습, 창밖 풍경 살펴본다. 15년 전 상황과 똑같다! 겁나고 두려운데...
최대한 침착하려 애써 마음 다잡는.

솔OFF 그래. 도망칠 수 있어. 다 알고 있으니까...바꿀 수 있어.

솔, 침착하게 바닥으로 시선 내려 커터 칼을 찾는데. 노끈 뭉치만 보이고
커터 칼은 보이지 않는다. 영수에게 들키지 않게 조심스레 다리를 내려
운전석 아래쪽을 발로 더듬더듬해보는데 발끝에 커터 칼이 톡 걸려 나온
다. 발끝을 조금씩 움직여 커터 칼을 가까이 끌어당겨보려는데 차가 덜
컹거리는 바람에 되레 운전석 밑으로 더 들어가버린다. 솔, 영수 쪽 눈치
살피며 다시 발끝을 뻗어 커터 칼 찾는 모습.

씬/20 택시 안 + 야산 폐가 (N)

산속에 한 폐가 마당으로 들어서는 택시. 마당에 차를 세우고 시동을 끈
영수가 살짝 뒤를 돌아본다. 솔, 눈을 질끈 감고 의식 잃은 척하는. 영수,
차에서 내리자마자 솔이 다시 천천히 일어나 창밖으로 동태 살피는데,
폐가 안으로 들어가는 영수 모습 보인다. 솔, 몸을 일으켜 좌석 아래로 내
려가 운전석 아래에서 커터 칼을 찾는다. 떨리는 손으로 커터 칼을 간신
히 쥐고 손목 결박을 풀기 시작한다.

씬/21 폐가 안 (N)

허름한 창고 같은 장소. 영수, 손에 실리콘 장갑을 끼고, 방수복을 뒤집어
쓰는 등 차분하게 범행 준비하는 듯한 모습.

씬/22 주양저수지 인근 (N)

택시에서 내린 선재, 혹시나 솔이 있나 찾기 시작한다.

씬/23 택시 안 + 야산 폐가 (N)

손에 결박을 푸는 솔. 급히 내리려다 운전석에 그대로 꽂혀 있는 차 키를 보고 멈칫... 허리 숙여 앞좌석으로 팔을 뻗어 차 키를 뽑아 든다! 조심히 차 문을 빠져나오는 솔, 영수 차 키를 손에 꼭 쥔 채 그대로 마당을 가로질러 도망치기 시작한다.

(컷 튀면)
폐가에서 우비를 입고 둔기를 들고 나온 영수, 택시 뒷문을 여는데 솔이 사라지고 없다! 급히 운전석에 올라 시동 걸려는데 차 키도 없는. 영수, 짜증 난 듯 낮게 욕설을 중얼거리는.

씬/24 산길 (N)

솔, 비 맞으며 뛰어 내려가는데, 뒤에서 차 소리가 들려 돌아보면 멀리서 택시가 아닌 트럭이 쫓아오고 있다. 길에서 벗어나 수풀 속으로 달리기 시작하는 솔.

씬/25 저수지 인근 파출소 (N)

순경, 황당하다는 듯 선재 보고 있다.

순경 그니까, 사람이 없어졌는데 왠지 여기로 온 것 같다고? 순전히 니 직감으로?
선재 하...그게 그러니까요. (답답한 듯) 그냥 한번 찾아봐주시면 안 돼요?
순경 차암나. 살인 사건이 나서 그런가. 요즘 왜 이렇게 여기서 뭔 일이 날 것 같다고들 하는지~ 피시방이나 노래방 같은 데 한번 찾아봐.

씬/26 주양저수지 일각 + 트럭 안 (N)

산속에서 도로 쪽으로 빠져나와 힘껏 달리는 솔. 순간, 멈칫하며 선다. 길 끝으로 버스정류장에 있는 가로등 불빛이 밝게 빛난다.

솔OFF 저쪽으로 가면 저수지야. 그렇다면... (반대쪽으로 고개 돌려보면 길이 더 어둡다)

솔, 결심한 듯 저수지 반대쪽으로 달리기 시작한다.

씬/27 저수지 인근 파출소 (N)

선재, 한숨 쉬며 나가려는데, 순경이 문득 생각난 듯 말하는.

순경 근데 오늘 9월 1일인가? 지갑 찾으러 왔던 여학생도 오늘 뭔 일 난다고 했었는데?
선재 (멈칫 돌아보며 불안한 표정) 네?!

씬/28 저수지 인근 도로 + 트럭 안 (N)

솔, 죽어라 달려가고 있다. 숨이 차고, 빗길에 몸이 무거워져 지쳐간다. 한편, 선재. 저수지 방향으로 뛰어가고 있는데, 멀리 누군가 비 맞으며 달려오는 모습이 보인다. !!! 자세히 보면... 솔이다! 솔이 쪽으로 뛰어가기 시작하는 선재.
다시 솔이 쪽. 뛰어가다 차 소리에 돌아보면 멀리서 쫓아 달려오는 트럭이 보인다. 직감적으로 영수라는 걸 아는 솔. 급박해지고...

한편, 트럭을 몰고 가는 영수, 멀리 도망치는 솔이 모습 보이자 액셀을 세게 밟는다. 점점 솔을 향해 빠르게 돌진하는데...
다시 솔. 멀리 파출소 불빛이 보이기 시작하자 안도감에 순간 다리에 힘이 풀려 넘어져버린다. 그때, 강한 헤드라이트 불빛이 넘어져 있는 솔을 향한다. 이를 본 솔, 절망적인 표정.

솔OFF 이대로 받아들여야만 하는 걸까. 이게 어쩔 수 없는 내 운명이라고...

이를 본 선재, "솔아!!" 부르며 달려가는데 옆으로 차 한 대가 스쳐 지나가고.
빠르게 달려오는 차 소리. 마치 영수 트럭이 달려오는 듯... 솔이 눈을 질끈 감으면 블랙화면. 브레이크 밟는 소리에 다시 눈을 뜨는 솔. 보면, 솔이 눈앞에 경찰차 한 대가 서 있고, 차에서 김형사가 놀란 표정으로 내린다. 뒤이어 선재도 달려와 "솔아!" 하며 솔을 살피는데. 그 순간, 영수가 탄 트럭이 그대로 스쳐 지나가는 모습 slow. (*선재의 운명이 뒤바뀌는 순간. 영수, 선재 보지 않고 지나친다. 11씬 '선재-영수' 눈이 마주쳤던 장면과 대조되는) 그렇게 영수가 탄 트럭이 그대로 현장을 벗어나면...
선재, 솔을 살피며 "괜찮아?!" 하는데.

솔 헉..헉....살았다...!

〈인서트〉
시계 2:00:00에서 1:00:00으로 바뀌고 반짝 빛이 나면, 솔이 눈 속으로 퀵 줌 인.

씬/29 현재, 궁궐 일각 (N)

솔, 눈 번쩍 뜨고, 카메라 확 빠지면. 궁궐 전경 보인다. (*촬영팀 화면에 아직 보이지 않게)

솔OFF   여긴 어디지...? (뭔가를 보고 놀란 표정) !!!

씬/30 주양저수지 일각 (N)

열아홉 솔이 스르르 눈을 뜨면 시야가 뿌옇게 보이다 점차 선명해진다.

선재   솔아! 정신이 들어?!
김형사   (119 부르고 있는) 사람이 쓰러졌는데요... (하다 선재 목소리에 솔이 쪽 돌아보는)
열아홉솔 ...? (주위 살피며 어리둥절하고 꼭 쥐고 있던 영수 차 키 본다)
김형사   (가까이 다가가) 학생? 괜찮아?
선재   (불안, 걱정) 너 무슨 일 있었어? (하는데)
열아홉솔 ...여긴 어디지? (혼란스러운 표정, 선재 보며) 누구...세요?
선재,김형사 ??? (당황스런 표정)
열아홉솔 (지친 몸이다. 이내 다시 정신을 잃는 모습에서)

씬/31 현재, 궁궐 일각 (N)

솔의 놀란 얼굴에서 빠지면, 궁궐 한가운데다. 궁녀들 2열 종대로 쭉 서 있고, 궁녀복 차림의 솔은 가장 끝줄에 서 있는. 꼭 조선 시대 같다! 순간 심장 철렁 내려앉는 솔. 무슨 상황인가 싶어 둘러보는데 내관들도 보이고... 궁궐 안 연못 다리 위로 곤룡포를 입은 임금과 궁녀가 마주 선 모습 보인다. 헉! 사색이 되는 솔.
솔, 경악스런 표정으로 서 있자 옆에 있던 궁녀가 팔꿈치로 쿡 찌르며 눈치 준다.

솔OFF   말도 안 돼...!
임금   그날 밤 나의 입술을 훔친 여인이 정녕 너 따위 것이었다니.
궁녀   (몸 둘 바 몰라 하며) 아닙니다! 신첩, 입술을 훔치려 한 것이 아니라 발을 헛디뎌서 그만...그리고 서가에서 잠든 분이 전하이신 줄은 꿈에도 몰랐습니다.

솔OFF   뭐야. 설마...조선?!! (심장 부여잡고)

임금   하, 이를 어쩌나...내 성질이 고약하여 받은 것은 꼭 돌려줘야만 직성이 풀리는데.

궁녀   네? (놀라 고개 살짝 들면)

임금   (궁녀 손목을 잡고 확 끌어당겨 키스할 듯 고개를 숙이는데)

솔   (O. L) 안 돼~~~ (소리치는데)

감독   엔지!! 안 되긴 뭐가 안 돼?!

그때, 쭉 서 있던 궁녀들이 홍해처럼 갈라지면 촬영 스태프들 모습 보인다. 영화 '폭군의 첫 키스를 가져가버렸다' 촬영 중이었던. 감독, 스태프들 짜증 내고...

솔   (벙찐 표정) 이게 무슨... (어리둥절한데)

조연출   (다가와) 알만한 분이 왜 이러세요. 새해 첫날부터 딜레이 되게 생겼네.

솔   (스케줄표 날짜 '2023. 1. 1.' 보고) 지금 2023년 맞는 거죠? 조선 시대 아니죠?

조연출   네? (미친 여자 보듯 보는)

솔   (안도의 숨을 크게 내쉬는. 온몸에 힘이 쭉 빠져나가는 것 같은) 살았다...살았어...

조연출   (돌아서서 가며 혼잣말) 뭐야...이상한 여자 아니야?

정훈   (걸어오다 듣고) 어? 이봐요! 지금 누구 보고 이상한 여자래? (어이없어 하며 솔이 보는데 눈물 그렁하자) 야, 너 왜 울어! 저놈이 엔쥐 냈다고 지랄해?

솔   (가슴 쓸어내리고 있다. 정훈 말이 귀에 안 들어오는)

정훈   갑자기 콘티 바껴서 급하게 제작사 직원까지 총동원해서 엑스트라로 굴렸으면 고맙다고는 못 할망정! 연기력 바랬으면 단역 배우들을 데려왔어야지! (씩씩대는데)

솔   (혼란스러운) 근데 누구...

정훈   뭐. 누구. (양옆 돌아보면 아무도 없자) 나?

솔   어...?! (순간 기억이 떠오르며 두통이 오는 듯 인상 쓰는)

〈솔 회상 인서트〉 *1화 20씬
휠체어 탄 솔이 들어서자 정훈이 "어떻게 오셨어요?" 하던 장면 스치는
데, 장면이 뒤바뀌는 효과. 같은 장소. 구두를 신고 씩씩하게 걸어가는 솔
이 모습 틸업. 첫 출근 분위기. 긴장한 표정의 솔, "잘 부탁드립니다!" 인
사하면 환영해주는 직원들 사이로 정훈 보인다.

#다시 현실
솔, !!!! 놀란 표정. 운명이...바뀌었다!

씬/32   궁궐 일각 2 (N)

솔, 앉아서 두 다리 내려다보고 있다. 꿈인가 싶어 다리를 움직여본다.

솔OFF   내가 지켰어... (감격스러운 듯 울먹이다가 문득 과거에서의 마지막 기억
           스치는)

〈솔 회상 인서트〉 *28씬
경찰차 옆으로 영수 트럭이 유유히 스쳐 지나가는 컷.

솔   근데 그 뒤로 어떻게 됐지? 범인...잡혔을까? (기억해보려는데 잘 생각 안
           나는 듯 인상 찌푸리다 고개 저으며) 이게 중요한 게 아니야. 선재...!
정훈   (솔이 가방 들고 다가오며) 정신 좀 차렸냐? 자. (가방 주는데)
솔   저기...선재는요?
정훈   선재? 뭐, 류선재?
솔   선재... (떨린다) 살아...있어요? (묻는데)
스태프1   (일각에서 부른다) 정훈 씨!!
정훈   네!! (대답하며) 일단 얼른 옷이나 갈아입고 나와. 술 사줄게. (뛰어가는)

솔, 다급히 가방을 뒤져 핸드폰을 찾아든다. '류선재' 이름 입력하는데 손
이 덜덜 떨린다. 여전히 사망 기사를 보게 될까 봐 바로 확인하기 두렵기
도 한데... 크게 심호흡하고 검색 버튼 누르며 눈을 꾹 감는다. 다시 천천
히 눈을 뜨며 확인하는데... 류선재 사망 기사는 보이지 않는다. 선재가...
살아 있다! 솔, "고마워... 선재야." 감격스러운데, 문득.

〈솔 회상 인서트〉* 5화 13씬
한강 다리에서 만나자 약속하던 장면 떠올리고.

솔, 핸드폰 시간 보면. 밤 12시 05분. 벌떡 일어나 달려가는.

씬/33 몽타주 (N)

#1. 궁궐 앞 거리
솔(*하얀 패딩. 옷 갈아입은), 뛰어나온다. 만날 수 있길, 간절한 마음으
로...

#2. 한강 다리 위
솔, 달려오는데 아무도 없다.

솔   (시간 보는데) 하...너무 늦었나? 혹시 혼자 찾으러 간 거 아니야? (달려
    가는)

#3. 자감고 교정 일각
솔, 타임캡슐 묻었던 곳으로 달려오다 멈춰 선다. 보면, 커다란 나무 사라
지고 보도블록이 깔려 있다. "뭐야...없어졌잖아?"

씬/34 선재네 아파트 앞 + 선재 차 안 (N)

솔, 천천히 걸어와 멈춰 서서, 눈물 그렁한 눈으로 고층 아파트를 올려다 본다. "선재야..." 만나진 못했어도 선재가 살아 있다는 사실에 감격스러운데.

그때, 솔이 옆으로 미끈한 스포츠카(*선재 차) 한 대가 스쳐 지나간다. slow. 선팅된 차 안. 운전하고 있는 선재 옆모습 보인다. 선재 차, 솔을 지나쳐 주차장 안으로 미끄러지듯 들어가는.

씬/35 선재네 아파트 엘리베이터 안 (N)

지하에서 엘리베이터에 올라타는 남자. 틸업하면, 헤어, 의상 세팅된 톱스타 비주얼의 선재가 쇼핑백 하나를 한 손으로 끌어안고 서 있다. 생각에 잠긴 표정.

씬/36 선재네 아파트 거실 (N)

집 안으로 들어온 선재, 식탁 쪽으로 가 들고 온 쇼핑백을 올려두는데. 식탁에 핸드폰 눈에 들어온다. 시선 옮기면 의자에 화려한 퍼코트 걸쳐져 있다. 먼저 온 손님이 있는 듯 보인다. (마치 여자인 듯) 선재, 누군지 알겠다는 표정.

씬/37 선재네 아파트 침실 + 욕실 (N)

침실에서 이어진 욕실 쪽으로 걸어가는 선재.
유리문 너머로 누군가 거품 목욕 중인 듯 실루엣이 비친다.
셔츠 양쪽 소매 단추를 끌러 걸어 올리며 욕실 안으로 들어선다. 꽤 친밀한 사이인 듯 유리문 열고 들어가 욕조 끝에 걸터앉는 선재.

선재   (거품을 손으로 슥 걷어내며 다정하게) 언제 왔어? 전화도 없이?

미소 짓다가 갑자기 정색하며 손을 물속으로 쑥 집어넣더니 머리까지 푹 담그고 있던 인혁의 귀를 잡아 끌어올린다. 인혁, "아악!" 놀라 허우적대며 올라오고.

선재　여기가 목욕탕도 아니고 왜 툭하면 와서 씻어대?
인혁　니네 집 욕조가 죽이잖아. 야경도 보이고. 월세 낼게. 나 델고 살래?
선재　나와. 1분 준다.

씬/38 선재네 아파트 거실 + 현관 앞 (교차) (N)

#거실
선재, 거실로 나오는데 (E) 삐삐삐- 도어락 비밀번호 해제하는 소리 들린다. "뭐야?" 미간 찌푸리며 걸어가 인터폰 모니터로 문 앞 확인하는데. 하얀패딩(*솔이 옷과 비슷한 디자인, 후드 뒤집어쓴) 스토커 보인다.

인혁　(옷 껴입고 나오며) 누군데?
E　삐리릭. 비번 틀리자, 삐삐삐- 다시 시도하는데.
선재　(열받은 듯 문을 확 열어버린다)

#현관 앞
하얀 패딩을 입은 스토커, 갑자기 열린 문에 이마를 박는다. (*선재 못본) 엘리베이터에서 내린 보안 직원이 "이봐요!" 소리치며 내리자, 헉 놀라 비상계단 쪽으로 사라지는 스토커. 보안 직원, 선재 보며 "죄송합니다!" 하며 뛰어가면.

인혁　(따라 나와 보며 헉 놀란) 뭐야...또 하얀패딩 걔야?
선재　(열받은. 핸드폰 꺼내 112 누르고 통화 연결되면) 신고 좀 하려구요.

씬/39 선재네 아파트 앞 (N)

솔, 훌쩍이며 눈물 슥 닦고, 돌아서는 순간, 하얀패딩 스토커가 달려오다 솔의 어깨를 툭 치고 쌩하니 지나가며, 선재 얼굴 사진 박힌 플래카드 떨어트린다. 솔, 주워 보면 '선재들고튀어'라 적혀 있다.

솔   선재 팬인가? 앤 들고 튀네. 저기요! 이거 떨어트렸는데? (쫓아가려는데)
보안직원   (뛰어나오다 하얀 패딩 입은 솔을 보고 오해해 냅다 붙잡는) 잡았다!
솔   네??? (황당한 표정)

마침 도착해 그 앞에 멈춰 선 경찰차에서 경찰 내린다.

경찰   주거침입 신고 받고 왔는데요. (하는데)
보안직원   (솔이 떠밀며) 여기요! 여기. 제가 잡았습니다!
솔   네에??? (황당한 표정에서)

씬/40 인근 지구대 (N)

경찰, 황당한 표정. 보면, 맞은편에 솔. 플래카드에 선재 얼굴 보며 울먹이고 있는.

경찰1   (한숨. 조서 작성하려) 성함이요.
솔OFF   살아 있어줘서 고마워... (선재 사진에 눈물 뚝 떨어지자 옷소매로 닦고 들어 보이며 경찰에게 ON) 우리 선재 예쁘죠.
경찰1   (솔이 품에 플래카드 문구 보며) 중증이구만. 저기요. 성함. 이르음!
솔   네? 아...! (정신 차리고) 임솔이요.
경찰1   신분증 주시구요. (솔에게 건네받은 신분증 보며) 하시는 일은?
솔   회사원이요. (뿌듯한 듯) 눈 떠 보니 제가 영화 제작사 직원이 되어 있더라구요? 실은 제가 영화감독이 꿈이었거든요. 참 신기해요. 순간의 다른 선택으로 이렇게 다른 삶을 살게 된 거잖아요. 감히 꿈꿀 수도 없었던 삶

에서 꿈을 좇는 삶으로. 역시 의지만 있으면 바꿀 수 없는 운명이란 없나 봐요. 그죠? (하며 경찰 보면)

경찰1 (정색) 콩밥 먹을 운명은 바꿀 수가 없는데 이거 어쩌나. 주거침입은 피해자가 고소하면 무조건 처벌받습니다. 초기 진술 잘하셔야 돼요. 네?

솔 (이제야 놀란) 주거침입이요? 비싼 아파트는 입구에만 서 있어도 막 잡아가요?

경찰1 입구라니. 류선재 씨 집 현관문 따려고 했잖아요. 비번은 어떻게 알아냈어요?

솔 (발끈) 네에? 아니 누가 감히 선재 집 문을 따요? 스토커가? 미친 거 아니야? 어떤 개쓰레기 같은 게! (씩씩대면)

경찰1 (어이없는 O. L) 그게 본인이시잖아요.

솔 본인 아니라니까요?

경찰2 (들어오며) 신원 확인했으면 그냥 돌려보내면 될 것 같아요. 피해자 쪽에서 고소 진행 안 한다네요. 괜히 기사 나가서 시끄러워지는 거 싫다고.

경찰1 뭐? 참 나... (솔이 보며) 운이 좋으시네.

솔 아니 고소를 왜 안 해?! 싹 다 잡아서 선처도 해주지 말고 쇠고랑 채워야지? 아직도 그렇게 맘 약하고 착해 빠져가지고 진짜! 고소하라고 좀 해주시면 안 돼요?

씬/41 지구대 앞 (N)

동석 (선재랑 통화하고 있는) 네 형. 고소 진행 안 한다고 전달했어요. 기사 안 나게 말 잘했구요. 네~ (끊는데 솔이 나오는 모습 보는) 어? 하얀패딩! 저 여잔가 보네. 멀쩡하게 생겨서는 스토커 짓이나 하고... (하다 갸웃) 어? 근데 어디서 봤는데?

씬/42 선재네 아파트 거실 (N)

선재, 옷 갈아입고 나오는데 인혁이 맥주 따 마시고 있는.

인혁	고소를 왜 안 해. 무섭게 혼을 내줘야 다신 안 그러지... (하며 선재가 올려둔 쇼핑백 슬쩍 들여다보며) 이건 뭐야?
선재	(잠시 표정. 무시하고) 목욕 다 했으면 가지 왜 눌러앉아 있어?
인혁	내가 진짜로 목욕하러 왔겠냐? 너 영화 갑자기 안 한다고 했다며! 대표님 지금 똥줄 타고 난리 났어~ 나보고 너 한 번만 설득해달라고 아주...
선재	(옆에 있던 시나리오 툭 던지며 O. L) 니가 읽어봐. 설득이 될 수준인지.
인혁	까탈스럽긴... (시나리오 보면 '히어로') 제목 좋구만! 한국형 히어로물 그런 거야? (*영화 '히어로' 소품 대본 420쪽 수록)
선재	(코웃음) 히어로물은 무슨.
인혁	왜? 내용이 뭔데?
선재	바다에 살던 인어가 임진강 건너가서 북한 장교 만나는 얘긴데...
인혁	오...사랑에 빠지는구나! 멜로?
선재	근데 갑자기 좀비 바이러스가 퍼지더니 북한 장교랑 인어가 좀비를 때려 죽이네?
인혁	아~ 액션 블록버스터구나!
선재	아니. 휴먼 SF.
인혁	갑자기?
선재	북한 장교 정체가... (눈 마주치며 진지) 외계인.
인혁	얘기가 우주 안드로메다로 가네? SF 맞네 맞아... (고개 절레절레)
동석	(문 열고 들어오며 호들갑) 형! 형! 그 주거침입! 스토커! 스토커요!
선재	(피곤한 듯) 또 뭐.
동석	(숨 고르고) 아주...악질인 것 같아요.
인혁	왜? 경찰 앞에서 막 난동이라도 피웠어?
동석	(인혁 손에 시나리오 뺏어 들고 영화사 이름 '본시네마' 콕콕 찍으며) 글쎄 여기! 그 여자가 이 영화사 직원이에요.
선재	뭐?
동석	전에 그 회사 갔을 때 이 시나리오 넘겨준 게 그 여자였거든요. 똑똑히 기억해요.
인혁	근데 영화사 직원이 왜 선재 집 문을 따려고 해?
동석	그야 형이 이 영화 거절하니까 열받아서 뭔 테러를 하려 했거나! 아님 진

짜 스토커겠죠. 가까이 엮이고 싶어서 일부러 연예계 쪽으로 취업하고 그러잖아요. 아무래도 조심해야겠어요. 형.

선재 　하! (어이없는 표정)

씬/43　현재 솔이네 아파트 거실 (N)

불 꺼진 거실. 솔, 현관에 신발을 가지런히 벗고 거실로 들어서는데. 휠체어 없이 집 안에 들어서는 기분 생경하다. 일각에 걸려 있는 가족사진(*3화에서 솔이 못 타게 한) 보는데. 복순이 "이제 와?" 하며 자다가 깬 듯 방에서 나온다.

솔 　(복순 보자 뭉클) 엄마... (다가가 꼭 끌어안으며) 나 무사히 돌아왔어.
복순 　(피식 웃곤) 그래. 무사히 일하고 들어오느라 수고했어 우리 딸. (궁둥이 두드려주고) 몸이 차다. 어서 씻고 자야지. 일찍 출근하려면.
솔 　(뭉클한 표정)

씬/44　솔이네 아파트 솔이 방 (N → D)

조심스레 들어오는 솔. 보면, 선재 덕질의 흔적들 모두 사라지고 직장인 방 풍경. (*예전 방 안 풍경에서 디졸브 되거나 아니면 물건들 사라지는 효과) 가슴이 철렁 내려앉는 솔. 덩그러니 서서 바뀐 방 안을 둘러본다.

솔 　다 바뀌었네... (가슴에서 뭔가가 쑥 빠져나간 듯, 허한 기분인데) 맞다...시계!

생각난 듯 주머니, 가방 안 보는데 없다. 일어나 서랍, 옷장, 다 찾아보는데 없는.

솔 　(깨달은) 하긴...갖고 있을 수가 없지. 팬이 아니었으니까. (침대에 털썩 앉는) 어차피 이제 과거로 돌아갈 이유도 없으니까 없어도 되지 뭐... (허탈해지고, 침대에 쓰러지듯 누워 멍하니 천장 보며 OFF) 그래. 다 잘된 거야...잘됐어. (스르르 눈감는)

〈솔이 꿈 인서트〉 *9화에 나올 폐건물 사건 장면 꿈으로.

알 수 없는 장면들이 조각조각 이어진다. 울렁울렁 흔들리는 거리에서 휘청이는 솔의 팔을 누군가 잡아주는 장면. 어둠 속, 쿵쿵 울리는 발소리. 누군가의 머리가 세게 부딪히며 유리창이 깨지는 장면.

#다시 솔이 방

눈 번쩍 뜨며 잠에서 깨는 솔. (*서툴게 화장이 된) 어느새 아침이다.
"무슨 꿈이지..." 하며 일어나는데. 말자가 화장품 들고 앉아서 미소 짓고 있다.

솔	할머니...
말자	언니야...일어났어?
솔	(여전히 치매를 앓는 말자를 보며 마음 아픈, 말자 꼭 안고 울음 참는)
솔NA	아무리 시간을 되돌려도, 속절없이 흘러가는 세월을 막을 도리는 없다.
말자	(가만 안겨 있다가 키득키득 웃는)
솔	(짠한 마음 감추고 애써 웃으며) 왜 웃어 할머니?
말자	언니 못생겼어. 꼴뚜기 같어.
솔	(삐진 척) 뭐? (이불 젖히고 벌떡 일어나 거울 본다. 요상하게 화장한 얼굴) 왜? 이쁘기만 한데? (입술 쭉 내밀며) 이렇게 이쁜 꼴뚜기 봤어?
말자	못생겼어. (키득키득 웃는)
솔	(말자 머리 넘겨주며 애틋하게 보는)

씬/45 솔이네 아파트 거실 (D)

솔, 총총 나와 현관 신발장 여는데, 플랫 슈즈부터 하이힐에 부츠까지 신발이 종류별로 진열되어 있다. 좋아서 씩 웃으며 뭘 신을지 설레는 맘으로 고르는. 그중 눈에 띄는 하이힐을 골라 든다.

솔   예쁘다... (조심스레 하이힐을 신고 서 보는데. 왠지 감동이다. 또각또각
     제자리걸음 걸어보며 소리 내보는데)
말자 우리 막둥이 다리...나았네?
솔   (놀란 표정으로 돌아보면 할머니가 솔이 보고 서 있는) 뭐라고?
말자 걷잖어.
솔   (철렁) 할머니, 기억...해? (놀라서) 나 못 걷던 거. 휠체어 탔던 거 그게
     기억나?
말자 (다시 표정 돌변) 언니야~ 가지 말고 나랑 놀자.
솔   ...?
복순 (주방에서 나와 말자 소파에 앉히며) 어떻게 그래. 회사 짤릴 일 있어?
     만화 틀어줄게 봐요. (돌아서서 솔이 보며) 안 나가고 뭐 해?
솔   (갸웃하다가) 아니야. (나가려다 멈칫) 근데 엄마. (조심스레 말 꺼내는)
     그...옛날에 나 납치했던 범인 말이야. 그 뒤로 어떻게 됐었지?
복순 (철렁. 놀란) 그 얘기는 왜?
솔   그냥...갑자기 그때 기억이 잘 안 나서.
복순 (망설이다) 어떻게 되긴. 잡혀서 감옥 갔지.
솔OFF 잡혔구나...다행이다.
복순 14년이나 지난 일을 굳이 왜 떠올려. 기억 안 나면 말지. 어여 다녀와~
솔   14년? 15년 아닌가? (갸웃하는데)
복순 차 키 안 챙겨?
솔   (급 화색) 차? 마이 카?
복순 자. (선반에 있던 차 키 발견하고 건네주자)
솔   (씩 웃으며 받아 들고) 갔다 올게요! (나가는)
복순 (피식 웃으며 돌아서다 멈칫) 그 일은 입 밖으로 꺼내지도 않더니만 갑
     자기 왜... 혹시 그놈 올해 출소하는 거 알고 그러나... (걱정 스치는)

씬/46 솔이 차 안 (D)

솔, 운전석에 앉아서 감격스러운 듯 핸들 쓸어보는.

솔 웬일이니. 니가 내 붕붕카구나~~ 근데 운전...할 수 있겠지? (눈 감고 기억 되살리는 듯 심호흡한다. 다시 뜨고 시동 걸며 OFF) 그래. 난 1종보통면허를 한방에 딴 무사고 10년 모범 운전자야. 할 수 있어. (차 출발하며 ON) 오....! 뭐야아! 나 운전 왜 이렇게 잘해? 뭔 일이야 이게!! (신나서 운전하며 가는 모습에서)

씬/47 선재 소속사 대표실 (D)

잘 익은 감 상자가 김대표 테이블에 툭 떨어진다. 김대표, '히어로' 시나리오를 얼굴에 덮고 졸고 있다가 깜짝 놀라서 깨 보면 선재가 서 있다.

김대표 (자세 고쳐 앉으며) 왔어? (단감 상자 보며) 감이네?
선재 감 좀 찾으시라고. (으쓱하며 시나리오 집어 휴지통에 툭 버리고 소파로 가 앉는)
김대표 (다시 주워 들며) 이게 쓰레기야? 정성껏 쓴 작가에 대한 예의가 아니지!
선재 쓰레기를 정성껏도 만들었네. 이 얘기 저 얘기 다 끌어다가. 누가 쓴 거야?
김대표 어? 그게. (뜨끔해서) 거...어디 투자사 회장 아들이 쓴 거라나?
선재 하, (그럴 줄 알았다는 듯 보면)
김대표 선재야. 우리 신인 애 하나가 학폭 터져서 거기 영화 다 찍어놓고 엎어진 거 알지? 근데도 그쪽에서 내 얼굴을 봐서 좋게 넘어가준 거 아니니. 고마워서 내가 너 꼭 출연시킨다고 약속했단 말이다아. 너도 내 얼굴을 봐서...
선재 (O.L) 그럼 좀 생기든가.
김대표 영~ 아니야?
선재 얼굴?
김대표 얼굴 말고 영화! 영!화! (한숨 쉬며 울상) 뭔 핑계를 대고 거절하니...
선재 왜 핑계를 대? 절대 같이 일할 수 없는 이유가 있는데.
김대표 뭐? (보면)
선재 거기 직원이 나한테 무슨 짓을 했는 줄 알아요?

씬/48 본시네마 로비 (D) *1화 솔이 면접 봤던 회사

솔, 로비 들어서서 2층으로 쭉 이어진 계단 본다.
솔, 감회가 남다르다. 계단 올라가며 회사 쭉 둘러본다. 마주치는 직원들이 솔이 보며 인사하면, 솔, 활기차게 웃으며 인사 받아주는.

씬/49 본시네마 사무실 (D)

솔, 사무실 쪽 둘러보다가 기억난 듯 바로 자기 자리 찾아간다. 책상 쓸어보며 감동한 표정. 모니터도 만져보고 책상 서랍도 열어보고, 책상 위에 놓인 '히어로' 시나리오도 들어서 휘리릭 넘겨본다. 그러다 책상에 걸터앉아 포즈 취하고 귀여운 표정으로 셀카 찍는데 뒷자리에서 정색하고 서 있는 정훈이 같이 찍힌다.

솔   (민망) 하하하. 좋은 아침입니다 선배님.
정훈   하...아침부터 못 볼 꼴을 봤어... (고개 저으며) 너 대표님이 찾으시더라~

씬/50 본시네마 대표실 (D)

솔   (억울한 듯) 저 아니에요 정말!
이대표 아니긴. 지구대로 연행까지 됐었다며! 너 때문에 영화 안 하겠다는데 어쩔 거야?
솔   그 앞까지 간 건 맞긴 한데...절 스토커로 착각하고 잘못 데려간 거라니까요?
이대표 정말이야?
솔   네. 전 입구에서 들어가지도 못했다구요.
이대표 아니 왜 거긴 찾아가서 그런 오해를 사! (한숨) 그럼 미팅 자리 만들어볼 테니까 직접 해명하고 오해 풀어. 류선재 꼭 캐스팅해야 된다.

솔   네? 제가 직접 만나요?! 류선재를요?! (기대)

씬/51 솔이네 아파트 솔이 방 (N)

솔, 얼굴에 마스크시트 붙이고 '히어로' 시나리오 읽고 있다가 경악하며 덮는다.

솔   뭐 이런 그지 같은 스토리가 다 있어? 거절 잘했어 선재야. 근데 만나면 뭐라고 하지? 보자마자 울어버리면 안 되는데? (노트북 보면, 선재 사진 띄워져 있고) 너한텐 15년 만이겠네... (마스크시트 벗겨내며 탁상거울 보고 헉) 근데 설마...나 못 알아보는 건 아니겠지? (철렁!) 한 장 더 붙이자... (마스크시트 주섬주섬 뜯는 데서)

씬/52 호텔 외경 (D)

씬/53 프라이빗한 미팅 장소 (D)

솔, 정훈 먼저 와서 앉아 있다. (*솔 하얀 패딩 입은) 솔, 미팅룸 문만 뚫어져라 보고 있는데, 두근두근... 떨린다. 그때, 미팅룸 문이 천천히 열리며, 안으로 뚜벅뚜벅 들어오는 사람... 선재다! 솔, 선재 보자마자 눈에 눈물이 그렁그렁 차오르는데.

솔   선재야...!
선재   (못 알아보는 듯) ...누구시죠?
솔   (철렁!) 나...기억 안 나?
선재   (전혀 기억 안 난다는 듯) 우리가 아는 사입니까?
솔   (눈물 뚝 떨어지는데)
정훈   (솔이 쿡 찌르며) 야, 왜 이래?

보면, 솔의 상상이었고. 미팅룸으로 들어온 사람... 영화사 대표다.

이대표 아직 안 왔지? (하다가 솔이 보며) 넌 왜 울어?
솔   네? 아, 눈에 뭐가 들어가서... (훌쩍이며) 얼른 닦고 올게요. (후다닥 일
        어나는)

씬/54 미팅룸 앞 복도 + 택시 안 (교차) (D)

솔   (손수건으로 눈물 닦으며) 선재 앞에서도 미친 여자처럼 울 거냐구. (마
         음 다잡고 다시 들어가려는데 전화 와서 보면 '현주'다. 전화받으며) 여
         보세요?
현주(F) 아아아악~~~ (소리치는)
솔   (쿵. 놀라) 왜 현주야!
현주(F) 아무도 연락이 안 되가지고...빨리 좀 와줘 아아악!
솔   (철렁) 무슨 일인데?!
현주   (만삭으로 아파하며) 택시 타고 병원 가고 있는데 곧 나올 것 같애! 아아!
솔   나와? 뭐가 나오는데?!
현주   애가 나오지 뭐가 나와! 나 양수 터졌다고!
솔   애??? 아니 이혼한 애가 뭔 애를... (벙쪄 있는데)
현주(F) 아아아아악!
솔   헉! 어떡해. (놀라 뛰어가려다 미팅룸 문 보며 잠시 망설이는데 현주 신
         음 소리 넘어오자 뛰어가는) 당장 갈게! 어디야?

씬/55 호텔 앞 (D)

입구에 장식된 큰 분수대 앞에 선재 밴 멈춰 서고. 선글라스 낀 선재, 동
석과 함께 밴에서 내린다. 동석 "네, 리허설 중간에 잠깐 나왔어요." 통화
하며 먼저 가면.

선재, 구두끈이 풀려 있자 분수대 난간에 다리 하나 올려놓고 구두끈 묶는데. 한편, 솔, 현주랑 통화하며 뛰어온다.

솔 쫌만 참아봐!

현주(F) 나오는 애를 어떻게 참냐고! 아악!

솔 병원 어딘데? (다급하게 뛰어가는데 마주 오는 오토바이 피하려 비켜서다가 선재 엉덩이를 등으로 밀친다)

선재, "어어!" 그대로 앞으로 고꾸라지며 분수대에 빠진다. 솔, 선재 빠진 줄도 모르고 "가고 있어!" 통화하며 지나쳐 가는 모습 slow. 한편, 이를 본 동석이 "형!!" 달려오다가 솔이 보고 쫓아간다.

동석 이봐요! 아니, 사람을 물에 빠트려놓고 그냥 가는 겁니까? (솔 붙잡는데)

솔 네? (정신없고, 매니저 뒤쪽 보는데 분수에서 빠져나오는 선재 뒷모습 보이는) 어머, 죄송합니다! 제가 정신이 없어서.

동석 (솔이 얼굴 알아본) 어? 어! 하얀패딩!

현주(F) 아아아악!!

솔 (현주 비명 소리 크게 들리자 허둥지둥 가방에서 명함 꺼내 내밀며) 정말 죄송합니다. 제가 급한 일이 있어서요! 연락 주시면 변상해드릴게요! (후다닥 달려간다)

선재, 선글라스 벗으며 얼굴에 물기 닦는데 얼핏 익숙한 목소리가 들려 멈칫하며 돌아보면 쏜살같이 뛰어가는 솔이 뒷모습 보인다. 선재, 살짝 표정 변하는데, 이내 그럴 리가 없지. 고개 저으며 물기 터는데.

동석 (명함 보면 '본시네마 임솔'이고) 어? 저 여자예요! 그 영화사 직원!

선재 뭐? 가지가지 한다... (재킷 걸레 짜듯 짜는데 물이 뚝뚝 떨어지자 열받은 듯) 그럼 지금 이거 일부러 그런 거지?!

동석 KTX 타고 봐도 류선잰데 모르고 그랬겠어요? 답 나왔네. 자기 영화 거절했다고 앙심 품고 저러나 본데요?

선재 하, 유치해서 뭐라 할 말이 없다. (고개 젓는)

동석	연락해서 욕이라도 해주실래요? (솔이 명함 선재에게 건네는데)
선재	됐고. 변상한다고 했으니까 옷값 꼭 받아내. 속옷값까지 싹 다. 알았어?
동석	속옷값까지요? 유치하기는... (구시렁대며 명함 주머니에 넣는데)

선재, 열받아서 밴으로 걸어가려는데 "류선재 류선재!" 수군대는 소리에 멈춰 서면 주위에 선재 알아본 사람들 보이고, 시선 의식된다. 다시 선글라스 끼고 젖은 머리 쓸어 넘기며 사람들 향해 살짝 손 흔들어주며 팬서비스하는 모습에서.

씬/56 분만 대기실 (D)

솔, 헐레벌떡 뛰어 들어오면 녹초가 된 현주, 병원복 갈아입고 누워 있다.

솔	(헉!!) 현주야!! (달려가서 볼록한 현주 배 보고 눈 휘둥그레)
현주	야아 왜 이제 와~ (울먹인다)
솔	진짜네? 도대체 언제 애를...잠깐, 내가 기억 좀 떠올리려면 집중을...
현주	(진통이 와 냅다 솔이 옷깃 잡아채며 소리친다) 아아아악!
솔	(기억이고 뭐고, 손 꽉 잡아주며) 어떡해. 그래 심호흡! 심호흡 좀 해볼까 우리? 후...후... (하는데)
현주	으아아아아!! (소리치며 솔이 머리채를 잡아챈다)
솔	꺄아악! (아파서 소리치는)
현주	(머리채 잡고 흔들며 악쓰는) 남편 새끼 이 고생을 또 시키고 씨!@# (욕 삐 처리)
솔	아악! (머리카락 뜯기며)
현주	죽여버릴 꺼야아아!! (소리치면)
솔	(머리채 잡힌 채 인상 쓰며) 그 새뀌 누구야! 내가 죽여줄게!
현주	(소리치며) 임금 델꼬 와 빨리이!
솔	(헉!) 뭐, 뭐. 임금??

그때, 문 열리며 임금이 뛰어 들어온다.

금	여보! 현주야! (달려가는)
솔	(어안이 벙벙) 여보?
현주	왜 이제 튀어와! 호랑말코 같은 넘아!!! 으아아! (아파 소리치면)
금	(현주 손 잡아주며) 미안. 회의하느라 꺼놨어서. 오빠 왔으니까 이제 괜찮아~ 응?
현주	(금이 머리채 잡으며) 괜찮긴 뭐가 괜찮아! 아아악!
솔	(금, 현주 번갈아 보다가 문득 기억 주입되는)

〈솔 회상 인서트〉
금, 현주 결혼식 장면 또는 결혼사진 짧게 스친다.

솔	(버럭) 야 오빠 새끼야! 내 친구 언제 꼬셨어! (달려들어 머리채 잡으면)
금	아악!!
현주	(진통하다 말고) 어머 야, 내 남편한테 왜 이래! (솔이 말리는데)
솔	(머리 산발. 씩씩대며) 내가 도대체 뭘 바꿨길래 저 둘이 결혼해서 애를 낳아?!
보아(E)	엄마~~~
솔	(헉! 돌아보면 복순이 보아 손잡고 간호사랑 들어오는) !!!
보아	엄마~~ (현주에게 달려오다 솔이 보고) 어? 꼬모다! 꼬모~ (와락 안기고)
복순	아이고. 둘째라고 예정일보다 빨리 나오나 보네!!
솔	둘...째?! (보아 안고 넋 나간 표정에서)

씬/57 병원 복도 (D)

지친 표정의 솔, 정훈과 통화하고 있다.

솔	죄송해요 선배.
정훈(F)	순산했다니 다행이네. 어차피 류선재도 안 왔어. 오다 갑자기 뭔 일이 생겼다나.

솔	(놀라) 뭔 일이요? 사고라도 났대요?
정훈(F)	그럴 리가 있겠냐? 그냥 핑계지.
솔	(못 만나 아쉽고) 제가 따로 찾아가서 사과해볼까요?
정훈(F)	됐어. 류선재 쪽은 대표님이 알아서 한다고 앞으로 넌 빠지래.
솔	네... (전화 끊고 의자에 털썩 앉는) 이제 우연히 만날 기회도 없겠네...

그때, 문자 와서 확인해보는 솔.
보면, 셔츠, 재킷, 바지, 신발 상품별로 명품 브랜드 사이트에서 캡처한 사진 쭉 떠 있고. 그 아래 개별 가격과 총 가격까지 정리해둔 문자다.
'총 합계: 7180000원 아래 계좌로 입금해주시면 됩니다. 계좌번호 00-00000 박동석'

솔	71만 8천? 뭐 이렇게 비싸? 잠깐. (다시 보고 헉!) 718만원? 718? (전화 거는)

씬/58 밴 안 + 병원 복도 (D)

#밴 안
선재, 밴에 올라타는데 어디선가 진동 소리 울린다. 보면, 동석이 잠깐 두고 내린 핸드폰에 전화 걸려 오고 있는. 선재, 받아야 되나 잠깐 망설이는데, 이내 전화 꺼지고. 핸드폰 다시 운전석 쪽에 내려놓으려는데 화면에 솔이 보낸 문자가 뜬다.
'안녕하세요. 전화를 안 받으셔서 문자 드립니다. 먼저 제 불찰로 그런 봉변을 당하시게 한 점 진심으로 사과드립니다. 그런데 옷값 변상에 대해서는 확인하고 싶은 게 있어서요.' (솔)
선재, 문자 보고 갸웃하며 화면 올려보면 동석이 보낸 의상 사진들 쭉 떠 있다.

선재	아...이 자식 진짜 속옷값까지 달라고 했어? 뭔 말을 못 해요. (문자 치기 시작)

'됐습니다. 다시는 마주치는 일 없었으면...' 적고 있는데 솔에게서 다음 문자가 온다.

'실은 아까 정신이 없어서 잘 못 봤거든요. 정말 이 옷들을 착용하신 게 맞는지 해서요' (솔)

선재, "뭐?!" 어이없어하며 쓰던 문자 다 지우고 다시 치기 시작한다.

#병원 복도

솔   하...세탁비도 아니고 이게 뭐냐고. 팬티가 40만 원이나 해? (답장 오는)

'내가 돈 뜯어내려고 사기 치는 걸로 보입니까?' (선재)

#밴 안

'그럴 리가요! 워낙 고액이라 확인은 해야 할 것 같아서요. 실례지만 오늘 착용컷이나 젖은 옷들 사진이라도 보내주실 수 있을까요?' (솔)

선재   참 정중하게 경우 없네? (어이없는데 이어서 문자 또 도착하는)

'절대! 그러실 리 없겠지만 정말 이런 식으로 사기 치는 사람들이 요즘 워낙 많아서요ㅜㅜ 부탁 좀 드릴게요. (이모티콘)' (솔)

선재   (열받는) 누굴 사기꾼 취급이야?!

자존심 상해 벌떡 일어나 뒷자리 쇼핑백에서 젖은 옷들 꺼내 하나하나 늘어놓고 구부정하게 웃긴 자세로 일어서서 찍기 시작한다. 상표까지 뒤집어 까서 정성스레 찍는 모습들... 그러다 팬티 사진 찍으려는데 영 맘에 안 드는지 옷걸이에 팬티 고이 걸어놓고 찰칵, 찍는데.

동석   (태블릿 보며 차 문 열다가 선재 보고 놀라는) 뭐 해요 형?
선재   뭐? (옷걸이에 걸린 팬티 보고 현타 온) 하...뭐 하고 있는 거냐. (속옷 툭

던지는데)

동석   (차에 타며) 어? 기사 떴다. 하 진짜 보정도 안 해주고! (하며 핸드폰 보
여주는)

보면, 선재가 분수대에 빠져 있는 사진과 젖은 꼴로 사람들에게 손 흔들
어주는 사진 떠 있다. 〈류선재 꽈당! 굴욕에도 특급 팬서비스〉

선재   하...언제 찍힌 거야. (짜증 난) 변상이고 뭐고 됐고! 당장 고소장 접수해.
알았어?

#병원 복도

솔   (답장 기다리는데 안 오자) 대답도 없어...사진 보내라니까 뜨끔했나?
(피식 웃으며) 그럼 그렇지. 한몫 챙기려다 실패하셨구만?

씬/59 신생아실 앞 (N)

솔, 유리창 너머로 갓난아기 보고 있다.

솔   저출산 시대에 내가 이런 식으로 기여를 할 줄은 몰랐네. (아기 사랑스러
운 듯 보며) 아가야. 고모가 너를 이 세상에 태어날 운명으로 바꾼 거란
다. 아우 귀여워.

금   (잠든 보아 업고 다가오며) 나 닮아서 무지 귀엽지?

솔   (어이없다는 듯 보며) 노양심이다... (금이 등에 아이 볼을 조심히 쓸어보
며) 임금이 애 아빠가 되어 있을 줄은 몰랐네.

금   (피식) 애 아빠 된 지가 언젠데.

솔   그냥. 나 안 다쳤으면...아직도 연기한다고 돌아다닐 줄 알았지~

금   (아기 보며) 하나를 얻으면 하나를 잃는 법이야. 대가 없는 행복이 어딨
겠니.

솔   (병원 복도에 세워져 있는 휠체어가 눈에 들어오고, 표정) ....

금	쟤는 무지 행복하겠지?
솔	응? (돌아보면 복도에 커다란 현수막 또는 LED 광고 걸린. *선재, 병원장과 함께 찍은 사진에 '류선재 OO병원 신생아 집중치료실 10억 후원금 전달식' 문구 적힌) !
금	이야...모지리 같던 놈이 저런 톱스타가 될 줄이야. 기부를 10억이나...돈 많겠지? 너는 그때 쟤를 잡지 그랬냐?
솔	뭘 잡어 잡기는.
금	하...그때 좀 잘해줄걸. 우리 애들 고모부가 류선재일 수 있었는데. (다시 신생아실 창문에 달라붙어) 아가야 아빠가 미안해~~~
솔	(어이없어하며 보는데)
금	너 그때 일 이후로 정말 연락 안 해?
솔	그때 일? (갸웃하는데)
금	지금이라도 한번 찾아가 봐. 옛날에 쟤가 너 좋아했었잖아. 혹시 아냐? 우리 선재가 너 보고 그때 감정이 다시 확~ 되살아날지? 응?

〈솔 회상 인서트〉 *6화 53씬

선재 고백 거절하던 장면.

솔OFF	내가 먼저 무슨 낯짝으로 찾아가... (쓸쓸해지는 표정)

씬/60 선재 밴 안 + 도로 위 (N)

동석, 라디오 틀어놓고 운전 중이고. 선재, 눈 감고 앉아 있다. 그때, 라디오에서 음악 흘러나오기 시작한다. 선재, 감고 있던 눈을 스르르 뜨는. 솔과 함께 들었던 노래다. 선재, 창문 밖으로 까만 하늘 올려다본다. (*62씬까지 노래 쭉 이어진다.)

씬/61 거리 일각 (N)

솔, 번화가 거리를 걷고 있다. 천천히 걸어가며 길거리 풍경을 의미 없이 눈에 담는다. 왠지 낯설게 느껴진다. 문득 걸음을 멈추고 고개를 든다. 고층 빌딩에 있는 커다란 전광판에서 나오는 CF 속 선재 모습을 가만히 서서 바라본다.

솔OFF 고마워. 선재야. 살아 있어줘서... 네가 살아 있어서 좋아. 넘치게 행복해. 정말 그런데...그게 맞는데 말이야... (전광판에 선재 모습 사라지자 저도 모르게 눈물이 왈칵 터지는) 보고 싶어...... (눈물 흐르고. 거리에 덩그러니 서서 울고 있는 모습에서)

씬/62 선재네 아파트 거실 + 드레스룸 (N)

어두운 거실로 들어오는 선재. 피곤한 듯 머리를 쓸어 올리며 걸어간다. 드레스룸으로 들어온 선재. 외투를 벗고, 시계를 끌러 디바이더 장에 넣고. 그런 지극히 일상적인 모습. 주머니에서 꺼낸 핸드폰과 지갑을 장 위에 올려두는데 멈칫... 장 위에 놓여 있는 *빈티지 태엽시계를 들어 본다. 태엽을 다시 감아놓으며 생각에 잠긴 선재. 시계를 가만 보다가 지갑을 들어 열어본다.
지갑 안쪽에 끼워놓은 사진을 꺼내는데... 과거에 솔과 전주에서 찍은 사진이다. 입가에 살짝 미소가 번지는 선재. 벽에 비스듬히 기대서서 한동안 사진을 본다. 여러 기억들이 스쳐 지나가는 듯, 많은 감정이 담긴 깊은 눈으로.

씬/63 솔이네 아파트 입구 (N)

솔, 지친 듯 걸어오는데 누군가 솔을 지켜보고 있는 듯한 수상한 시선 컷.
한편, 솔이 아파트 입구로 올라가려는데, 택시 한 대가 천천히 다가오다 바로 옆에 멈춰 선다. 솔, 택시 보자마자 화들짝 놀라 비켜서는데.
택시에서 내리는 사람, 복순이다. 안도의 숨 내쉬는 솔.

복순	뭘 그렇게 놀래?
솔	아니야...이제 들어와?
복순	보아 사돈한테 맡기고 오느라고 늦었지. 넌 왜 이제 와? 술 마셨어?
솔	쪼금. 춥다. 들어가자. (복순 팔짱 끼고 입구로 들어가는)

씬/64 솔이네 아파트 거실 (D)

늦잠 자고 나온 듯 부스스한 몰골의 솔, 물 마시며 TV 보는데.
뉴스에선 일기예보 나오고 있다.

기상캐스터(E) 오늘은 전국적으로 화창하고 맑을 것으로 보입니다. 낮 최고기온은...
영상 1도로 평년 기온을 되찾겠는데요. 다만 건조특보가 발효 중인 동쪽
지방은 대기가 점점 더 메말라갈 것으로 예상되며 바람도 약간 강하게
불어 작은 불씨가 큰 불로 번지지 않도록 산불과 난방 기구 사용 시 주택
화재 등에 주의하셔야겠습니다.

무심히 흘려들으며 식탁에 물컵 내려놓는데 식탁 위에 놓인 우편물이 보
인다. 보면 검찰청에서 온 우편물(*출소통지서)이고. "뭐지?" 갸웃하며
뜯어보려는데. 그때, 주머니에서 핸드폰 벨소리 울리자 우편물 다시 내
려놓고 전화받는.

솔 여보세요? 네... 본인 맞는데요... (듣다 놀란) 네? 어디라구요?

씬/65 지구대 (D) *40씬 동일 장소

솔(*목도리 착용), 각서 보고 있다. '피해자 류선재 주거지 및 동선 100m
이내에 접근하지 않을 것을 약속합니다. 만약 이를 어길 시에는...'

솔   (한숨) 정말 그 스토커 저 아니라니까요?

경찰   그러게 가만있지 굳이 사과한다고 불러내서는 사람을 분수대에 밀고 그래요~

솔   네?

〈솔 회상 인서트〉 *55씬
호텔 앞에서 선재 물에 빠트리던 컷 짧게 스치는.

솔   (놀란) 그게 선재였어요?? 하...뭐가 이래 진짜...눈을 얻다 달고 다니나고. (무슨 운명의 장난인가 싶고 머리 헝클며 괴로워하는데)

경찰   진짜 고소하려다가 마지막으로 기회 주는 거래요. 그냥 얼른 싸인하고 끝내세요.

솔   (사인하려다) 근데요 100미터 이거 직선 거리예요? 도보 거리예요?

경찰   (정색) 잔말 말고 싸인이나 해요. 그날 콘서트 준비로 바쁜데 시간 내서 갔다가 봉변당한 거라더만. 고의성 있다고 인정되면 가중 처벌될 수도 있...

솔   (O.L) 잠깐, 콘서트 준비요? 콘서트 연말에 이미 했을 텐데?

핸드폰 꺼내 '이클립스 콘서트' 검색해보면 곧바로 정보가 뜬다. 콘서트 시간 장소 확인하고 놀란 표정. 아래 기사 타이틀도 보이고... '5년 만에 완전체 콘서트' '정현수 손목 부상으로 예정보다 2주 미뤄져 치러지는 완전체 콘서트' "미뤄졌다고?!" 철렁한 표정에서.

씬/66 콘서트장 공연 준비 몽타주 (D)

콘서트장에 커다란 현수막, 전광판 광고... 입구엔 벌써 와 있는 팬들로 북적이고. 콘서트장 안은 무대 설치 중인 스태프들 분주하게 움직이는.

씬/67 콘서트장 복도 + 콘서트장 앞 (교차) (D)

동석, 복도 걸어가며 통화하다가 놀란 듯 멈춰 선다.

동석   (황당한 듯) 네? 어디라구요?
솔   (커다란 꽃바구니 들고 다급히 걸으며 통화하는) 직접 만나서 사과도 하고 또 확인할 것도 있고 해서 왔거든요! 잠깐 시간 내주시면 안 될까요?
동석   접근 금지 각서 안 쓰셨어요?
솔   썼어요! 쓰긴 했는데요. 그래도 사과라는 게 만나서 눈을 보고 말하는 게 더 진정성이 있지 않을까 싶은데...
동석   (황당) 됐고요. 각서 내용대로 100미터 내 접근 금지해주세요. 진정성 있게!
솔   그럼 100미터 떨어져서 얘기하면 안 될까요? (하는데)
동석   (O. L) 네 안 됩니다! (확 끊으며) 진짜 웬 또라이한테 걸려서는 (가고)
솔   (전화 끊기자) 여보세요?! 하...어떡하지?

씬/68 몽타주 (D → N)

#1. 콘서트장 입구 (D)

솔   (스태프 붙잡고 명함 꺼내주며) 제가 류선재 씨가 출연 예정인 영화사 직원인데요. 급하게, 아주 급~하게 볼일이 있어서요. 잠깐 들여보내주시면 안 될까요?
스태프1 티켓 없으시면 입장 안 됩니다. (가면)
솔   (어떡하지? 발 동동 구르는)

#2. 콘서트장 앞 (D)

솔   (줄 서 있는 팬들에게 은밀하게) 혹시 나한테 티켓 팔 사람 없어요?
팬들   (황당해하며 솔이 보면)
솔   (손가락 두 개 들며) 200에 살게. (안 통하자 손가락 하나 더 들며) 300.

(그러다 손가락 다섯 개 들며) 500!! 500에 안 되겠니?

팬들　(단체로 소리치는) 여기 암표상 있어요!! 여기요 여기!

솔　암표상이라니! 내가 표를 산다니까? (안전요원 다가오자 후다닥 도망)

#3. 콘서트장 주차장 또는 뒷문 (N)
스태프들에게 양팔 붙잡혀 질질 끌려나오는 솔. "제발 딱 10분만요 ~~~"하는데 스태프들, 솔 쫓아내고 돌아가는. 솔, 울상.

씬/69　콘서트장 대기실 (N)

동석, 한숨 쉬는데 의상 갈아입은 선재가 대기실로 들어온다.

동석　형! 그 영화사 또라이 아까부터 자기가 형 친구라고 제발 만나게 해달라고 난리예요. 차라리 들여보낼까요? 면상 보고 따끔하게 뭐라 하실래요?

선재　제정신이야? 나가서 내 말 똑똑히 전해.

씬/70　콘서트장 입구 (N)

동석, 솔이 앞에 서서 정색하며 얘기하고 있는.

동석　내일 바로 고소장 접수할 거니까 그렇게 아세요! 알아들으셨죠? (들어가려 하면)

솔　잠시만요! 그럼 선재한테 제 이름이라도 좀 전해주세요. (간절하게 명함 꺼내 꽃바구니에 꽂으며) 임솔. 제 이름이에요. 들으면 아마 기억할 거예요. 오해도 다 풀릴 거고. 그러니까 딱 한 번만. 제 말 좀 믿고 전해주세요. 네?

동석　들어가서 고소장이나 기다리세요~ (솔이 붙잡으려 하자 냅다 도망치는)

솔　(놓치자, 버럭) 이렇게 부탁하잖아요! 이봐요! 저기요!!!

씬/71 콘서트장 대기실 (N)

동석, 꽃바구니 들고 대기실 문 열며 들어오는데 아무도 없다. 동석 "벌써 스탠바이 했나 보네." 하다가 꽃바구니 보는. 에라 모르겠다. 대충 휴지통 옆에 내려놓는.

씬/72 콘서트장 일각 (N)

솔. 혹시나 선재가 나올까 싶어 입구 살피고 있는데. 콘서트장에서 공연 시작 알리는 음악 소리 울리기 시작한다. "벌써 시작해버렸네..."

(시간 경과)
솔, 일각에 쪼그리고 앉아 공연 끝나길 기다리고 있는데.

〈콘서트장 인서트〉
무대 위, 핀 조명 아래. 피아노 앞에 앉아 있는 선재.
선재, '소나기' 연주하며 노래하기 시작하는.

#다시 콘서트장 일각
솔, 선재가 부르는 '소나기' 들으며 가슴이 저릿하고, 눈물이 차오른다.

씬/73 콘서트장 앞 거리 (N)

하늘에서 눈 펑펑 내리고 있다. (엔딩까지 쭉 눈 오는)
콘서트 끝난 분위기. 팬들 우르르 밀려 나오고 있고.

솔 　　(눈 내리는 하늘 보며 심장 쿵!) 눈 온단 말 없었는데...?

〈솔 회상 인서트〉*1화 25씬

콘서트 끝나고 눈 내리던 장면.

솔   똑같아...그날이랑! (불안해지는데)

그때, 마주 오던 모자 푹 눌러쓴 남자와 어깨가 부딪히면서 들고 있던 핸드폰을 놓친다. 바닥에 떨어진 휴대폰을 천천히 주워 드는데, 액정에 금이 가 있다!

〈솔 회상 인서트〉*1화 25씬

핸드폰 떨어트려 액정에 금 갔던 장면.

솔, 심장이 철렁... 정말 선재가 죽었던 그날과 똑같이 흘러가고 있는 것 같다!

솔   (불안한 표정) 설마...아니겠지. 아닐 거야... (갑자기 생각난 듯 어디론가 달려가는)

씬/74 콘서트장 대기실 (N)

공연 끝나고 분주한 분위기. 스타일리스트가 무대의상들 정리하고 있다.
그때, 선재가 의상 갈아입고 나와 지친 듯 소파에 털썩 앉는다.
그때, 스타일리스트가 의상 정리하며 꽃바구니를 툭 치는데 꽃바구니에 끼워져 있던 솔이 명함이 선재 발밑으로 떨어져버린다. 선재, 시선 발끝으로 향하는.

씬/75 한강 다리 위 (N)

눈 내리는 다리 위. 솔이 차에서 우산을 펼치며 내려 다리 위로 올라선다.

솔, 혹시 선재 밴이 지나가나 목을 쭉 빼고 스쳐 가는 차들을 보는데. 선재를 기다리며 서 있지만, 사실 오지 않았으면 하는 마음이다.

솔   오지 마 선재야...

〈솔 회상 인서트〉
*1화 30씬. 선재가 휠체어 탄 솔에게 우산 씌워주던 장면.
*1화 47씬. 전광판에 뜬 선재 사망 기사 보던 솔.
*4화 9씬. 장형사, 선재가 죽기 전 마지막으로 만난 사람이 솔이라 말해주던 장면.

#다시 현실

솔   제발 여기 오지 마...

(시간 경과)

솔   (시간 확인하며) 벌써 지나가고도 남을 시간인데...그냥 갔나? 그럼 다행인데...

그때, 주머니에서 핸드폰 진동이 느껴져 꺼내 보면 저장 안 된 번호가 떠 있다. 다시 차가 오는 방향으로 시선 고정한 채 전화를 받는다.

솔   여보세요? (대답 없자) 여보세요... (하는데)
선재(E) 나야.

핸드폰과 뒤에서 동시에 들리는 선재 목소리에 순간 숨이 턱 막히는 솔. 천천히 돌아보면. 선재가 서 있다! 놀란 솔이 핸드폰 든 손을 툭 내리면 선재도 천천히 핸드폰을 내린다. 다른 손엔 솔이 명함 꼭 쥐고 있는.

솔OFF   이렇게...오면 어떡해...

솔, 그럼에도 눈앞에 살아 있는 선재를 보자 반갑고 벅차서, 눈물이 차오른다. 저도 모르게 선재 쪽으로 성큼 다가가 선재 머리 위에 우산을 씌워준다!
우산 아래에서 잠시 말없이 마주 보고 서 있는 두 사람...

선재   (여러 감정 올라오지만 담담한 척 입을 뗀다) 오랜만이네.

솔   (눈물을 참느라 겨우 대답하는) 응...오랜만이야.

선재   ...그래.

솔   ...

선재   근데 여기 왜 이러고 서 있어? (앞에 세워진 차 보며) 차 고장 났어?

솔   (고개 저으며) 아니...너 기다렸어.

선재   내가 여기로 올 줄 어떻게 알고 기다려?

솔   올 것 같았어.

선재   너 못 봤으면 어쩌려고?

솔OFF   근데 오지 않았으면 했어... (눈물 날 것 같은)

선재   ...여전하네 넌. (잠시 정적 흐르고) 어디 가서 차 한잔할까? (했다가 아쉬운 듯) 아, 너무 늦었나?

솔   (그제야 왜 선재를 만나려고 했는지 다시 떠오른) 아니! 난 괜찮아...

그때, 살짝 빵- 하는 클랙슨 소리에 선재 돌아본다.
동석이 창밖으로 머리 내밀고 소리치는.

동석   끊어서 정말 죄송한데요~ 다들 형 왜 뒤풀이 안 오냐고 전화 오고 난리예요!

선재   (짜증스럽게 동석 쪽 보는)

솔OFF   이대로 보내면 안 되는데...!

동석   빨리 가야 될 것 같아요! 혀엉~~~

선재   (짜증 나 한숨) 잠깐만. (우산 밖으로 나가며 동석 쪽으로 가려는데)

솔   (선재 팔 붙잡으며 O.L) 안 돼! 가지 마.

선재   ?? (놀란)

솔	가면 안 돼.
선재	뭐?
솔	그러니까, 그게. 내 말은...!
동석	(클랙슨 울리며) 허엉!! (소리치자)
솔	(다급해진다) 오늘 같이 있자!
선재	(심장이 쿵)
솔	우리 오늘 밤 같이 있자고. 너랑. 나랑.
선재	!!!!!! (놀란 표정)

히어로 Hero

감독: 최윤수

120.　도로 일각 – 실외/밤

빠른 속도로 도로 일각을 달려가는 좀비 떼들. 그리고 북한 장교가 그 뒤를 쫓고 있다.
난동을 부리는 좀비 떼들로 인해 도로는 순식간에 아수라장이 되어간다.
도로 위의 시민들은 큰 혼란에 빠진다.

121.　병원 앞 – 실외/밤

어느새 병원 앞에 도착한 좀비 떼들. 인어와 마주한다. 좀비 떼들의 우두머리가 인어를 향해 돌진한다. 마치 인어의 꼬리를 물어뜯을 것처럼 무서운 기세다.
좀비에게 붙잡힌 인어가 두 눈을 질끈 감는다. 그 순간 어딘가에서 큰 빛이 번진다.
빛이 나는 쪽으로 돌아보면 북한 장교, 우주의 온 기운을 모으고 있다.
좀비 떼들의 눈빛이 두려움으로 번지기 시작한다.
북한 장교, 좀비 떼들을 향해 있는 힘껏 원기옥을 쏘아 날린다.
잠시 후 병원 앞은 시공간이 멈춘 듯 고요한 정적만이 흐른다.
살며시 인어가 눈을 뜨면 원기옥을 맞은 좀비 떼들이 하늘의 별이 되어 승천하는 모습 보인다.
북한 장교, 뚜벅뚜벅– 걸어와 인어 앞에 선다. 무언가 결심한 얼굴이다.

북한장교 　내래 더 늦으면 말 못 할 것 같아서리.. 실은.. 내 고향은 북조선이 아니
　　　　　고... 저기 저 머나먼 별 p-3600 행성이오.

인어　　　(지그시 북한 장교를 바라본다) ...

북한장교 　함께 싸운 동포애로다가... 당신에게만은 솔직해지고 싶었소.

인어　　　그쪽이 아이스크림을 얼음보숭이라고 말했던 순간부터 눈치채고 있었
　　　　　습니다.

북한장교 　(그랬구나..! 싶다가 이제야 마음의 짐을 덜었다는 듯 환하게 웃는다.)

　　　　　좀비와의 대전쟁을 승리로 이끈 북한 장교와 인어. 시민들 환호하기 시
　　　　　작한다. 환하게 웃는 두 사람의 얼굴 뒤로 뜨거운 태양이 떠오른다.

Lovely♡
Runner

35-1

8화

지금껏 멈춰 있던 시간이

이제야 제대로 흐르는 것 같아서.

씬/1   자감고 교정 일각 (D)

(자막) 2022년 6월

포클레인이 나무 뽑으려고 땅을 파내고 있는데, 부앙- 요란한 차 소리가
들린다. 주위에 학교 관계자들과 인부들 돌아보면, 스포츠카 한 대가 끽
하고 멈춰 선다. 포클레인도 작동 멈추고, 사람들... 스포츠카 주목하는데.
차 문이 열리고 슈트 차림에 선글라스를 낀 선재, 큰 삽을 들고 내리는 모
습 slow.

선재   (삽 들고 뚜벅뚜벅 걷다 멈춰 서서) 잠시 뭐 좀 찾아가도 되겠습니까?

인부들   (멍하니 넋 나간 표정으로 보고 있다가) 아, 예...뭐.

선재   (미소) 고맙습니다. (돌아서서 흙밭으로 들어가 푹푹- 능숙하게 삽질하
기 시작하는)

사람들   류선재 아니야? / 맞는 것 같은데? / 왜 여기서 삽질이야? / 여기 졸업생
이에요. / 우와. 싸인 받을 수 있나? (등등 구경하며 웅성웅성)

(컷 튀면)

선재, 다 팠는지 삽을 툭 던지고 숙이고 앉아 구덩이에서 흙을 툭툭 털어
내며 타임캡슐을 꺼내 든다. 사람들 "저게 뭐야?" "알이야 박이야?" 수군
대는.

씬/2 한강 다리 위 + 선재 밴 안 또는 적당한 장소 (교차) (N)

(자막) 6개월 후. 2023년 1월 1일 밤 12시

타임캡슐에서 카메라 빠지면, 선재, 다리 위에서 타임캡슐 들고 서 있다. 어떻게 서 있어야 멋져 보일까, 타임캡슐 옆구리에 꼈다가 두 손으로 들었다가 이런저런 자세 취해보다가, 한 팔을 다리 난간에 걸치고 멋진 척 비스듬히 서 있는.

(시간 경과)

선재   (같은 자세로 서 있는데) 추위 죽겠네. 12시 넘은 지가 언젠데 왜 안 와? (하는데 핸드폰 벨소리 울리자 주머니에서 꺼내 받는) 어 왜.

동석(F)   혀엉! 알 품고 뭐 해요?

선재   (보고 있나? 싶어 주위 휙휙 보는데 동석 안 보이고) 니가 그걸 어떻게 알아.

동석   (통화 중인) 형이 알 품고 한강에 서 있는 거 봤다고 TVS 기자가 연락 왔어요~ 뭐 찍고 있냐고.

선재   ...동석아. 누굴 만나기로 했는데 한 시간이 지나도 안 나타나면 바람맞은 거냐?

동석   한 시간이요? 그럼 잊은 거 아니에요? 언제 약속했는데요?

선재   (표정) 15년 전.

동석   장난해요? 애초에 15년 뒤에 만나자고 한 거면 그냥 평생 보지 말잔 뜻이에요. 왜 순수한 척이야?

선재   ...그런 뜻이야? (실망한 표정)

동석   거기서 팬미팅 할 생각 아니면 빨리 들어가요! (태블릿 화면 보면 SNS에 선재 다리 위에서 타임캡슐 들고 있는 목격 사진 떠 있다) 벌써 사진 찍혀서 올라왔네!

선재   (속상해 전화 확 끊고 아무도 없는 한강 다리 보는데, 솔이 안 올 것 같다. 한숨)

(시간 경과) *7화 33씬
솔, 달려오는데 아무도 없다.

솔   (시간 보는데) 하...너무 늦었나? 혹시 혼자 찾으러 간 거 아니야? (달려 가는)

씬/3   선재네 아파트 앞 + 선재 차 안 (N) *7화 34씬 선재 시점

     선재, 운전하는데 창밖으로 솔이 모습 못 보고 지나쳐 주차장 쪽으로 들 어가는.

씬/4   선재네 아파트 침실 (N) *7화 42씬 이후 상황

솔(E)   꼭 그때 줘야 의미가 있는 선물이거든.

     선재, 쇼핑백에서 타임캡슐 꺼내 조심스레 열어보면, 안에 오래된 태엽 시계와 쪽지가 나온다.
     '다시 흘러가는 시간... 이게 내 선물이야. 이 선물이 정말 미래의 너에게 닿 을 수 있을까? 부디 그러기를 간절히 기도하면서 이 편지를 쓰고 있어. 만약 네가 이걸 보고 있다면 이 말을 꼭 해주고 싶어. 선재야... 고마워. 살아 있어 줘서.'
     선재, 시계를 들어 태엽을 감아보면 멈춰 있던 시계가 다시 움직이기 시 작한다.

선재   다시 흘러가는 시간... (솔의 말을 곱씹으며 시계 보는 모습) (F. O. F. I.)

씬/5   콘서트장 앞 거리 (N) *7화 73씬에서 연결, 영수 시점 추가

솔　　(눈 내리는 하늘 보며 심장 쿵!) 눈 온단 말 없었는데...?

〈솔 회상 인서트〉* 1화 25씬
콘서트 끝나고 눈 내리던 장면.

솔　　똑같아...그날이랑! (불안해지는데)

그때, 마주 오던 모자 푹 눌러쓴 남자와 어깨가 부딪히면서 들고 있던 핸드폰을 놓친다. 바닥에 떨어진 핸드폰을 천천히 주워 드는데, 액정에 금이 가 있다!

〈솔 회상 인서트〉* 1화 25씬
핸드폰 떨어트려 액정에 금 갔던 장면.

솔, 심장이 철렁... 정말 선재가 죽었던 그날과 똑같이 흘러가고 있는 것 같다!

솔　　(불안한 표정) 설마...아니겠지. 아닐 거야...

갑자기 뭔가 생각난 듯 어디론가 달려가기 시작하는데...
뒤에 서 있던 남자, 달려가는 솔의 모습이 인파 사이로 사라질 때까지 보고 있다. 지나가던 팬들, 미동 없이 서 있는 남자를 지나치며 "뭐야..." 짜증 내려다 남자 얼굴을 보곤 흠칫, 시선을 피하며 그대로 지나가면.
남자의 얼굴이 천천히 보여지는데... 영수다! (*한쪽 눈에 커다란 흉터가 있는)

씬/6　콘서트장 대기실 (N) *7화 74씬 연결

스타일리스트가 의상 정리하며 꽃바구니를 툭 치는데 꽃바구니에 끼워

져 있던 솔이 명함이 선재 발밑으로 떨어진다. 선재, 발끝에 떨어진 명함
에 시선 닿고. 명함 주워 드는 선재. '본시네마 임솔' 이름 본 순간, 멈칫.
손이 살짝 떨린다.

선재   (명함 꽉 쥐며) 동석아... 혹시 그 영화사 직원 이름이...임솔이야?
동석   네. 설마 진짜 아는 사이예요? 자기 이름 말하면 형이 기억할 거라고 그
       러던데?
선재   ....!!! (벌떡 일어나 뛰쳐나간다)

씬/7   몽타주 (N)

#1. 공연장 계단 + 복도
선재, 솔이 기다리고 있을까 싶어 빠르게 달려가는 모습.

#2. 콘서트장 입구
눈 내리고 있다. 뛰어나온 선재가 주위 살피며 솔이 찾는데... 솔이 안 보
인다. 그때, 옛날에 솔이 했던 말이 떠오른다.

솔(E)   우리 달리기 시합했던 그 한강 다리 위에서 만나. 그날 같이 꺼내보자.

선재, !!!! 표정. 마음 다급해지는데.
팬들이 선재 보고 소리치며 몰려들자 경호원들 달려온다. 그때, 동석이
승용차 끌고 멈춰 서서 "형! 여기요!!" 하며 소리친다. 선재, 동석 차 쪽으
로 달려가 급히 올라타는 모습.

씬/8   승용차 안 + 한강 다리 위 (N)

선재가 탄 차, 눈 오는 한강 다리 위를 달리고 있다. 선재, 폰에 솔이 명함
에 적힌 번호를 누르는데, 망설이듯 통화 버튼 못 누르는...

동석   한강 다리는 갑자기 또 왜 가는 거예요?

선재, 대답 없이 창밖으로 시선을 돌린다. 한강 다리를 보는데 저곳에서 달리기하던 장면 오버랩 된다. (*3화 33씬) 선재, 마음먹은 듯 통화 버튼 누르자 통화 연결음 흘러나온다. 긴장한 표정. 그때, 우산을 쓰고 서 있는 솔이 모습이 창밖으로 스쳐 지나가는 모습 slow. 선재, !! 순간 동공이 커지며 허리를 세우고 돌아보는.

씬/9   한강 다리 위 (N) *7화 엔딩

차가 급하게 멈춰 서자마자 핸드폰 손에 든 채 문을 열고 튀어나오는 선재. 선재 시선에, 저 멀리... 주머니에서 핸드폰을 꺼내고 있는 솔이 모습 보인다. 환영인가 싶어 눈을 가늘게 좁혔다 뜨는데... 정말 솔이다! 가슴이 쿵. 내려앉고.
한편, 솔이 핸드폰 꺼내 전화받는.

솔   여보세요? (대답 없고, 고개 쭉 빼고 달려오는 차 보며) 여보세요.
선재(E) 나야.

핸드폰과 뒤에서 동시에 들리는 선재 목소리에 순간 숨이 턱 막히는 솔. 천천히 돌아보면. 선재가 서 있다! 놀란 솔이 핸드폰 든 손을 툭 내리면 선재도 천천히 핸드폰을 내린다. 다른 손엔 솔이 명함 꼭 쥐고 있는.

솔OFF   이렇게...오면 어떡해...

솔, 그럼에도 눈앞에 살아 있는 선재를 보자 반갑고 벅차서, 눈물이 차오른다. 저도 모르게 선재 쪽으로 성큼 다가가 선재 머리 위에 우산을 씌워준다! 우산 아래에서 잠시 말없이 마주 보고 서 있는 두 사람...
선재, 솔의 얼굴을 본다. 반갑고 설레고 먹먹한데... 왠지 야속하고 또 안

쓰럽기도 하다. 여러 감정이 뒤섞여 올라오는데 애써 누른다.

선재 (담담한 척 입을 떼는) 오랜만이네.

솔   (눈물을 참느라 겨우 대답하는) 응...오랜만이야.

선재 ...그래.

솔   ...

선재 근데 여기 왜 이러고 서 있어? (앞에 세워진 차 보며) 차 고장 났어?

솔   (고개 저으며) 아니...너 기다렸어.

선재 내가 여기로 올 줄 어떻게 알고 기다려?

솔   올 것 같았어.

선재 너 못 봤으면 어쩌려고?

솔OFF 근데 오지 않았으면 했어... (눈물 날 것 같은)

선재 ...여전하네 넌. (잠시 정적 흐르고) 어디 가서 차 한잔할까? (했다가 아쉬운 듯) 아, 너무 늦었나?

솔   (그제야 왜 선재를 만나려고 했는지 다시 떠오른) 아니! 난 괜찮아...

그때, 살짝 빵- 하는 클랙슨 소리에 선재 돌아본다.
동석이 창밖으로 머리 내밀고 소리치는.

동석 끊어서 정말 죄송한데요~ 다들 형 왜 뒤풀이 안 오냐고 전화 오고 난리예요!

선재 (짜증스럽게 동석 쪽 보는)

솔OFF 이대로 보내면 안 되는데...! (불안한 표정에서)

〈솔 회상 인서트〉 *4화 9씬
장형사, 솔에게 선재가 죽기 전 마지막으로 만난 사람이라 하는 장면.

동석 빨리 가야 될 것 같아요! 혀엉~~~

선재 (짜증 나 한숨) 잠깐만. (우산 밖으로 나가며 동석 쪽으로 가려는데)

솔   (선재 팔 붙잡으며 O. L) 안 돼! 가지 마.

선재 ?? (놀란)

솔	가면 안 돼.
선재	뭐?
솔	그러니까, 그게. 내 말은...!
동석	(클랙슨 울리며) 혀엉!! (소리치자)
솔	(다급해진다) 오늘 같이 있자!
선재	(심장이 쿵)
솔	우리 오늘 밤 같이 있자고. 너랑. 나랑.
선재	!!!!!! (놀란 표정)

선재, 잠시 말문 막혀 서 있다가 애써 평정심 유지하며 묻는다.

선재	그게 무슨 말이야?
솔	말...그대로인데...왜?
선재	너랑, 나. 둘이?
솔	(간절한) 응. 가지 말고 나랑 있자.
선재	(잠시 생각하며 솔이 빤히 보다가) 그래. 같이 있자.
솔	!!!
동석	(차에서 내려 달려오며) 혀엉~~ 이러고 있다가 누가 보기라도 하면 어쩌려구요!
선재	(동석 보며) 니가 가서 나 못 간다고 좀 전해. (하며 솔이 차 쪽으로 성큼성큼 걸어가 운전석 문을 열고 올라탄다)
동석	(당황) 형! 어디 가는데요?! (소리치고)
선재	(조수석 창문 내리며 솔에게, 마치 자기 차인 양) 안 타?
솔	타! 타! (후다닥 우산 접으며 차에 올라타고)
동석	어어?! (쫓아가는데 솔이 차 붕 출발하자 황당한 표정에서)

씬/10 솔이 차 안 + 도로 위 (N)

말없이 앞만 보며 운전하고 있는 선재. 신경은 온통 옆에 앉아 있는 솔에게 가 있다. 긴장되고, 떨리는데 애써 숨기려 핸들을 꽉 쥔다.

솔	(선재 힐끔 돌아보며) 저기...운전을 내가 했어야 되는데...
선재	(돌아보지 않고 대답하는) 눈이 와서 길이 얼었더라. 내 목숨 맡기고 덜컥 타기엔 니가 운전하는 걸 본 적이 없어서.
솔	나 이래 봬도 10년 무사고 운전 경력인데...믿어도 되는데... (하는데 선재 대답 없자 더 어색해지는 분위기) 잘...지냈어?
선재	(많은 감정이 올라오지만 담담하게) 어때 보여?
솔	좋아 보여...
선재	그럼 그런 거겠지.
솔	요즘 힘든 일은 없고?
선재	...딱히?
솔OFF	정말이지? 잘 지낸 거 맞지?
선재	넌. 어떤데?
솔	나야 뭐...잘 지낸 것 같아. 아픈 데 없이 건강하고, 직업도 생기고.
선재	(생각이 많은) 다행이네.
솔	(정적이 흐르자 숨 막힐 것 같은 분위기 깨보려) 근데 우리 어디 가?
선재	음...둘이 조용히 있을 수 있는 곳? 다 왔어.
솔	응? (창밖 보면 호텔 보인다! OFF) 호텔?! (심장 쿵!)

씬/11 호텔 엘리베이터 (N)

솔, 엘리베이터 타자마자 선재가 성큼 뒤따라 탄다.
솔, 움찔! 하며 엘리베이터 구석으로 바짝 기대서고.
솔, 혹시 누가 볼까 싶어 목도리를 더 칭칭 감아 얼굴의 반을 가린다.

솔OFF	뭐야. 뭔데. 왜 호텔로 데려온 건데?! (콩닥콩닥)

〈솔 회상 인서트〉 *9씬
솔이 "우리 오늘 밤 같이 있자고. 너랑. 나랑." 했던 컷 짧게 스치고.

솔OFF	뭐야...혹시 그 밤을 진짜 뜨밤으로 오해한 거 아니야? 어떡해! (얼굴 벌 겋게 달아올라 손부채질하며 어쩜 좋지? 안절부절)
선재	(생각에 잠겨 있다가 그런 솔이 보며) 벗지 그래?

순간, 솔이 시선에 "벗지 그래?" 하는 선재 말투, 표정 묘하게 야릇하게 보인다.

솔	(눈 질끈 감았다 뜨고, 외투 움켜쥐며 버럭) 여, 여기서 어떻게 벗어?!
선재	(??) 더운 거 아니야? (하며 손으로 칭칭 감은 솔이 목도리 가리키는)
솔	아...! (목도리 살짝 내리며) 하하하...괘, 괘, 괜찮아... (잔뜩 긴장한 표정)

씬/12 호텔 복도 (N)

뚜벅뚜벅 걸어가는 선재를 한 걸음 뒤따라 걷는 솔. 심장이 마구 뛴다.

솔	(어색하게 웃으며) 하하하...여기 자주 와봤나 부다. 아주 거침이 없네.
선재	뭐. 아무래도 익숙한 장소를 선호하는 편이라.
솔	선호하는 장소도 있어?
선재	분위기가 좋아서.
솔OFF	분위기는 뭔 분위기! (복도에 'suite room' 방향 표시 보고 헉! 해서 선 재 옷소매를 다급히 붙잡으며 ON) 저기 선재야!
선재	?? (복도 코너 돌기 직전 멈칫. 돌아보는)
솔	우리 여기 말고 딴 데 갈까?
선재	왜, 여기 맘에 안 들어?
솔	아니, 맘에 들고 안 들고가 문제가 아니라...!
선재	그럼 들어가자. 보는 눈 없이 둘이 있을 수 있는 곳은 여기밖에 없어. (가 려는데)
솔	(헉! 다시 붙잡으며) 선재야! 하...그래. 내가 오늘 밤 같이 있자고 했지, 했어. 근데 내가 말한 그 밤이 그 밤은...그러니까 뜨밤을 얘기한 건 아니 었거든.

선재 뜨밤?

솔 웅. 뜨거운 밤. (말하는 동시에 양 볼 핑크빛으로 뿅뿅 달아오르는 CG)

선재 !!! (말문 막히는데)

솔 (수줍게 다다다) 물론 너랑 내가 모르는 사이도 아니구 과거에 썸~ 비슷한 그런 것도 있긴 했지. 뭐 어떤 사람들은 오랜만에 만난 동창끼리 뜻이 맞으면 서론 본론 건너뛰고 결론부터 짓고 보는 경우도 있다고 그르긴 하드라. 근데... (코트 꽁꽁 여미며) 미안하지만 나는...좀...보수적인 편이거든.

선재 (갸웃하며 듣다 무슨 말인지 알아채고 허걱) 도대체 뭘 생각을... (하냐 하려는데)

솔 (O. L) 그렇다고! 그런 쪽으로 생각한 널 비난하는 건 절대 아니야~ 가치관이 다른 것뿐이지 성인남녀가 이런 데 와서 분위기 좋고 그러면! 뭐 그럴 수도 있지. 근데 내가 오늘 밤 같이 있자고 한 건 정말 뜨밤을 보내자는 그런 뜻은 아니야. 미안해...

선재 미안해할 필욘 없을 것 같은데? (살짝 비켜서서 안내하듯 팔 뻗으면)

솔 (수줍게 귀 넘기며) 그래두 괜한 오해하게 해서 미안하지... (하며 돌아보는데 slow. 커다란 출입문이 활짝 열려 있고 그 안으로 호텔 바 보이자 쿵!!! 경악스런 표정)

선재 (인사하는 직원에게) 분.위.기. 좋은 자리로 안내해주세요. (들어가면)

솔 (하얗게 질린 표정. 들고 있던 가방 툭 떨어트리는 데서)

씬/13 호텔 바 조용한 자리 (N)

따뜻한 차 나와 있고. 솔, 창피해서 고개를 테이블에 거의 박을 듯 숙이고 있다.

선재 보수적인 널 하필이면 여기로 데려왔네. 사람 많은 곳은 좀 불편해서. 이해하지?

솔 (숨고 싶다. 고개 더 숙이며) 그럼. 니가 유명인이라는 걸 내가 깜빡했네...

선재 (그런 솔을 보며 웃음 터질 것 같은데 꾸욱 참고 차 마시며) 근데 왜 찾아왔어?

솔   아, 그게...사과하려고. 어제 너 분수에 빠트린 건 정말 영화 때문에 앙심 품고 그런 게 아니구 실수였거든. 급히 나가다가 넌 줄 모르고.

선재   (이해한다는 듯) 그래. 알고 그랬을 리 없지. 고소 건은 잊어버려. 다른 일로 신고했는데 어쩌다 경찰이 너를 데려갔는지 모르겠다. 곤란하게 해서 미안해.

솔   난 괜찮아...

선재   (떠보는) 근데 나 찾아온 이유. 그게 다야?

솔   응?

선재   (아닌 척) 난 또, 타임캡슐이었나? 그것 때문에 찾아온 줄 알았지?

솔   (놀라) 그 약속 기억해?! 혹시 그날 갔었어?

선재   (정색하고 O. L) 아니? 내가 좀 바빠! 굉장히.

솔   아, 안 갔구나...다행이다.

선재   (헛기침하며 떠보는) 넌? 갔었어? (물어보고 살짝 긴장해서 발끝을 까딱이는데)

솔   어? (미안해할까 싶어) 아니. 나도 안 갔어.

선재   (실망) 뭐 대단한 거라도 넣어놓은 것처럼 그러더니. 안 찾아도 괜찮아?

솔   괜찮아. 내 바램은 이루어졌으니까. (하며 선재 보는데 왠지 눈물 날 것 같다) 너 이렇게 다시 보니까 정말... (이 감격 다 말할 수 없고) 반갑다...

선재   이제 좀 괜찮아졌나 보네. 그때 일 이후로 나 보는 거...무서워했잖아.

솔   그때...일?

선재   (솔이 표정 살피는데, 마음 안 좋을까 싶어 말 돌리는) 아니야. 영화감독 되고 싶다더니 정말 영화 쪽에서 일하고 있었네. 일은 어때?

씬/14 술집 (N)

콘서트 뒤풀이 장소. 이클립스 멤버, 스태프들 모두 술 마시는 분위기.
한편, 인혁이 뒤풀이 장소 나오게 셀카 찍더니 SNS에 바로 사진 업로드한다. '5년 만에 완전체 콘서트. 하얗게 불태웠음. 감사하고 사랑해요.' (류의 멘트) 올리자마자 쭉 달리는 댓글들. 그중에 몇몇 댓글 눈에 들어

온다. '류선재는 뒤풀이 안 가고 여자랑 호텔 갔던데?' 'ㅇㅇ 나도 봤음'
인혁, !!! 놀란 표정.

씬/15 호텔 바 조용한 자리 (N)

선재 폰으로 인혁에게 전화 걸려 온다. 거절 버튼 누르는데 이내 다시 걸
려오는.

선재   왜 자꾸 전화야...잠깐만. (한숨 쉬며 전화받는) 왜.

인혁(F) 너 셸턴호텔 갔지! 너 여자랑 그 호텔 들어갔다고 SNS에 목격담 쫙 퍼졌
        어! 너한테 콘서트 끝나자마자 만나러 갈 여자가 있었어? 누구야? 응? 누
        구냐고~

선재   (한숨) 알 필요 없어. (하는데)

인혁(F) 어차피 낼 아침 기사로 다 알게 될 텐데 이러기야? 벌써 디스패치가 호텔
        어딘가에서 잠복 중일 텐데?

선재   (주위에 기자 있나 살피다 솔이 보는) 하...끊어. (끊고 짜증 난 듯 미간 찌
        푸리는)

솔   ...왜?

선재   (아쉬운) 미안한데, 그만 일어나야겠다.

솔   (놀라) 벌써? 아니 아직 얘기도 많이 못 했는데...

선재   기자 따라붙은 것 같아. 너 먼저, 아니 내가 먼저 나갈 테니까 천천히 마
        시고 가.

솔   (시간 보면 밤 12시쯤인. OFF) 이대로 보내면 안 되는데? (ON) 더 있으
        면 안 돼?

선재   괜히 사진 찍혀서 기사 나면 너 피곤해져. (매니저한테 전화 오자 급히
        일어나는)

솔   선재야 잠깐. (따라 일어나면)

선재   (솔이 목도리 괜히 끌어 올려주며) 혹시 모르니까 얼굴 가리고 나가. (아
        쉬워 발길 잘 안 떨어지는) 연락...할게. 다시 만나서 얘기하자. (하는데
        전화 걸려오자) 조심히 가. (전화받으며 급히 나가는)

솔   (불안한 표정)

씬/16 호텔 복도 + 지하 주차장 + 승합차 안 (교차) (N)

#호텔 복도

선재   (동석과 통화하며 걸어 나오는) 어디야?
동석(F)   밴 픽업해서 도착했어요. 주차장으로 내려와요!
선재   (엘리베이터 버튼 누르며) 기자들은?

#지하 주차장
선재 밴 앞에 선 동석이 주위 둘러보면 구석에 선팅 짙은 승합차 보이는.

동석   딱 봐도 취재차로 보이는 승합차 한 대 서 있긴 해요.

#승합차 안
승합차 안에 기자 두 명 타 있다. 카메라 줌 당겨서 선재 밴 보고 있는.

#호텔 복도
선재, 짜증 난 듯 한숨. 엘리베이터 도착하자 아쉬운 듯 돌아보곤 올라탄
다. 문이 닫히면 뒤늦게 달려오는 솔. 엘리베이터 버튼을 초조하게 누르
는데...
그때 호텔 직원이 카트에 호텔 전용 우산을 잔뜩 싣고 걸어온다.

솔   (뭔가 떠오른 듯) 저기, 부탁드릴 게 있는데요!

씬/17 지하 주차장 엘리베이터 앞 (N)

엘리베이터에서 내린 선재. 솔이 번호를 저장하며 주차장 쪽으로 걸어

나가고 있는데... 그 순간, 누군가 선재 팔을 확 잡아당겨 돌아보면, 목도리로 얼굴을 칭칭 감은 솔이 커다란 우산을 펼쳐 선재 머리 위에 씌운다. 선재, 놀라 잠시 멍하니 서 있는데. 솔이 우산을 옆으로 기울이더니 선재 팔을 확 잡아끌고 주차장 밖으로 뛰어나가기 시작하고, 얼결에 끌려가는 선재.

씬/18 승합차 안 + 지하 주차장 + 솔이 차 안 (N)

#승합차 안
승합차 안에서 대포카메라 들고 선재가 나오길 기다리고 있던 기자들.
일각에서 갑자기 나타난 커다란 우산이 차들 사이를 둥둥 떠다니는 모습 보는.

기자1   저게 뭐야... (우산 아래로 뛰어가는 두 사람 다리가 보이고)

#지하 주차장
우산으로 몸 가리고 뛰어오는 솔, 선재.
한편, 달려오는 우산 발견하곤 밴에서 내린 동석이 서둘러 뒷좌석 문 열면서 선재 태우려고 폼 잡는데. 선재 팔 꽉 잡고 끌어당기는 솔, 동석을 밀치며 그대로 지나쳐서 달려간다. 동석, !!! 황당한 표정으로 돌아보면. 솔, 일각에 세워둔 자기 차로 달려가 조수석 문을 열어 선재를 밀어 넣으려 한다.

선재   (버티고 서서) 뭐 하는 거야! 사진 찍히고 싶어?
솔   너야말로 찍히고 싶지 않으면 어서 타! 타! (선재 허리 확 접어 짐짝처럼 마구 구겨 넣고 운전석 쪽으로 돌아가 차에 올라타는. *최대한 안 들키려 노력하며)

#솔이 차 안

선재	(황당) 도대체 어쩔 생각이.. (야? 하려는데 솔이 훅 다가오자 놀란) !!!

솔, 빠른 동작으로 선재에게 벨트 채워주곤 조수석 등받이를 확 눕힌다. 등받이가 뒤로 넘어가면서 솔이 덮치듯 내려오자 헉! 얼음이 된 선재!

솔	투샷만 안 찍히면 기사 나도 아무도 안 믿어. (일어나 비장하게 시동 거는)

#지하 주차장
솔이 차가 주차장 빠져나가고, 동석, 그 광경을 벙찐 표정으로 보고 있는.

씬/19 솔이 차 안 + 도로 위 (N)

솔, 운전하고 있고, 선재, 등받이 올리며 일어나 앉는데, 황당한 표정.

선재	이게, 무슨 상황이지?
솔	하하. 무슨 상황이긴. 내가 운전하고 넌 옆에 타 있지.
선재	그러니까 갑자기 왜 끌고 탄 거냐고. 무슨 보쌈하는 것도 아니고.
솔	(둘러대는) 에이. 어떻게 스토커도 있는 연예인을 혼자 보내? 차도 없는데.
선재	매니저 와 있었는데?
솔	(몰랐던 척) 어머. 그랬어? 못 봤네? 기왕 탔으니까 내가 집까지 잘 데려다줄게. 나 운전 잘해. 10년 무사고 운전 실력이라니까? 하하.
선재	(못 말린다는 듯 한숨 쉬며) 예나 지금이나 무대뽀로 밀어붙이는 건 똑같네.
솔OFF	무대뽀로 밀어붙여보자 한번. (비장한 표정)

씬/20 솔이 차 안 + 선재네 아파트 주차장 (N)

선재, 당황스런 표정에서 빠지면... 솔이 차 주차되어 있고.

선재	이 시간에...내 집에 올라가자고?
솔	(끄덕이는)
선재	(살짝 긴장) ......왜?
솔	그게... (눈알 굴리다가 핑계) 실은 아까부터 좀 급해서. 화장실 좀 쓰면 안 될까?
선재	뭐?
솔	(급한 척 연기) 헉! 급해 급해! (후다닥 차에서 내려 급한 척 막 뛰면)
선재	!!!! (표정에서)

씬/21 술집 (N)

다른 멤버들 스태프들이랑 술 마시고 있고. 일각에서 인혁, 동석과 대화 중이다.

인혁	(얘기 들은 듯) 선재가 여자랑? 진짜야?
동석	진짜죠 그럼. 그 여자가 선재 형한테! 오늘 밤 같이 있자고 막...어후.
인혁	(헉! 소리치려다 입 막으며) 와. 적극적인 여성이네? 그래서 어디로 튀었는데?
동석	밤을 같이 보낼 곳이 호텔 아니면 어디겠어요. 집으로 갔겠지.
인혁	집? (므흣한 표정 짓다 표정 굳는) 선재 집?! 거긴 안 되는데?!
동석	왜요?
인혁	내가 게임 광고 찍고 게임 회사에서 선물을 하나 받았거든? 그걸 오늘 아침에 선재네 집에...버렸거든.
동석	무슨 선물인데요?

씬/22 선재네 아파트 거실 (N)

현관문 열고 먼저 거실로 들어서는 선재. 헉! 입이 떡 벌어진다.
보면, 커다란 실물 크기 여자 피규어 세워져 있는. (*섹시한 차림의 게임

캐릭터) 솔이 뒤에서 들어오자, 선재, 휙 돌아서서 솔이 시야 차단하며 막아선다.

선재　(솔이 어깨 잡고 돌려세워 밀고 가는) 화장실은 이쪽이야. 자. 자. 여기. (빠르게 화장실 문 열고 솔이 밀어 넣는) 천천히 좋은 시간 보내고 나와!

문 쾅 닫고 돌아서는 선재. 후다닥 뛰어가서 치우려는데 피규어 허리를 잡으려다 멈칫한다. 만지려니 민망하고... 소파 위에 블랭킷을 들어 피규어 허리를 둘둘 감아 번쩍 드는데 꽤 무겁다. "뭐가 이렇게 무거워!" 이걸 어디 숨겨야 되나 허둥대며 주방 아일랜드 식탁 뒤로 가서 바닥에 눕혀 놓는데. 피규어 머리가 삐죽 나와 거실에서 보면 다 보이게 생겼다. 안 되 겠다 싶어 다시 번쩍 들쳐 메고 드레스룸 쪽 가려는데 화장실에서 물소 리 들리자 헉! 놀라며 침실 쪽으로 달려가는.

씬/23　선재네 아파트 침실 (N)

선재, 피규어를 침대 위에 던져 눕히더니 이불을 확 덮어 가린다. (*협탁 에 타임캡슐, 태엽 시계 놓여 있는데, 여기선 보이지 않게)
선재, "하...백인혁 이 자식." 씩씩대는.

씬/24　솔이네 아파트 입구 (N)

복순, "오밤중에 뭔 일이래..." 하며 말자 데리고 나와 대기하던 택시에 올 라탄다.
택시 떠나면, 차 한 대가 아파트 앞에 멈춰 서고. 차에서 내린 한 남자(*태성)가 솔이 사는 아파트를 올려다보는 뒷모습. 수상해 보인다.

씬/25　선재네 아파트 화장실 (N)

솔	(거울 보며) 결국 집까지 밀고 들어왔네. 기왕이면 좋은 이미지로 재회하고 싶었는데... (한숨 쉬다 정신 다잡는) 지금 이미지 챙기게 생겼어? 오늘은 절대 선재 혼자 두면 안 돼. (나가려는데 복순 전화 와서 받는) 어. 엄마.
복순(F)	너 어디야?
솔	밖이야. 왜?
복순(F)	집에 수도가 동파돼가지구 할머니랑 택시 타고 금이네 가고 있어. 이놈의 집구석 이사를 가든가 해야지...너도 이따 이쪽으로 오라구.

씬/26 선재네 아파트 거실 + 화장실 안 (교차) (N)

#거실
선재, 침실에서 나와 화장실 쪽으로 가는데 안에서 솔이 목소리 들린다.

솔(E)	나 오늘 안 들어갈 거야. 자고 들어갈게 걱정 마.
선재	자고 가?!!! (심장 쿵. 걸음 멈추는)

#화장실 안

복순(F)	니가 밖에서 잘 데가 어딨어? 혹시! 남자랑 있어?! 그런 거면 허락하구.
솔	(피식) 남자랑 있네요. 됐지?

#거실

솔(E)	암튼 오늘 안 들어갈 거니까 나 찾지 마!
선재	!!! (얼어붙어 서 있는데)

〈선재 회상 인서트〉 *9씬
"오늘 같이 있자! 우리 오늘 밤 같이 있자고. 너랑. 나랑."

선재OFF   그 밤이 그 밤이 아니라며?! (가슴 벌렁거리자 손바닥으로 지그시 누르는)

그때, 안에서 솔이 전화 끊은 듯 나오려는 소리 들리자, 선재, 번뜩 정신 차리고 소파 쪽으로 달려가 다리 꼬고 앉아 얼른 아무 잡지 집어 들고 보는 척하는데, 거꾸로 든. 그때, 화장실 문 열리고 솔이 쭈뼛쭈뼛 나온다.

선재   (잡지 거꾸로 든 줄도 모르고 여유로운 척 휘릭 넘겨 보며) 어. 나왔어?
솔   응... (벽시계 보면 새벽 1시 좀 넘은 시간이고 OFF) 뭘로 시간을 끌지?
선재   (왠지 모르게 초조해져 발끝 살짝 떤다. 잡지 보는 척하며 슬쩍 솔이 살피며 OFF) 왜 저래? 설마 진짜 안 가려는 건가?
솔   (괜히 집 둘러보며 어색하게 감탄하는) 근데 이야..! 너 집 되게 잘해놓고 사는구나아~~ 나 집 구경 좀 잠깐 시켜주면 안 돼?
선재   (정말 시간 끄는구나 싶다! 순간 솔이 말 계속 떠오르는) !!!
솔(E)   나 오늘 안 들어갈 거야. 오늘 안 들어갈 거야. 오늘 안 들어갈 거야.
솔   (눈치 보며) 안 돼?
선재   ...돼.

씬/27 몽타주 (N)

#1. 거실
솔, 거실 TV, 스피커 등등 "우와!" 하며 하나하나 자세히 보며 돌아다니면. 선재, 흠... 왜 저러나 하는 표정으로 쫓아다닌다.

#2. 드레스룸

솔   (둘러보며) 와. 어마어마하다. 옷 정리하려면 밤 꼴딱 새겠어~
선재   집 구경하다 밤새겠다. 나와.

#3. 수집품&장식품 놓인 방

솔이 일각에 벽에 걸린 그림 앞에 서서 진지한 표정으로 감상하는 척.

솔   이 그림이 자꾸 내 시선을 붙드네? 마치 뭐랄까. 영혼까지 사로잡힌 기분
            이야. 유명한 작품들은 몇 시간씩 감상하고 그런다던데 왜 그런 줄 알겠다.
선재   (시간 끄는 건 줄 뻔히 알겠다) 떼 줘? 가져가서 볼래?

#4. 다시 거실

솔   (거실 창에 붙어 서서) 야경 멋있다아. 쪼기 남산타워 보이는데 여기 남
            향인가?
선재   (O. L) 서향.
솔   (민망) 그렇구나. (창가에 놓인 화분들 보며) 이건 무슨 나무야? (향기 맡
            으며) 음. 피톤치드 향 너어무 좋다.
선재   (O. L) 조화야.
솔   (민망) 그렇구나. 꼭 진짜 같아서 착각했네. (선인장 꾹 찔러 만져보는)
선재   그건 진짠데? (말하는 순간)
솔   (선인장 가시에 찔리는) 앗!
선재   (놀란) 찔렸어? 봐봐. (솔이 손을 잡아 들고 가까이 살펴보는)
솔   (상처 살피는 선재 보는데 과거 장면 떠오르는)

〈솔 회상 인서트〉 *4화 63씬
선재, "다친 덴 없어? 봐봐..." 하며 솔이 얼굴 살피던 모습.

솔   (두근거려 손 살짝 빼며) 괜찮아...
선재   (아, 오버했다. 어색하게 손 거두는)
솔   (눈 마주치자 크음... 눈 피하며) 고마워. 지, 집 구경이나 마저 할까? 어디
            안 봤지?
선재   침실. 거기도 보여줘야 돼?
솔   어? (민망) 아, 아니...
선재   그럼 다 봤네. 갈까? (하며 가려는데)
솔   !! (또 붙잡는) 저기 선재야! 너...혹시 배 안 고파? 나...라면 먹고 가면 안

돼?

선재   !!! (얘가 진짜 뭔 소리를 하나, 또 솔이 말 귀에 맴도는)

솔(E)   나 오늘 안 들어갈 거야. 오늘 안 들어갈 거야. 오늘 안 들어갈 거야.

솔   (눈치 보며) 안 돼?

선재   (침 꼴깍) ...돼.

인혁(E)   절대 안 돼!!!

씬/28 술집 (N)

술 마시던 분위기. 인혁, 동석 앞에서 흥분해 있다.

인혁   임솔 걔는 절대 안 된다고오! (벌떡 일어나서) 내가 쳐들어가서 뜯어말
        려야겠어.

동석   (다시 끌어 앉히며) 아우. 어딜 찾아가요! 뭘 하고 있을 줄 알고! 선재 형
        첫사랑 만났다니까 질투해요? 이 형이 왜 이러지? 며느리 미워하는 시어
        머니처럼?

인혁   임솔이라는데 당연히 밉지! 걔는! 싸가지가 없거든...하여간 의리도 없
        고! 매정하고! 근데 이제 와서 선재 앞에 나타나? 뻔~뻔하기까지 해요
        아주.

동석   옛날에 뭔 일 있었어요?

인혁   뭔 일? (잠시 표정) 있긴 했지. 기껏 살려줬더니 고마운 줄도 모르고...여
        튼! 걘 절대 안 돼. 류선재 이놈도 그래! 십몇 년 만에 보자마자 밸도 없
        이 홀라당 넘어가? 이거 호구처럼 밥상까지 차려 바치고 있는 거 아니
        야??

씬/29 선재네 아파트 주방 (N)

보글보글 끓고 있는 라면에 계란 풀어 넣는 선재. 뒤에서 솔이 선재 눈치
살피곤 식탁 위에 놓인 약통 몰래 들어 보고 있다.

솔	(살펴보는데 영어로 쓰여 있고 OFF) 뭔 약이야...? 우울증 약 그런 거 아니겠지?
선재	(쟁반 들고 식탁 쪽으로 오며 솔이 보는) 약에 관심 있어?
솔	! (얼른 약통 내려놓고 돌아서며) 그냥. 뭔 약인가 해서.
선재	(라면 그릇 내려주고, 약통 하나하나 짚어가며 말해주는) 종합비타민, 오메가3, 루테인, 보충제. (그 옆에 놓인 박하사탕 담긴 유리병에서 멈칫)
솔	(박하사탕 보는 표정, 어색하게 웃는) 영양제 잘 챙겨 먹구 있구나. 다행이다... (하는데 라면 그릇이 하나다) 넌 안 먹어?
선재	지금 그게 넘어가겠어?
솔	그래. 연예인이라고 관리하는구나. 관리할 필요 없는 난 맛있게 먹을게.
선재	(피식, 웃고 만다)

(시간 경과)

국물만 남은 라면 그릇. 솔, 괜히 젓가락으로 휘저으며 시간 보면 새벽 세 시다.

솔OFF	이제 진짜 가라고 할 것 같은데... (하는데 주방에서 선재가 물잔 들고 걸어오자 에라 모르겠다 냅다 식탁에 엎드려 잠든 척하는)
선재	(솔이 잠든 척하고 있자 황당한 표정) ?!
솔	(눈 감고 있는데 선재가 아무 반응 없자 불안해진다. 다리 달달 떨며 OFF) 뭐야? 왜 이렇게 조용해? 뭔 반응이 없어 왜? (한쪽 눈을 아주 살짝 떠 보는데)

선재, 한 손은 식탁, 다른 손은 솔이 의자 등받이를 짚고 솔의 얼굴을 가까이 들여다보고 있다. 솔, 코앞에 있는 선재 얼굴 보고 헉! 다시 눈 질끈 감는데.

선재	(낮게) 일어나지? 안 자는 거 아는데?
솔	(눈 꾹 세게 감으며 오기로 계속 자는 척해보는)
선재	지금 일어나야 덜 민망할 텐데?

솔	(말 끝나자마자 하품하는 척하며 일어나는) 하암. 깜빡 졸았네? 네가 안 깨웠으면 아침까지 쭉~ 잘 뻗했다. (씩 웃는데 선재 양팔에 갇힌 채 앉아 있는 꼴이다. 선재와 눈이 마주치자 바짝 긴장!)
선재	(시선 고정한 채) 너 의도가 뭐야.
솔	(숨 막히는 분위기. 말이 안 나온다)
선재	진짜, 자고 갈 거야?

씬/30 금이현주 집 앞 (N)

복순, 말자 손 꼭 잡고 "다 왔어요 엄마." 하며 걸어가는데.
반팔, 반바지 차림에 실내용 슬리퍼, 위엔 커다란 검은 비닐을 몸통에 뒤집어쓴 남자가 덜덜 떨며 비밀번호를 누르고 있는 수상한 모습.

복순	(화들짝 놀라며) 오메 깜짝이야! 누, 누 누구야?!
말자	오빠야네?
금	!! (놀라 돌아보며) 어, 엄마...할머니!
복순	니가 왜 여깄어? 산후조리원에 같이 있는 거 아니었어?
금	(당황) 어? 뭐 좀 가지러...
복순	(O. L) 지랄 찜 쪄 먹는 소리 말고 똑바로 불어! 조리원에 있어야 될 놈이 왜 이 꼴로 나와 있어?! 너 뭐 사고 쳤지?! 그치!
금	그, 그게... (눈치 보는 표정에서)

씬/31 솔이네 아파트 일각 (N)

순찰 돌던 경비가 아파트 CCTV 앞에 서 있는 남자를 수상하게 보며 랜턴 비추는데... 돌아보는 남자... 태성이다! 경비, "어떻게 오셨어요?" 묻는데. 왜인지 심각, 진지해 보이는 태성 표정.

씬/32 선재네 아파트 주방 (N) *29씬 연결 상황

솔   그, 그게...

선재   (O. L) 본인 입으로 그 밤이 그 밤이 아니랬으니까 딴 맘 품은 것도 아닐 거고...아님 영화 때문인가? 계약해달란 말 하려고 이런 식으로 버티는 거야 혹시?

솔   아니. 그건 오해야.

선재   그래. 진짜 오해하기 전에 설명해.

솔   니가...

선재   내가?

솔   오늘 밤에... (망설이다가) 죽을까 봐.

선재   (실망스런. 그렇구나 하는 말투로) 죽을까 봐.

솔   응...맞아. 그래서 오늘 밤은 꼭 니 옆에 있어야 안심이 될 것 같아서...혼자 보냈다가 혹시라도 후회할 일 생길 것 같아서 이렇게 집까지 쫓아 온 거야.

〈선재 회상 인서트〉 *2화 45씬
"안 좋은 꿈을 꿨어...경기장에서 많이 다치는 꿈을 꿨는데..."

선재   넌 예나 지금이나... (말하다 말고 쓸쓸하게 피식. 웃으며 몸을 일으킨다) 그래. 이번엔 내가 죽는 꿈이라도 꿨나 보네?

솔OFF   어떻게 설명할 수 있을까. 네가 이 세상에서 사라졌던. 그 아픈 시간을. (눈물이 그렁그렁 차오르는데 꾹 참는)

선재   내가 죽긴 왜 죽어. 평소에 무슨 생각을 하고 살길래 그런 꿈을 꿔?

솔   유명인들 인터뷰할 때 정신적으로 힘들단 얘기 많이 하잖아. 실제로 그 것 때문에 안 좋은 선택을 하기도 하고...너도 그런 소문 되게 많아. 류선재 우울증, 류선재 공황장애. 뭐 그런...

선재   (O.L) 나 그런 거 없는데? 우울증, 공황장애.

솔   그래? 정말?

선재   무슨 그런 헛소문을 믿어.

솔   (표정 보는데, 진심인 것 같고) 아니면...다행이구.

선재 (빤히 보다가, 솔이 마음 알고 싶은) 근데 내 걱정을 왜 하는 건데? 이제
      와서.

솔   (오해하고, 무안해져) 그러게. 이제 와서....피곤할 텐데 쉬지도 못하게 했
      다. 미안. 이거 치우고 이만 갈게... (라면 그릇 들고 허둥지둥 일어나면)

선재 (저도 모르게 솔이 손목 붙잡으며 O. L) ...가지 마.

솔   (놀라) 어?

선재 (말하고 놀란) !!

      솔, 잡힌 손목 내려다보는데 심쿵! 순간, 선재가 손목 탁 놓자 동시에 솔
      이 움찔하며 라면 그릇에 남은 국물이 솔이 옷에 쏟아진다. 헉! 당황스런
      두 사람 표정.

씬/33 선재네 아파트 거실 (N)

선재 (갈아입을 옷 건네주며) 좀 커도 대충 입어. (하는데 솔이 옷 들고 뻘쭘하
      게 서 있자) 아...! (가장 가깝게 보이는 침실 문 열어주며) 여기서 갈아입
      고 나와.

솔   ...고마워. (총총 들어가는)

      선재, 괜히 가슴이 벌렁벌렁하고. 소파에 앉았다가, 바로 벌떡 일어나서
      딴생각하려 소파 쿠션을 들고 팡팡 두드리며 먼지 털어대다 갑자기 멈칫
      한다.

      〈인서트〉
      선재 방 침대 옆 협탁에 타임캡슐, 태엽 시계 놓여 있는 컷 스친다.

      선재, 헉! 소름이 오소소 돋고. 들고 있던 쿠션 떨어트린다. 그거 보면 안
      되는데?!

선재 (침실 문 앞으로 후다닥 달려가 급히 문을 두드린다) 저기! 다 입었어?!

씬/34 선재네 아파트 침실 (N)

마침 선재 옷으로 다 갈아입은 솔. "어! 다 입었어..." 대답하는 순간, 방문 벌컥 열리며 선재가 뛰어 들어온다. 솔, !! 놀란 표정인데.

선재 (협탁 확인, 다행히 못 봤구나 싶은) 다 입었음 나가 어서. (내보내려는)

솔, 선재가 왜 이러나 싶어 의아한 표정으로 고개 돌리는 순간. 선재, 헉! 들킬까 싶어 얼른 침대에 이불을 끌어당겨 협탁 위를 덮어버리는데. 침대 위에 고이 누워 있는 실물 크기 여자 피규어 보인다. 솔, 헉! 놀란 표정. 선재, 맞다 이게 있었지!!!! 더 놀란 표정.

솔 (선재랑 피규어 번갈아 보며) 이런 취미가 있었구나...
선재 (솔이 표정 눈치채고 얼굴 시뻘게져서 발끈) 아니야!
솔 (다 안다는 듯 끄덕이며) 이해해...
선재 이해하지 마! 아니야! 날 뭘로 보고! (타임캡슐 안 들키게 이불 끌어안아 들고 피규어 위에 덮으며 해명하는) 이게 뭐냐면! 그니까 분명한 건 내 소유는 아니라는 거야. 나도 집에 들어오기 전까진 이딴 게 있는 줄 정말 몰랐거든?
솔 괜찮아. 혼자 사는 남자 집에 이런 거...하나쯤 있을 수도 있지 뭐. 하하 하...
선재 내 꺼 아니라니까? 하...일단 나가서 얘기해. (데리고 나가려 하면)
솔 (피식, 장난) 왜~ 구경 좀 하자~ (이불 들추면 피규어 다리 보이고) 오...!

선재, 이불 다시 덮으며 솔이 끌어당기는데. 그 순간, 솔과 스텝이 꼬여 침대 위로 같이 쓰러진다. 솔이 위로 엎어진 자세가 된 선재. 눈이 마주치 자 놀란 표정의 두 사람! 입술이 닿을 듯 가깝다. 숨 막히는 분위기. 그때, 현관문 열리는 소리가 들리자 놀란 두 사람 그대로 얼음! 동시에 천천히 고개 돌려보면... 취한 인혁이 좀비처럼 걸어오다 침실 쪽으로 고개를 홱! 돌린다.

순간 놀라 벌떡 일어난 선재, 발로 침실 문부터 쾅 닫고. 솔이 손잡고 허둥대며 붙박이장(*비늘살문) 안에 솔을 숨기며 "잠깐 여기 있어." 하고 문을 닫는데. 동시에 침실 문이 확 열리고, 인혁이 귀신처럼 들어온다.

인혁　(살짝 취한 말투) 선쮀야. 혹시 내가 방금 큰 실례한 거냐?

선재　(시침 떼고) 어? 뭐가?

인혁　여자랑 있는 걸 본 것 같은...

선재　(O. L) 뭔 소리야. (침대에 피규어 가리키며) 이거야! 이거.

인혁　(갸웃) 아닌데? 이거랑 한 명 더 본 것 같은데?

선재　(손가락 두 개 인혁 눈앞에 흔들어대며) 이거 몇 개?

인혁　두 개?

선재　(얼른 하나 접으며) 땡. 한 개. 니가 취해서 잘못 본 거야.

인혁　그런가? (끄덕이며) 근데 너...아까 임솔 만났다며. 집에 데려온 거 아니었어?

〈붙박이장 안 인서트〉

솔, 숨어 있는데 문틈 사이로 인혁, 선재 모습 보이는.

선재　무슨, 차 마시고 헤어졌거든? 너 취했다. 가 어서. (밀고 나가려는데)

인혁　(버티며) 근데 너...아니지? 혹시 아직도 임솔 못 잊... (잊은 거냐 물으려는데)

선재　(인혁 입 틀어막으며 O. L) 아니야! 아니니까 가 어서.

인혁　아니야? (씩 웃으며) 그럼...온 김에 씻고 가야겠다.

선재　(이 악물고) 왜 툭하면 여기서 씻어대냐고...가라고 빨리.

인혁　내가 말했잖아. 니네 집 욕조가 내 스타일이라고. (하며 웃통 홀렁 까면)

〈붙박이장 안 인서트〉

솔, 헉!! 놀라 눈 질끈 감는.

선재　!!! (붙박이장 쪽으로 달려가 몸으로 문짝 가렸다가, 돌아서서 팔짱 끼고

기대서는)

인혁 왜 그래?

선재 (이 악물고 욕실 쪽 턱짓하며) 차라리 빨리 들어가서 씻어...

인혁 반신욕 해도 되지? (호호 웃으며 침실과 연결된 욕실로 뛰어 들어간다)

선재, 인혁이 욕실로 들어간 것 확인하곤 한숨 쉬며 돌아서서 붙박이 문 연다. 선재, 어색하게 서 있는 솔에게 "미안...나가자." 하며 데리고 나가려는데 그때, 인혁이 "야 류선재!!" 달려 나오는 소리 들리자 다시 문 쾅 닫고 돌아서는.

선재 (가슴 쓸어내리며) 또 뭔데! 왜 기어 나와?!

인혁 (목욕가운 입은. 솔, 선재 즉석사진 들고 흔들며) 이거 뭐냐? 이거 뭐냐고!

선재 (한숨, 젠장) 하...그게 또 왜 거기 있어...

인혁 솔직히 임솔 걔가 그렇게 이쁘냐? 난 정~~말 모르겠다? 니 주변에 개보다 이쁜 애가 한둘이냐? 널렸다! 널렸어!

〈붙박이장 안 인서트〉

솔 (눈 부릅뜨고 삐죽이는 OFF) 저놈이?!

인혁(E) 근데 뭐 좋다고 여태 못 잊고 있냐고! 미련하게!

솔 !!! (놀란 표정)

#다시 침실

인혁 은혜도 모르는 싸가지 뭐 좋다고 십 년 넘게 못 잊고 정신 못 차리고 있냐고오.

선재 아니라니까... (젠장, 한숨 쉬며 머리 쓸어 넘기면)

인혁 아니긴! 너 술만 취했다 하면 무슨 진상을 떨었는지 기억 못 하냐?

씬/35 과거 몽타주(인혁 회상) (N) *컷컷 느낌으로 빠르게

#1. 금 비디오&DVD 가게 앞 (N)

(자막) 2012년

건물에 '경축 재개발 확정' '분양 신청 접수' '이주비 신청 안내' 현수막 걸려 있고, 담벼락에 X자 표시되어 있다. 인혁(*모자, 마스크 착용), 뛰어와 보면, 해바라기 화분 놓인 가게 입구 아치 장식 아래, 취한 선재 뻗어 있다. 인혁, 헉! 놀란 표정.

#2. 아파트 공사장 (N)

(자막) 2014년

대단지 아파트 건축 현장. 인혁이 정신없이 막 뛰어오면, 공사장 인부들 둥그렇게 모여 수군대고 있고. 보면 선재, 가게 입구에 있던 아치 장식 아래에서(*가능하다면) 해바라기 화분 끌어안고 대자로 뻗어 있다. 인혁, 어이없어하며 고개 젓고.

#3. 대단지 아파트 놀이터 (N)

(자막) 2019년

취한 선재, 해바라기 꽃다발 끌어안고 그네에 축 늘어져 앉아 있다. 아파트 주민들, 산책하다 흠칫 놀라 피해가고... 그때, 인혁 막 뛰어오는.

인혁   니가 연어냐? 여기 알 낳으러 와? 무슨 회귀 본능이냐고 이게! 술만 마셨다 하면 임솔 집터 찾아와서 청승 떤 지가 벌써 10년이다! 10년!
선재   (취한 말투) 이제 안 와...오늘이 마지막이야...다 잊을 거야... (고개 툭 떨구는 데서)

씬/36 선재네 아파트 침실 + 욕실 (N)

#침실

인혁   이래도 아니야? 첫사랑 못 잊어서 서른 넘도록 제대로 된 연애도 못 해

보고...!

선재   하...씨. (가만두면 안 되겠다 싶고, 성큼성큼 걸어가 인혁을 확 공주님 안 기로 안아 들고 욕실 쪽으로 걸어간다)

인혁   (안긴 채 발버둥 치며) 어어? 안 내려놔?

#욕실

선재, 인혁 욕조에 풍덩 빠트리며 "입 닫고 목욕이나 해." 하고 나가는.

#침실

선재, 욕실에서 나와 보면, 붙박이장 안에서 나온 솔이 침대에 타임캡슐 과 태엽시계 보고 있다. 선재, 다 들켜버린. 체념한 듯 한숨 쉬는데. 두 사 람 눈 마주친다. 솔, 선재 마음 알고 마음이 찌르르...

씬/37 선재 차 안 (N)

선재, 말없이 운전하며 과거 기억 떠올린다.

〈선재 회상 인서트〉
#1. 거리 일각 (D) •2009년 여름
선재, 스무 살 솔 마주 서 있다. 그늘진 표정의 솔. 고개 살짝 숙이고 있는.

선재   (걱정) 좀 어때? 괜찮아? (대답 없자) 너 요즘 학교도 안 나가고...

스무살솔 (O.L) 저기...있잖아. (고개 들면 눈물이 그렁그렁 맺혀 있고)

선재   (솔이 눈물에 놀란) !!

스무살솔 (눈물 꼭 참으며) 고마워...정말 너무 고맙고, 또 고마운데... (울컥)

선재   (마음 알겠고, 안쓰럽게 보는)

스무살솔 널 보면...자꾸 그때 기억이 떠올라서... (울며) 무서워. 그래서 너 못 보겠 어...

선재   (쿵! 깊게 상처받은 표정)

#2. 주택가 골목 (D)

선재, 미친 듯이 달려오는데, 솔이 집 앞에 솔이네 소파, 작은 가구 등 버려져 있고, 솔이네 집, 이사 간 것 같은 분위기다. 선재, 건물 한 번 올려다보곤 비디오 가게 안 들여다보는데... 가게도 텅 비어 있다. 덩그러니 서 있다가 고개 푹 숙이는 선재. 떨리는 손, 들썩이는 어깨... 울고 있다. **M. 김형중 '그랬나 봐'** 이어지고...

#다시 현실

선재, 마음이 복잡하다. 한편 솔, 뭐라 말도 못 하고 손끝만 매만지며 앉아 있는.

솔	(먼저 말 꺼내는) 그 나무...없어졌던데.
선재	...미리 찾아놨어.
솔	그랬구나...그럼 혹시 1월 1일 밤에...
선재	(O. L) 갔었어.
솔	...!
선재	(운전하며 덤덤하게) 그날, 난 갔었다고.
솔	! (선재 돌아보는, 표정)

씬/38 솔이네 아파트 앞 + 선재 차 안 (동틀 무렵)

선재, 내리란 말도 없고, 솔도 안 내리고...
그렇게 한동안 말없이 가만 앉아 있는 두 사람.
솔이 먼저 "선재야..." 말 꺼내자, 선재가 차에서 내린다.

씬/39 솔이네 아파트 입구 (동틀 무렵)

선재, 솔을 아파트 입구까지 데려다주고 멈춰 선다.

선재	(잠시 말없이 서 있다가) ...그럼 들어가. (하며 돌아서려는데)
솔	나도 갔어. 그날...너 만나러.
선재	(멈칫)
솔	내가 좀...늦었거든. 엇갈렸었나 봐.
선재	(끄덕이며) 그래...그랬나 보네.
솔	그리고 있잖아.
선재	... (본다)
솔	나도 너 좋아했어.
선재	......뭐?
솔	(말하고 나니 울컥. 눈물 차오르고) 그때 내 마음 말 못 해서, 상처 줘서 미안해. 이제 와서 이런 말...와 닿진 않겠지만 그래도 미안해. 근데 그땐 나도 어쩔 수가 없었어. 정말로 어쩔 수가 없어서...괴롭고 아팠어.
선재	(지금 무슨 말을 듣고 있는 건지, 혼란스럽고)
솔	언젠가 널 다시 만나게 되면 말하고 싶었어. 나도 너 좋아했다고...보고 싶었다고. (꾹꾹 눌러, 온 마음으로) 정말 정말 간절하게 보고 싶었어 선재야. 지금 이 모습.
선재	(꿈인지 현실인지 믿기지 않는) ....??!!
솔	(경비원 나오자 놀란) 누가 보겠다..! (얼른 눈물 훔치며) 데려다줘서 고마워. 갈게.

획 돌아서 뛰어 들어가는 솔, 마침 1층에 있던 엘리베이터에 얼른 올라 탄다.
한편, 선재. 그 자세 그대로 넋이 나간 채 서 있다가 뒤늦게 정신 차리고 돌아서서 쫓아가 보는데. 솔이 탄 엘리베이터가 이미 올라가고 있는..

씬/40 엘리베이터 안 (동틀 무렵)

솔, 가슴이 뛴다. 가슴에 손을 올리고 멍하니 서 있는.

씬/41 솔이네 아파트 비상계단 + 복도 + 현관 (동틀 무렵)

솔, 현관 비밀번호 누르는 손이 덜덜 떨린다. 간신히 문 열고 들어가는데.
한편, 비상계단을 뛰어 올라와 아파트 복도를 달리는 선재 모습 교차로
보여지고.
솔이 집 현관문 닫히기 직전, 문 사이로 불쑥 들어오는 선재 한쪽 발. 천
천히 틸업하면, 선재가 한 손으로 문을 붙잡고 서 있다.
눈이 마주치자 두 사람, 감정이 휘몰아친다!

선재   그러니까 니 말은. (숨 고르고) 그때 너도 나랑 같은 마음이었다는 거잖
아. 맞아?
솔   (떨린다. 살짝 끄덕이는)
선재   너 나 보고 싶었다며.
솔   (살짝 끄덕이는)
선재   (알면서 묻는 말이다) 그래서? 지금은. (여전히 같은 마음이냐고)
솔   (심쿵한 듯, 숨을 멈춘다) ...!
선재   (솔이 마음 느껴지고) !

그때, 옆집 문이 열리며 누군가 나오는 소리 들리자 흠칫 놀란 솔이 얼른
선재 옷을 붙잡고 현관 안으로 끌어당긴다.

씬/42 솔이네 아파트 현관 (동틀 무렵)

솔이 끌어당겨 현관으로 성큼 들어와 선 선재. 뒤로 현관문이 쿵, 닫힌다.
좁은 현관에 가깝게 마주 선 두 사람. 문밖으로 누군가 걸어가는 발소리
가 점점 멀어지자 고요가 흐른다.
솔, 선재 옷자락을 꽉 움켜쥔 손이 떨리고... 천천히 시선 올리면 자신을
보고 있던 선재랑 눈이 마주친다. 깊은 눈으로 솔을 보고 있던 선재, 비스
듬히 고개를 내려 솔에게 입을 맞추려다 직전에 멈춘다. 허락을 구하듯
솔과 다시 눈을 마주치는데.

그 순간, 심장이 터질 듯해 얼어붙어 있던 솔이 저도 모르게 먼저 다가가 선재에게 짧게 입 맞추고 물러난다. 놀란 듯한 선재와 다시 시선이 얽힌다. 마음이 벅찬 선재, 솔의 얼굴을 확 감싸며 다가가자 솔이 눈을 감는다. 깊게 키스하는 두 사람. 로맨틱한 모습 이어지고.

어느새 아침 햇살이 거실 창에 새어 들어온다.

아쉽게 떨어지는 두 사람. 어색한 듯 웃음 새어 나온다.

선재, 솔의 머리를 뒤로 넘겨주고, 볼을 어루만진다. 서로를 애틋하게 바라보는데. 솔, 선재 이마 헤어라인 쪽에 희미한 흉터가 눈에 들어온다. 살짝 갸웃하며 자세히 보려 손을 들어 선재 앞머리를 쓸어보는데. 선재, 미소 지으며 다시 솔을 끌어안고 입 맞추려는.

그때, (E) 띵동- 초인종 소리. 솔, 화들짝 놀라, 선재를 살짝 밀어낸다.

솔   누, 누구세요?!
관리인(E) 관리실에서 왔는데요! 어젯밤에 수도 동파됐다면서요?!
솔   맞다...죄송한데요. 이따 다시 와주시면 안 될까요?
관리인(E) 안 되는데?! 지금밖에 시간 없어요!
솔,선재   (눈 마주치고, 어떡하지?)

씬/43 솔이네 아파트 복도 + 현관 (교차) (D)

관리인, "뭐야...왜 말이 없대?" 하며 현관문에 귀 대보며 갸웃하는데.
그때, 현관문 벌컥 열리고. 보면, 솔 목도리를 칭칭 감은 선재가 서 있다.

솔   (관리인에게) 안녕하세요! (하곤 선재 등 밀며) 하하하. 날이 춥다. 잘
          가! 오빠!
선재   (오빠 소리에 순간 멈칫! 일부러 버티고 서서 돌아보는) 오빠?
관리인   오빠? (호기심 가득한 눈으로 선재를 빤히 보는)
솔   (어색하게 웃으며) 하하하. 네. 저희 친오빠예요. 아시죠? 얼마 전에 둘째
          낳은.
관리인   에? 첫째 아들? (선재 위아래로 보며) 내가 몇 년을 봤는데 완전 다르게

생겼구만!

솔   성형했어요! 얼굴 싹 갈아엎었었거든요. 하하하. 어서 가! 오빠~~ (선재를
         내쫓듯 확 밀어내고) 들어오세요! (관리인 데리고 들어가며 문 쾅 닫는)

선재   (덩그러니 서 있다가 피식 웃으며 큰 소리로) 오빠 갈게!!

#현관

선재(E) 진짜 간다~ 오빠!

관리인   (솔이 힐끔 보고 피식 웃으며 들어간다) 좋을 때여~

솔   (민망한 듯 얼굴 붉히며 두근두근)

씬/44 선재 차 안 + 선재 밴 안 (D)

벅찬 표정으로 차에 올라탄 선재. 시동 걸려다가 말고 핸들을 붙잡고는
머리를 숙여 손 위에 이마를 붙인다. 깊게 내쉬는 숨결이 떨린다. 꿈같아
서, 이 벅찬 감정을 주체할 수 없어서... 한동안 그 자세로 숨을 고르며 애
써 마음을 진정시키고 있는데.
핸드폰 전화 벨소리가 울리자, 그제야 천천히 전화를 받는 선재.

동석(F) 형. 집 앞으로 가고 있으니까 30분 뒤에 내려오세요.

선재   동석아...혹시 이거 꿈이냐?

동석   (운전하며) 지금 일어났어요? (하다 헉! 하며) 혹시 아직 같이 있어요?
         그 첫사랑.

선재   ...아니네. 꿈. (다시 솔이 아파트 올려다보며) 동석아...스케줄. 취소 안 되
         겠지?

동석(F) 미쳤어요?

선재   (아쉬운 듯, 한숨) 나 밖이야. 샵으로 바로 갈게. 거기로 와. (시동 거는)

씬/45 솔이네 아파트 입구 + 영수 차 안 (D)

선재 차, 출발해서 빠져나가는데 아파트로 돌아오던 경비원이 선재 차를 본다. "차가 요란허다...처음 보는 차네?" 하며 선재 차만 보고 서 있다. 한편, 일각에 주차된 검은색 세단 한 대 보인다. 운전석에 앉아 있는 사람, 영수다! 옆으로 스쳐 지나가는 선재 차를 쭉 지켜본다. 백미러에서 선재 차가 사라지자, 영수, 시선을 옮겨 솔이네 아파트를 천천히 올려다보는 데서...

씬/46 본시네마 외경 (D)

씬/47 본시네마 사무실 (D)

기분 좋게 출근하는 솔. 마주치는 직원들과 인사하는데 살짝 떠 있다. 직원들 "좋은 일 있나 보네~" "로또 됐어?" 하며 지나가고. 솔, 씩 웃으며 자리로 총총 가 앉는다. 솔, 들뜨고 설레서, 얼굴에 꽃받침하고 발 동동 굴러대는데. 자료 들고 다가오던 정훈이 흠칫 놀라고. 고개 절레절레 저으며 뒷걸음질 치는.

씬/48 헤어&메이크업 숍 (D)

스태프들, 수군대며 어딘가를 힐끔힐끔 본다. 팬하면. 거울 앞에 앉아 메이크업 받고 있는 선재. 쿡쿡 웃고 있다. 실장, 다른 스태프들이랑 눈빛 주고받는다. '얘 왜 이래?' 하는 듯한 표정.

선재   (마음 가라앉히고 표정 굳히며 눈 감는) 미안. 계속해. (못 참고 또 웃어버린다)

이대표(E)   웃음이 나와 지금?!

씬/49 본시네마 대표실 (D)

솔, 히죽 웃고 있다가 이대표 구박에 입 앙 다문다.

이대표 이 상황에 웃음이 나오냐고! ('히어로' 시나리오 들고) 이 영화 어떡할 거
       야?
솔   (고개 푹 숙이고 웃음 꾹 참고 있는)
이대표 류선재는 물 건너갔으니까, 다른 A급 배우들 스케줄 확인해보고 시나리
       오 받아볼 수 있는지 체크해봐. (솔이 가만있자) 왜, 할 말 있어?
솔   근데요 이 영화...과연 한다는 배우가 있을까요? (살벌한 표정의 이대표
       와 눈 마주치자 태세 전환) 열심히 체크해보겠습니다. (꾸벅 인사하고 도
       망치듯 나오는)

씬/50 본시네마 사무실 (D)

솔, 자리로 돌아와서 핸드폰 꺼내 본다. 선재에게 전화해볼까 하다가 "바
쁘겠지?" 하며 다시 넣으려는데, 복순에게 전화 걸려 와서 받는.

솔   어. 엄마.
복순(F) (한숨) 너 점심때 조리원에 가서 현주 좀 만나봐. 니 오빠 이혼 당하게
        생겼어!!
솔   (놀란) 그게 무슨 말이야?
복순(F) 금이 이놈이 적금 깨서 친구 사업 투자했다가 반이나 날렸댄다. 현주한
        테 들켜서 어제 맨발로 쫓겨났어!
솔   뭐어?

씬/51 산후조리원 (D)

현주, 아이스 음료를 벌컥벌컥 들이켜는데, 솔이 걱정스런 표정으로 뺏어 드는.

솔   너 찬 거 먹으면 안 되는 거 아니야?
현주   지금 내 속이 활화산이라 얼음이 입에 닿자마자 녹아버려! 봐! (다시 뺏어 마시며 얼음 아그작 아그작 씹으며) 어흐...솔아. 나 왜 이렇게 남자 복이 없냐? 어?
솔   미안하다 친구야...
현주   내 팔자가 왜 니 탓이냐? (한숨 쉬며) 이사 가려고 모으던 돈이었는데 다 망했어.
솔   (눈치 살피며) 그래서...정말 이혼하게?
현주   미쳤냐? 이혼이 장난도 아니고.
솔   ?! (살짝 의외다)
현주   오빠도 둘째 생기니까 똥줄 탔겠지. 집은 좁은데 식구는 늘지, 외벌이라 모이는 돈은 적지...이렇게 될 줄 알았겠니. (솔이 목에 사원증 보며) 니가 젤 부럽다...
솔   ('본시네마' 사원증 보며 표정)
현주   그때 너랑 같이 그 영화사 면접 보러 갔어야 했는데. 그랬으면 같이 학교 다니고 같이 일도 하고 좋았을 텐데. 뭐 급하다고 취직도 하기 전에 결혼부터 했을까?
솔   만약 그때로 다시 돌아갈 수 있으면...오빠랑 결혼 안 할 거야?
현주   (잠깐 생각해보다가 피식) 만약 결혼 안 하면, 내 운명이 바뀌나?
솔   그렇겠지?
현주   그래 운명이 바뀌었다 치자. 근데 바뀐 삶이 더 낫다고 어떻게 확신해?
솔   (말문이 막힌다)
현주   오늘 하루는 더 행복할 수도 있겠지. 근데 내일은? 갑자기 온갖 나쁜 일이 터질지 누가 알아? 어차피 한 치 앞도 모르는 게 인생이고 살아보기 전엔 모르는 거야~ (바구니에 아기가 울자 벌떡 일어나 보며) 울 애기 쉬 쌌져? 아니네? (안아서 어르며) 누가 그때로 돌려보내준대도 운명을 건 도박 같은 거 절대 안 해. 결혼 안 했어봐. 토끼 같은 내 새끼들 못 보는 거 아니야~ (행복한 미소)

솔   (잠시 생각에 잠겼다가, 현주가 아기 안고 어르는 모습 흐뭇하게 보는)

씬/52 버스정류장 + 선재 밴 안 (교차) (D)

솔, 정류장 의자에 앉아 있는데 선재 광고 포스터가 크게 걸려 있다. 입가
에 미소 지어진다. 보고 싶은 마음이 드는 순간 전화가 걸려 와서 보면,
선재다.

솔   여보세요?
선재(F)   나야.
솔   응. (씩 웃으면)
선재   (이동 중이고. 입가 미소) 오전 내내 정신이 없었어. 출근 잘했어? 안 피
            곤해?
솔   괜찮아. 넌 바쁜가 보네?
선재   (아쉬운 듯) 오늘 늦게까지 스케줄 있어서.
솔   그렇구나...어제 공연 끝나고 나 때문에 쉬지도 못했는데, 피곤하겠다.
선재   안 피곤해. 하나도.
솔   거짓말. 또 또 힘든 내색 안 하지. 다른 사람한테도 그러지? 힘들면 힘들
            다고 해야지 말 안 하면 아무도 몰라.
선재   (핸드폰 너머 들려오는 솔이 목소리 좋은. 헤드에 머리 기대고 가만 듣는)
솔   (선재가 말이 없자, 끊겼나 싶고) 여보세요?
선재   음...
솔   (??) 갑자기 왜 말이 없어?
선재   그냥...좋아서.
솔   (피시식... 웃음이 터지고 만다)
선재   근데. 그 선물 있잖아. 태엽시계. 무슨 의미였어?
솔   편지에 쓴 그대론데.

〈솔 회상 인서트〉
#솔이 집 솔이 방 (N)

솔이 다 쓴 편지를 타임캡슐 안에 넣어 놓고. 옆에 놓인 빈티지 태엽시계를 들어본다. 멈춰 있는 시계를 가만 보는.

#다시 현실

솔	너의 시간이...멈추지 않고 흘렀으면 했거든.
선재	이상하네...
솔	뭐가?
선재	니 말 듣고 보니까, 지금껏 멈춰 있던 시간이 이제야 제대로 흐르는 것 같아서.
솔	(피식) ...그래?
선재	(보고 싶고) 내일 볼까?
솔	그래. 내일 보자.
선재	(너무 멀다) 밤에 볼까?
솔	언제 끝나?
선재	(아쉬운 듯) 하...몰라.
솔	그럼 힘들 거 아니야.
선재	아니, 늦게라도 봐. 보러 갈게. 보자.
솔	(미소) 그래. 보자.
동석	형. 도착했어요.
선재	(동석에게 쉿. 하는데)
솔	(듣고) 가야 되는 거 아니야?
선재	(아쉬워) 조금만 더.
솔	(설레서, 괜히 옷자락을 만지작거리며) 뭘. 이따 볼 텐데.
선재	그냥 지금 볼까?
솔	뭐?
선재	보고 싶다고 한마디만 해. 다 때려치우고 갈게.
솔	(빵 터져서 웃더니) 어서 들어가 봐.

버스정류장, 미소 띤 얼굴로 선재와 통화하는 솔이 모습 멀리서 보여진다. 버스 도착하자 아쉬운 듯 전화 끊으며 일어나는.

씬/53 몽타주 (D → N)

#1. 본시네마 회의실 (D)
솔, 대표, 팀 사람들 다 모여 조용히 회의 중인데. 솔이 핸드폰 벨소리가 울린다. "죄송합니다!" 눈치 보며 핸드폰 전원 끄는 솔.

#2. 명품 포토콜 행사장 (N)
선재 등장하자, 수많은 기자들의 카메라 플래시 터진다. 포즈 취해주는.

#3. 본시네마 사무실 (N) *13화 연결 장면 있음.
솔, 자리에서 문서 작업하고 있다.

(시간 경과)
주위에 다른 직원들 하나둘씩 퇴근하는데, 혼자 남은 솔, 전날 잠을 못 자 피곤한 듯 기지개 켜며 하품한다. 늦게까지 일하는 모습.

씬/54 선재 밴 안 + 선재네 아파트 주차장 (N)

스케줄 마치고 아파트 주차장으로 들어서는 선재 밴.

선재　(솔에게 전화 거는데 꺼져 있자 걱정하는) 계속 꺼져 있네...뭔 일 있나?
동석　배터리 다 됐겠죠~ (주차하는데 후방카메라로 기둥 뒤에 숨어 있던 하얀패딩 스토커가 보인다. *1화 34씬과 같은 구도) 아, 깜짝이야! (뒤돌아 보면 다시 숨어서 안 보이고) 도대체 어떻게 들어오는 거야? 보안 철저하게 한다더니 이게 무슨!
선재　또 왔어?
동석　네. 아니 아침에도 인혁이 형이 자고 있을 때 또 찾아와서 문 따려고 했다던데. 아직까지 안 가고 있었던 거야, 뭐야? (씩씩대는)

선재   뭘 열을 내. 신고하고, 일단 호텔로 가. 빨리 옷 갈아입고 솔이 보러 가게.

씬/55 본시네마 건물 앞 (N)

솔, 퇴근하고 내려와 무심코 차 키 꺼냈다가 이제야 생각난 듯. "맞다...차 선재네 놓고 왔지?" 다시 돌아서서 빠르게 걸어가는데.
그 모습을 누군가 지켜보는 듯한 시선 컷.

씬/56 선재네 아파트 앞 (N)

솔, 걸어와서 입구에 멈춰 서서, 아파트 올려다본다.

솔   아직 집에 안 왔겠지? (하며 전화해볼까 싶어 핸드폰 꺼내는데 전원 꺼져 있다) 어머. 여태 꺼졌었네. (전원 켜보는데, 화면 켜지자마자 선재에게서 온 부재중 전화 알림이 뜨자, 씩 웃으며 바로 전화 걸어보는데)

씬/57 호텔 스위트룸 일각 (N)

어딘가에 올려둔 선재 핸드폰 타이트. 솔에게 전화 걸려 오고 있다. 징-징- 진동 소리 이어지다가 이내 끊긴다.

씬/58 선재네 아파트 주차장 + 솔이 차 안 (N)

솔   아직 안 끝났나 보네. (아쉬운 듯 전화 끊고) 근데 차를 어디다 세워놨더라? (두리번대다 주차된 차 발견한다) 찾았다! (달려가고)

솔이 차에 올라타서 가방 조수석에 내려놓는 순간.

검은 세단(*영수 차와 같은 차종)이 갑자기 나타나 솔이 차 앞으로 달려 오다 끽- 하고 급브레이크를 밟는다. 솔, !!!!! 깜짝 놀라 앞 유리창 보면. 검은 차 운전석 문 열리고, 모자 눌러쓴 남자가 차에서 내리더니 솔이 쪽 으로 다가온다. 마치 영수인 듯 긴장감 흐르는데.

씬/59 호텔 욕실 + 스위트룸 (N)

샤워 마친 선재. 옷 갈아입은 선재가 수건으로 머리 털며 욕실에서 나오 면. 선재 동선 따라 호텔 스위트룸 보여진다. 한쪽으론 테라스로 연결된 문이 보이고. 테이블 위엔 선재 핸드폰과 지갑, 그 위에 솔과 함께 찍은 즉석사진 놓여 있다. 1화에 선재가 죽었던, 바로 그 방이다! 선재, 핸드폰 확인하는데, 솔에게 온 부재중 전화 찍혀 있다. 씩 미소 짓고. 바로 통화 버튼 누르며 테라스로 나간다.

씬/60 솔이 차 안 + 선재네 아파트 주차장 (N)

솔이 놀란 표정으로 차에서 내리면, 모자 쓴 남자가 억울한 듯 서서 "제 가 안 쳤어요, 혼자 자빠진 거예요!" 한다. 솔, 무슨 소린가 싶어 보면, 검 은 세단 앞에 하얀패딩 스토커 넘어져 있다. 솔, "괜찮아요?" 하는데. 그때, 경비원 달려오자 하얀패딩 스토커. 벌떡 일어나 뛰어간다.

경비원 (뛰다 멈춰서 숨 헐떡이며) 아이고...저놈의 스토커 진짜 골칫덩어리네...
솔 스토커요?! (돌아보면 하얀패딩이 도망치고 있다. 쫓아 뛰어가는)

씬/61 호텔 스위트룸 테라스 + 문 쪽 (N)

테라스에 서 있는 선재, 솔이 전화 안 받자 갸웃하는데 동석에게 전화 와 서 받는.

선재	어 왜.
동석(F)	형, 몇 호였죠?
선재	2510... (하는데)
E	딩동. 초인종 소리 울린다.
선재	(동석인 줄 알고) 뭐야, 알면서 왜 물어?
동석(F)	뭔 소리예요?
선재	너 아니야?
E	딩동. 초인종 소리 다시 한번 더 울린다.
선재	(돌아본다!)

한편, 마스터키 꽂는 소리 들리고. 이내 철컥... 문고리가 돌아가는 데서 블랙아웃.

씬/62 선재네 아파트 입구 + 거리 일각 (N)

솔, 하얀패딩 스토커를 죽어라 쫓고 있다. 하얀패딩 스토커, 도망치다가 좁은 건물 사이로 휙 숨어 들어가는데. 솔, 잠깐 어디 갔나 헤매다 이내 건물 사이로 쫓아 들어가는. 잡힐 듯 안 잡힐 듯 잠시 추격전 오가다가... 하얀패딩 스토커, 뭔가에 걸려 넘어질 뻔하면서 주춤하자, 솔이 냅다 뒷덜미를 붙잡으며 같이 넘어져 뒹군다. "잡았다!" 하얀패딩 스토커 "이거 놔요!" 소리치며 발버둥 치고, 솔이 씩씩대며 패딩 후드를 벗겨내서 얼굴을 확인하는데. 보면, 이제 갓 중학생이나 됐을 법한 앳된 소녀다. 솔, 이렇게 어린애였나 싶고, 허, 한숨 쉬며 털썩 주저앉는 데서.

씬/63 식당 (N)

한가한 식당 안. 주인아주머니가 일각에 놓인 TV 보며 앉아 있고. 하얀패딩 스토커. 고개 푹 숙이고 밥 먹고 있다.

솔	(때가 탄 옷소매, 허옇게 튼 손 보며 한숨) 가출한 진 얼마나 됐어?
하얀패딩	한 달이요.
솔	몇 살이야? 열다섯? 여섯?
하얀패딩	...열넷이요. 중1.
솔	하...아무리 나이가 어려도 그렇지. 너 이거 범죄야. 알아?
하얀패딩	...진짜 이제 안 그럴 거예요. 너무 좋아해서 그랬어요.
솔	(답답) 좋아하면 그래도 돼? 그거 좋아하는 사람 더 힘들게 하고 괴롭히는 거야. 좋아한다면서 어떻게 그래...
하얀패딩	(먹다가 쿨럭)
솔	(한숨) 천천히 먹어. 물 갖다줄게. (일어나는데)
아줌마	(TV 보다 놀란 듯) 어머 어머 뭔 일이래 이게?
솔	!! (TV 쪽으로 시선 돌리면 충격받은 표정, 뉴스 앵커 멘트 귀에 꽂힌다)
앵커(E)	속보입니다. 가수이자 배우인 류선재 씨가 서울의 한 호텔에서 괴한에게 피습을 당하는 충격적인 사건이 발생했습니다. 현재 현장에서 도주한 용의자를 쫓고 있다고 하는데요. 김은주 기자가 보도합니다.

〈TV 뉴스 화면 인서트〉
기자 멘트 위로 인서트 장면 교차되어 보여지는.

기자(E)	사건이 발생한 이곳은 5성급 호텔로 외부인 출입이 쉽지 않은 곳입니다. 경찰 측은 범인이 호텔 직원으로부터 마스터키를 훔쳐 류선재 씨가 묵고 있던 스위트룸 객실까지 침입한 것으로 보인다고 밝혔는데요. 또한 범인은 미리 준비한 마취제로 류 씨를 제압해 흉기로 살해하려다 매니저를 보고 현장에서 도주했다고 합니다. 출혈이 많이 일어난 상태에서 발견된 류 씨는 곧바로 병원으로 이송되어 현재 긴급 수술에 들어갔다고 전했습니다.

〈인서트 1〉 *호텔 복도 CCTV 장면
모자를 푹 눌러쓰고 복도를 걸어가는 영수 뒷모습. (*4화 12씬 CCTV 컷과 동일)

〈인서트 2〉 * 61씬 호텔 스위트룸 장면 연결

선재가 멈칫하며 방으로 들어가려는데 테라스 창에 흩날리는 커튼 너머에 모자를 푹 눌러쓴 영수 서 있다. 선재, !!! 놀라는 순간, 기습적으로 마취제가 묻은 손수건으로 선재 입을 막으려 하며 달려드는 영수. 선재, 핸드폰 떨어트리며 영수 팔 잡고 반항하는 모습에서. (짧게 컷컷 느낌)

〈인서트 3〉 * 호텔 앞

구급차와 경찰차 서 있고. 경찰들이 주위에 몰려든 사람들 막고 있다. 그때, 들것에 실려 나오는 선재(복부가 피투성이다), 구급차에 실리면 쫓아나온 동석(손과 옷에 피가 묻은)이 구급차에 따라 올라타는 장면.

씬/64 솔이네 아파트 거실 (N)

복순, 외투 벗다가 식탁에 놓인 우편물 들어 본다. 검찰청에서 솔이 앞으로 보낸 우편물이고... 뜯어보면. '수형자 출소통지서'다. 영수가 며칠 전 석방되었음을 통지한다는 내용이고. 복순, !!! 우편물 든 손끝이 떨린다.

씬/65 식당 (N)

솔, 넋 나간 표정으로 뉴스 보고 있다.

기자(E) 또한 현장에서 발견된 흉기 지문 감식을 통해, 용의자는 2009년 살인죄로 수감되어 며칠 전 출소한 40대 남성 김 모 씨로 밝혀졌습니다. 경찰은 재범의 우려가 있다고 판단되어 공개 수배하기로 결정했다고 발표했습니다.

기자 멘트 위로 과거 영수 택시 면허 사진이 수배용으로 뜬다.
솔, 화면에 보이는 영수 사진 보는 순간, !!! 온몸이 얼어붙는다.

〈솔 회상 인서트〉 *6화 64씬
영수와 마주치던 컷 스치는.

솔OFF   도대체 왜...! 선재를 왜.... (충격받아 털썩 쓰러지듯 주저앉는다)

씬/66 한국대병원 앞 (N)

기자들과 수많은 선재 팬들 몰려와 있고, 병원 관계자가 막고 있는.

씬/67 수술실 + 식당 (교차) (N)

선재, 응급 수술 중이다. 넋이 나가 있는 솔이 모습과 수술실의 선재 모습 교차되어 보여지는 데서 엔딩.